J.-LOUIS LÉVESQUE

Du même auteur

Histoire de la Gaspésie (en collaboration avec Marc Desjardins, Yves Frenette et Pierre Dansereau), Montréal, Boréal, 1981 (Réédition en préparation).

Gaspésie, visages et paysages, Montréal, Boréal, 1984.

L'école détournée (en collaboration avec Louis Balthazar), Montréal, Boréal, 1989. Réimpression en 1992.

Ma Gaspésie, le combat d'un éducateur, Montréal, Fides, 1993.

Jules Bélanger

J.-LOUIS LÉVESQUE

La montée d'un Gaspésien
aux sommets des affaires

FIDES

Couverture : Gianni Caccia
Mise en pages : Folio infographie

Les Éditions Fides bénéficient de l'appui de la Société de développement
des entreprises culturelles du Québec (SODEC) et du Conseil des Arts du Canada.

AVANT-PROPOS

CE LIVRE EST NÉ du projet modeste d'un article pour le magazine *Gaspésie* à partir d'une interview promise à l'auteur par Louis Lévesque, plusieurs années avant son décès. À quelques reprises, l'invité reporta l'interview qui ne se réalisa jamais. Le jour de ses funérailles, je fis part à Me André Charron de ma déception devant ce projet demeuré en plan et lui demandai s'il n'était pas l'homme tout désigné pour m'accorder une interview en remplacement du disparu, son patron pendant de nombreuses années. Sans hésitation, il accepta. Au cours d'une rencontre qui eut lieu le 30 août 1995, je confiai à Me Charron que l'ampleur de la carrière de Louis Lévesque me paraissait de plus en plus mériter plus qu'un article dans un périodique. Je suggérai un livre. Un échange s'ensuivit au cours duquel Me Charron donna son avis : « Monsieur Lévesque mérite bien ça. »

En novembre 1995, les membres de la famille de Louis Lévesque convenaient de me confier le mandat d'écrire une biographie de leur père et qu'à cet effet me seraient ouvertes toutes grandes les archives conservées aux bureaux de la Fondation J.-Louis Lévesque concernant la vie et la carrière du personnage.

Dès lors, je bénéficiai, de la part de nombreuses personnes, d'une collaboration dont l'enthousiasme m'en révéla beaucoup sur le respect, l'admiration et l'amitié qui entouraient le disparu. À toutes ces personnes je dois beaucoup. Aussi je tiens ici à les remercier.

Me Charron m'a été d'un secours particulier. Il m'a accordé plus d'une interview, il a répondu patiemment à mes nombreuses questions, il m'a aiguillé vers d'autres informateurs et, dans plusieurs cas, il m'a obtenu lui-même des rendez-vous avec ces témoins importants de la carrière de son patron. Non seulement les archives de J.-Louis Lévesque conservées aux bureaux de la Fondation J.-Louis Lévesque me furent-elles ouvertes mais le personnel de bureau m'apporta sans cesse sa collaboration empressée et souriante.

Les responsables d'archives en d'autres lieux m'accueillirent on ne peut mieux. Il en fut ainsi aux archives de la paroisse de Nouvelle, de la municipalité de Nouvelle, de la Société historique de la Gaspésie, de l'évêché de Gaspé, des Religieuses hospitalières de Saint-Joseph à Bathurst et des Sœurs du clergé à Rimouski. Au Centre d'études acadiennes de l'Université de Moncton, le bibliothécaire Gilles Chiasson et les archivistes Roney Gilles LeBlanc et Kenneth Breau furent d'une serviabilité remarquable.

Les personnes dont les noms suivent m'ont gentiment accordé des interviews : Bob Anderson, Jean Béliveau, Edna Bilodeau, Gustave Boudreault, Pierre Brunet, Adrien J. Cormier, Paul Desmarais père, Jacques Dumas, Thérèse Francœur, Louis Frenette, Marcel Frenette, Félix Gagné, Isidore Gauthier, André Godon, Gilbert Gravel, Frank Greene, Gérard Guité, Paul Joncas, Renée Kierans, Gustave Lachance, Roland Lamb, Léo Lavoie, Raymond Lemay, Albert Lévesque, Andrée Lévesque, Anne-Marie Lévesque, Élisabeth Lévesque, Pierre-Louis Lévesque, Irving Liverman, Marcel Mathieu, Yanick Pagé, Roger Paquet, Charles Ploem, Jean-Marie Poitras, Raymond Rooney, Marie Simard, Pierre Saint-Cyr, Sylvestre Sylvestre et Nicole Bureau-Tobin.

Plusieurs d'entre elles m'ont ensuite transmis des informations utiles à ma recherche. Ont fait de même : Fernand Arsenault, Maurice Chamard, Régis Landry, Marcel Poirier de même que Évelyne Frenette-Thériault. Léo-Paul Hébert me fut un précieux informateur dans la région de Joliette et Suzanne Dupuis a effectué pour moi des recherches fructueuses aux archives gouvernementales à Québec.

Les photos qui illustrent cette biographie proviennent pour la plupart des archives de J.-Louis Lévesque. Ce sont toutes celles qui, dans le texte, ne sont accompagnées d'aucune indication de source. Les autres émanent des archives du Musée de la Gaspésie, des archives du Centre d'études acadiennes, de l'Institut de cardiologie de Montréal, et des collections privées de Adrien J. Cormier, Jacques Dumas, Louis Frenette, Gustave Lachance, Raymond Lemay, Andrée Lévesque, Pierre-Louis Lévesque, Irving Liverman, Yanick Pagé, Charles Ploem et Marie Simard.

Le Musée de la Gaspésie (nouvelle raison sociale de la Société historique de la Gaspésie) a soutenu financièrement mes travaux, grâce à la générosité de la Fondation J.-Louis Lévesque.

L'équipe des Éditions Fides m'a conseillé toujours judicieusement dans la réalisation de ce livre.

À toutes ces personnes et institutions, je réitère l'expression de ma vive reconnaissance.

Jules BÉLANGER
Gaspé, septembre 1996

INTRODUCTION

«As-tu des nouvelles d'en bas?» C'était la question que Louis posait invariablement chaque fois qu'il rencontrait sa sœur Léona, à Québec où elle était
montée, comme lui à Montréal, et comme des milliers de Gaspésiens et
Gaspésiennes dont l'émigration vers les centres urbains constitue, depuis à peu
près toujours, une tradition obligée dans cette région du Québec dont le lot
semble de devoir exporter en ville son produit le plus précieux : sa matière
grise.

Léona était montée en ville pour étudier en techniques infirmières. Ses
études complétées, elle y avait élu domicile. Louis, ayant eu la chance de faire
des études classiques en Gaspésie — privilège réservé à l'époque à un petit
nombre d'élus presque exclusivement masculins — était monté à Montréal
dans l'intention bien arrêtée d'y réaliser son rêve : devenir millionnaire. Et tous
deux, à l'occasion, se partageaient, dans une sorte de nostalgie du pays natal,
toutes les nouvelles qu'ils avaient pu colliger par-ci par-là au sujet de leur
Gaspésie : événements divers, décès, maladies, mariages et potins.

De la Gaspésie, on «monte» vers Montréal et Québec puisque la géographie l'indique : le fleuve ne descend-il pas vers l'est? Mais Louis Lévesque,
montant à Montréal, y fit plus que de se conformer à la géographie, il effectua
une montée de gagnant, une montée remarquable et remarquée, une montée
qu'on applaudit et dont on est fier, tout comme au hockey — ce sport dont
il raffolait —, on applaudissait les montées triomphantes des Richard, des
Béliveau ou des Lafleur.

Le Gaspésien Louis Lévesque a effectivement connu à Montréal une carrière extraordinaire. Poursuivant en ligne droite son rêve de jeunesse, il a

accédé de façon magistrale aux sommets des affaires en ce pays. Il a réussi à y faire une trouée de champion. Il a fait mentir enfin le vieux dicton, voulant que les Canadiens français, n'étant pas doués pour la finance, soient nés pour un petit pain. Avant-gardiste, il a largement contribué à ouvrir la voie à cette cohorte de Québécois venus après lui qu'on a appelée Québec Inc.

Virage historique dans le cheminement de notre peuple, virage effectué par un Gaspésien. Voilà deux raisons qui ont amené un fervent de l'histoire du Québec ayant un faible pour celle de la Gaspésie à écrire la présente biographie.

Et il y a une troisième raison. Le talentueux financier a tenu à partager en frère les fruits de sa réussite. Il s'est fait généreux philanthrope. Profondément attaché à ses origines à la fois acadiennes et irlandaises, il s'en est montré le digne descendant. Il a joué un rôle de pionnier dans la création de la première université des Acadiens. Le plus souvent possible, il affichait fièrement la couleur lui rappelant la verte Érin dont lui avait souvent parlé son grand-père Jos Greene, fils de Patrick, émigré d'Irlande au temps de la grande famine. Toujours et partout, Louis signait à l'encre verte. Devenu célèbre turfiste, les couleurs officielles de ses jockeys furent le vert et le blanc. Son avion privé portait haut dans le ciel ces mêmes couleurs, comme on arbore, avec fierté, le blason familial.

Les succès du financier ne lui ont pas fait oublier les valeurs humaines héritées de son éducation familiale. Il demeura un homme simple, affable, fraternel, charitable. Sa carrière et ses réalisations méritent amplement d'être connues, particulièrement en cette époque de morosité dont on dit qu'elle permet trop peu d'espoir à la génération montante. La carrière de Louis Lévesque, sa montée aux sommets des affaires, est exemplaire.

Elle peut susciter, aviver, nourrir chez d'autres Gaspésiens, d'autres Québécois, la féconde et indispensable confiance en l'avenir. En leur avenir et en celui de leur peuple.

Sa ferme et effective résolution de prodiguer les fruits de ses succès au mieux-être de ses concitoyens d'aujourd'hui et de demain, en privilégiant la recherche fondamentale en éducation et en santé, commande le respect et la reconnaissance de la part du peuple pour l'avenir duquel il a non seulement rêvé de réalisations sans précédent mais réalisé des rêves généreux qui sont devenus des institutions éminemment porteuses de qualité de vie et d'avenir.

Chapitre un

✿

L'HOMME EN DEVENIR
1911-1934

En ce 11 avril 1911, un silence plutôt triste s'étendait sur tout le paysage de Nouvelle[1]. Et la nature et le temps de Pâques avaient comme suspendu les activités habituelles dans le décor de ce petit village blotti entre la plus basse montagne des Chics-Chocs et la Butte de Miguasha. Village dont le relief semble avoir été creusé et dessiné par la rivière du même nom qui serpente doucement vers le barachois et son goulet où, à quelque six kilomètres à l'est, elle se jettera dans la Baie-des-Chaleurs. Le printemps tardif avait transformé la route d'hiver en un vague espace à peine carrossable aussi bien pour les voitures d'hiver que pour celles d'été. Ce n'était que flaques informes dans lesquelles alternaient l'eau boueuse et la neige salie par le crottin de cheval.

Les cloches ne sonneront pas mais Octavie chantera

Au milieu du village, endormi en cette attente de la vie que retenait encore la nature, devant la maison du forgeron Alfred Greene, deux enfants s'amusaient à tracer, avec des bâtons, des petites rigoles dans lesquelles elles dirigeaient, tristes et pensives, des brins d'herbe et des copeaux devenus leurs bateaux chargés de rêves. Élisabeth, bientôt six ans, et sa sœur cadette Léona s'ennuyaient : on les avait amenées chez ce cousin de leur mère parce que, leur avait-on expliqué, le Sauvage allait passer à la maison. C'était la coutume : quand un accouchement devenait imminent, on évacuait les enfants chez les voisins, parents ou amis. Élisabeth se souvient d'avoir vu, à l'approche de Pâques, l'année dernière, ce grand Indien de Ristigouche qui vendait de porte à porte des paniers d'osier de sa fabrication. Il portait sur son dos tout un assortiment de sa production : des gros paniers blancs, ronds ou rectangulaires, et des petits, de vrais joujoux tout entrelacés de belles couleurs. Et elle se souvient que ça sentait bon. Serait-ce donc cette fois que le mystérieux personnage au visage de cuivre apporterait dans un de ses gros paniers le bébé annoncé ?

Les fillettes avaient donc dû quitter le logis familial, situé en face de la résidence du cousin Fred, à l'étage d'une ancienne maison-école que la jeune famille de John Lévesque avait pu louer grâce à l'intervention du curé Drapeau arrrivé à Nouvelle le 5 octobre 1890. La vieille école était propriété d'un cousin de John, Thomas Lévesque, parti travailler à Ristigouche à la scierie des frères Champoux. Élisabeth et Léona vivaient chez le cousin d'en face depuis déjà trois jours et elles s'ennuyaient. « Nous retournons chez nous maintenant », avaient-elles dit à leur père, venu une fois de plus les encourager à patienter. « Non, ce n'est pas encore le temps, Madame Cyr est toujours assise dans l'escalier et elle surveille... Personne ne doit entrer avant l'arrivée du Sauvage», leur avait-il répété. Son épouse, Mary-Catherine Greene, que tous appelait Minnie, vivait des moments difficiles : on avait prévu l'arrivée de ce quatrième enfant pour le lundi en cette Semaine sainte et on était encore à attendre, en ce jeudi matin. Le Dr Morais et Madame Cyr, la sage-femme, patientaient sagement. John, de son côté, trouvait les heures bien longues, autant sinon plus que ses fillettes.

Enfin, en ce Jeudi saint, le bébé arriva. On décida de procéder au baptême dès ce même jour. La santé de l'enfant inspirait des craintes. Il fallait trouver un parrain et une marraine. John se rendit donc chez Frédéric Berthelot où se trouvait sa fille Octavie, opératrice de télégraphe, et son beau-frère Ferdinand Marcotte, avocat de New-Carlisle en visite à Nouvelle. Il annonce l'heureux événement et offre les honneurs à Octavie et Ferdinand qui les acceptent. Le baptême a lieu dans l'après-midi. Pour annoncer à la communauté paroissiale qu'elle compte désormais une nouvelle recrue, c'est la coutume, après le baptême, de faire sonner les cloches de l'église et aussi que le parrain offre au sonneur un honoraire à cet effet, premier cadeau à son filleul.

Mais la tradition liturgique veut que les cloches des églises soient tout à fait silencieuses du mercredi au samedi saint. «Les cloches sont parties à Rome», dit-on. En ce Jeudi saint donc, on ne fera pas sonner les cloches pour ce baptême. Il y aura là quelque chose de triste mais Octavie saura y remédier. Heureuse d'être la marraine de ce nouveau-né auquel on vient de donner le nom suggéré par elle-même, soit celui de Louis, en l'honneur de saint Louis-de-Gonzague envers qui elle nourrit une dévotion toute spéciale, Octavie célébrera l'événement de façon inhabituelle. Dès qu'on aura signé les registres paroissiaux, elle retiendra dans l'église le curé, le père, la porteuse et le parrain et elle chantera, « a cappella », solennelle, pieuse et heureuse, une hymne liturgique rendant grâce au ciel pour le don de la vie.

Le bébé Louis s'était donc fait attendre et son entrée dans la communauté de Nouvelle avait été plutôt discrète. Y avait-il là quelque chose de prémonitoire...? Ce nouveau-né descendait des deux principales souches ethniques qui ont peuplé ce coin de la Baie-des-Chaleurs où se trouve Nouvelle : les Acadiens et les Irlandais. Entré dans la vie de façon discrète, il allait connaître une carrière elle aussi marquée au coin de la discrétion, voire d'une certaine timidité, mais une carrière dont le succès retentissant allait conjurer enfin ce destin de pauvreté et de porteurs d'eau auquel l'histoire semblait avoir voué ses ancêtres depuis que la déportation des Acadiens et la famine d'Irlande les avaient jetés, à un siècle d'intervalle, sur les mêmes côtes de la Gaspésie.

Des origines à la fois acadiennes et irlandaises

John avait vu le jour le 1er mars 1874 sur la petite ferme de son père Wenceslas située au sud de la rivière Nouvelle, à quelques centaines de pieds de la route conduisant à Miguasha et à un kilomètre environ de la jonction de cette voie secondaire avec la route nationale traversant le village. C'était précisément à ce petit carrefour, en face de la résidence du cousin Fred Greene, que se trouvait l'ancienne école dans laquelle John et Minnie avaient emménagé après quelque cinq ans de vie maritale dans la maison paternelle au bord de la rivière, l'ancienne école dans laquelle Minnie avait enseigné pendant quelques années avant son mariage. Wenceslas avait épousé Élisabeth Leblanc à Carleton, tout comme son père Élie avait choisi Angélique Boudreau de la même paroisse. Voilà, en ces Leblanc et Boudreau, un héritage on ne peut plus acadien. Mais ce n'est pas tout. François, le père d'Élie, avait épousé Marie

Mary-Catherine (Minnie) Greene (1883-1946)   *John Lévesque (1874-1956) (Coll. privée)*

Granger, d'origine acadienne elle aussi, et le père de François, Maurice, né près d'Avranches en Normandie, était venu, vers 1740, de France en Acadie où il avait épousé Marie-Anne Bernard, une autre Acadienne.

Quant à Minnie, elle était née le 28 juillet 1883 à Nouvelle, plus précisément à la Pointe de Miguasha, sur la propriété de son père Joseph Greene, pêcheur-cultivateur, qui était fils de Patrick, émigré au Canada de Limerick en Irlande, en 1819, avec son père nommé Patrick lui aussi. Un an avant la naissance de Minnie, soit le 8 août 1882, Joseph avait épousé à Nouvelle, Christine-Anne d'Amboise dont le grand-père maternel était John Keays, venu d'Irlande également.

L'ascendance de Minnie plonge elle aussi ses racines dans l'histoire acadienne. Sa mère, Christine-Anne d'Amboise, était la petite-fille de Nicolas d'Amboise de Carleton qui avait épousé, en 1821, l'Acadienne Marguerite Porlier. Le père et le grand-père de Nicolas, Étienne et Michel, avaient épousé, respectivement, les Acadiennes Claire Courroit et Marie Dugas.

C'est Barthélémy, le père de Michel, qui avait transporté de France en Acadie cette branche de la famille d'Amboise. Né à Amboise vers 1664, il arrive à Québec en 1685 comme «volontaire de la marine». Il accompagne Pierre LeMoyne d'Iberville dans la plupart de ses campagnes dont celle de la baie d'Hudson. Vers 1695, il épouse Geneviève Serreau et vient s'établir en Acadie l'année suivante. Le couple donne naissance à sept enfants dont Michel, en 1702. En 1704, lors de l'attaque du colonel Church contre Port-Royal, Barthelémy est fait prisonnier avec tous les membres de sa famille et emmené en captivité à Boston. Après sa libération, il revient à Port-Royal. Propriétaire d'une goélette, il fait du cabotage entre Port-Royal, Les Mines, Beaubassin et quelques autres endroits. Vers 1730, il vient s'établir à Sainte-Anne-du-Pays-Bas (Fredericton) dont il est l'un des pionniers. À l'époque de la dispersion des Acadiens, son fils Michel demeurait à Sainte-Anne, sur la rivière Saint-Jean (Nouveau-Brunswick). Après le traité de Paris, il se dirigea vers la Louisiane avec sa femme et ses plus jeunes enfants. Le recensement de Carleton pour l'année 1777 mentionne la présence d'un des fils de Michel d'Amboise. Il s'agit d'Étienne, l'arrière-arrière grand-père de Minnie.

Une famille modeste et industrieuse

La famille de John Lévesque et Minnie Greene ne roule pas sur l'or. À Nouvelle, comme en bien d'autres localités de la Baie-des-Chaleurs, à peu près toutes les familles vivent alors, très modestement, de l'exploitation de leur petite ferme. On appelle alors cultivateur même celui qui ne possède qu'un petit lopin de terre et quelques animaux. Or John et Minnie se marient le 14 novembre 1904, à Sainte-Anne-de-Ristigouche où Minnie travaillait au bureau de poste depuis trois mois pendant que

John avait trouvé un emploi temporaire à Camp-bellton, tout près, par delà la rivière Ristigouche. Le jeune couple s'installe chez Wenceslas, le père de John, et y vit jusqu'en 1909.

Le plus tôt possible, le couple voudra habiter sous son propre toit. Riche d'une petite scolarité dépassant celle de la moyenne de ses contemporains, John tentera sa chance, d'expédient en expédient. Son curé, Monsieur Joseph-Octave Drapeau, lui facilitera, avons-nous vu, la location de l'ancienne école du village. Il y aménagera sa résidence à l'étage et, au rez-de-chaussée, un petit magasin-épicerie que l'on désignait alors à Nouvelle du terme de « grocerie », adapté de l'anglais. À compter de l'automne de 1909, John trouve à mettre sa petite instruction à profit : il devient secrétaire-trésorier de sa municipalité qui porte alors le nom de Municipalité nord-est de Nouvelle et Shoolbred. Le salaire n'a rien de mirobolant mais, à cette époque, l'argent est très rare. John recevra un salaire annuel dont on sait qu'après neuf ans d'expérience, soit en 1918, il aura atteint 124 $. De plus, le secrétaire-trésorier touchera un bonus de 1,50 $ par assemblée du conseil municipal.

À cette époque, le secrétaire-trésorier de la municipalité est un personnage respecté. Il compte parmi les quelques notables de la localité, avec le curé, le médecin, les institutrices et parfois le marchand général qui, s'il n'est pas toujours instruit, jouit généralement du prestige associé à l'argent. Le secrétaire-trésorier est investi d'une autorité morale se comparant facilement à celle dont la démocratie revêt le maire qui est généralement un petit cultivateur dont la signature même s'avère souvent pour le moins laborieuse. L'homme instruit du conseil municipal occupe un poste important. C'est lui qui, par exemple, doit soumettre aux sérieux et respectés personnages que sont les avocats certains litiges qui surviennent dans la localité.

Ainsi, dès son assermentation comme secrétaire-trésorier, John a dû soumettre à l'avocat John-Hall Kelly de New-Carlisle, personnage des plus respectés dans la Gaspésie de l'époque[2], un litige dont le cheminement montre bien l'importance accordée à l'employé habilité à échanger à un tel niveau au sujet des articles et clauses si capricieuses de la loi.

Il s'agit d'une décision du conseil municipal à l'effet d'exproprier un terrain évalué à 45 $. Le propriétaire, Isidore Landry, s'objecte. L'affaire traîne en longueur depuis trop longtemps et, en novembre 1909, le nouveau secrétaire-trésorier doit demander un avis légal. Il lui faudra cependant être patient. Ce n'est que le 11 juillet suivant qu'il recevra de John-Hall Kelly l'avis suivant :

> J'ai pris communication de votre lettre et je comprends que vous avez été légalement offrir à Monsieur Landry l'argent pour son terrain. Pourvu que toutes vos procédures concernant cette route aient été faite (*sic*) en bonne et due forme sans qu'il y ait eu d'irrégularités de commises, vous avez le droit d'entrer immédiatement en possession dudit terrain et de commencer à faire les travaux voulus. La loi vous oblige, lorsque vous offrez de l'argent à quelqu'un pour du terrain, de lui montrer cet argent, et il faut que cet argent soit l'argent courant du pays. Si vous ne lui avez pas montré l'argent, je vous conseillerais d'y retourner de nouveau, de lui offrir et montrer l'argent, et en même temps de lui signifier un papier disant que vous lui offrez cet argent pour ledit chemin et que vous allez déposer cet argent au Conseil où il pourra l'obtenir lorsqu'il le jugera à propos[3].

Autre exemple des tâches du secrétaire-trésorier, qui suggère, cette fois, la modestie de ladite institution municipale. On apprend, au procès-verbal de la séance du Conseil municipal du 8 décembre 1909, que le secrétaire-trésorier John Lévesque fait une demande de soumissions ainsi libellée : « pour du bois afin de réparer le pont Kerr :

224 morceaux de cèdre vert et sain pour pavure du pont de pas moins de six pouces d'épaisseur équarris sur les quatre côtés et 18 pieds de longueur. Aussi, 16 morceaux de cèdre vert et sain de six pouces d'épaisseur équarris sur les quatre côtés et de 23 pieds de longueur. Le Conseil ne s'engage pas à payer ce bois avant que la taxe de 1910 soit prélevée. »

L'une des tâches du secrétaire-trésorier consiste à recevoir le serment d'office des nouveaux conseillers. Ainsi, le 22 janvier 1912, le secrétaire-trésorier John Lévesque reçoit le serment d'office du marchand général Georges Frenette comme conseiller municipal et, trois mois plus tard, le serment d'office du même concitoyen comme « ayant été dûment nommé maire de la municipalité Nouvelle-Shoolbred partie Nord-Est ». Cette présence commune à la table du conseil municipal sera l'occasion de maints liens et connivences profitables entre les familles Lévesque et Frenette.

Poste de confiance que celui de secrétaire-trésorier de sa municipalité, oui, mais peu lucratif. John devra chercher à gagner la vie de sa famille de diverses autres façons. Ainsi, dès juillet 1912, le secrétaire-trésorier de la municipalité agit de plus comme secrétaire du Cercle agricole de Saint-Jean-l'Évangéliste créé en 1885[4].

> Les cercles agricoles œuvrent sous la responsabilité immédiate du curé. À l'époque (...), leurs membres peuvent se réunir régulièrement pour discuter de leurs problèmes et partager leurs expériences. Les souscripteurs se cotisent pour acheter des graines de semence et des animaux de race. Les cercles agricoles se fixent comme objectifs de faire aimer et prospérer l'agriculture, d'encourager la colonisation et d'enrayer l'émigration. Le gouvernement leur envoie des conférenciers dans le but d'assurer la diffusion des connaissances agricoles[5].

Dès son enfance, John avait appris, sur la petite ferme de son père, à conduire les chevaux. Une

La maison familiale à Nouvelle, construite en 1911-1912.
(Coll. privée)

voisine, Madame John McBrearty, dont le mari possède de bons chevaux, l'envoie souvent chercher le médecin à Carleton ou bien, pendant l'hiver, à Dalhousie. Plus tard, dès qu'il aura acquis son propre cheval, il obtiendra un contrat de postillon et transportera quotidiennement le courrier de la gare du chemin de fer au bureau de poste de Miguasha et vice-versa. Cette tâche lui permettra, à maintes occasions, de conduire des passagers descendant du train : commis-voyageurs et autres.

De même que son père Wenceslas, John est violoneux et on recourt souvent à ses talents de musicien pour animer les veillées de noces ou d'autres fêtes. À même cette petite épicerie sise au rez-de-chaussée de l'ancienne école, John assumera, en 1921, la gérance de la Coopérative agricole locale. Le 2 février 1920, le Conseil municipal vote l'établissement de licences de commerce dont une à John Lévesque pour «grocerie» au coût de 3,00 $. Cette licence sera renouvelée le 6 mars 1922. Située à peu près à mi-chemin entre les deux magasins généraux du village, la «grocerie» de John ne génère pas un gros chiffre d'affaires ni n'accapare son gérant à temps plein. Aussi, à l'occasion, Minnie vient-elle le relayer derrière le comptoir pour lui permettre de vaquer à ses engagements de postillon ou autres. Si modestes que soient ses revenus, John réussit à mettre en chantier sa propre maison dès l'automne 1911.

D'excellents collaborateurs du curé Saint-Laurent

De son côté, Minnie aussi se sent à l'aise dans les chiffres et les papiers. Elle possède une bonne instruction : elle a obtenu son diplôme d'institutrice à l'école des Sœurs de la charité de Carleton. Le couple deviendra petit à petit le personnel de confiance des organismes officiels de la paroisse. En 1916 (le 21 mai), arrive à Nouvelle un nouveau curé, l'abbé Joseph-Alexis Saint-Laurent, qui dirigera les destinées de la paroisse jusqu'en 1955. Bâtisseur et leader naturel, il ne tardera pas à mettre sur pied, en mars 1917, la Société coopérative agricole de Saint-Jean-l'Évangéliste. Cet organisme prolonge et diversifie l'action du Cercle agricole.

L'abbé Joseph-Alexis Saint-Laurent, curé de Nouvelle de 1916 à 1955. (Coll. privée)

> (...) des sociétés coopératives agricoles d'achat et de vente se forment en Gaspésie à partir de 1913, principalement dans le comté de Bonaventure. Elles s'occupent soit de l'approvisionnement des agriculteurs, soit de l'écoulement de leurs produits ou des deux à la fois. Dans le premier cas, il s'agit de fournir aux cultivateurs des biens pour leur travail et même pour la consommation. Un bon nombre de ces sociétés disparaissent rapidement pour diverses raisons, dont le manque de capital et la mauvaise gestion[6].

Le fondateur assumera la gérance de sa création aussi longtemps qu'il le jugera nécessaire pour en assurer la viabilité. Il lui faudra quatre ans pour trouver le paroissien digne de le remplacer. John Lévesque deviendra secrétaire-trésorier et gérant de la Coopérative agricole le 13 février 1921. La Coopérative a acquis en février 1918 le terrain et la bâtisse de la vieille école.

Un mois après avoir fondé sa Coopérative, soit le 17 avril 1917, le curé-bâtisseur, qui allait devenir le pionnier principal des Caisses populaires en Gaspésie[7], reçoit dans sa paroisse le Commandeur Alphonse Desjardins pour présider à l'inauguration de la Caisse populaire de Saint-Jean-l'Évangéliste dont le siège social sera installé dans le presbytère avec, comme président et gérant, le curé-fondateur lui-même. Peu après ces deux fondations d'ordre économique, l'initiateur est heureux d'écrire : « C'est le crédit agricole. La Société coopérative agricole achète au char, emprunte de la Caisse et remet au fur et à mesure. Après douze mois de fonctionnement, la Caisse populaire a un actif de 43 000 $ et le total des entrées en Caisse a dépassé les 92 000 $[8]. »

Le jour même de la fondation de la Caisse populaire, John Lévesque, membre fondateur de ladite Caisse, est élu au conseil de surveillance de l'institution naissante pour le demeurer jusqu'à la nomination de sa conjointe au poste de gérante, le 26 juin 1921. De juin 1924 à mai 1940, John siégera comme commissaire de crédit à la Caisse. Le vice-président de la nouvelle caisse n'est nul autre que Georges Frenette, ce marchand général de Nouvelle.

Le curé Saint-Laurent n'attendra pas plus tard que le 3 décembre 1923 pour susciter la création du Bureau central d'inspection et de surveillance des caisses populaires du diocèse de Gaspé. Il en devient aumônier. Le Bureau est composé de cinq directeurs dont trois de Nouvelle : Georges Frenette, John Lévesque et Léon Lavoie. On notera le sens pour le moins pratique du curé-organisateur qui voit à ce que le quorum de ce Bureau régional se retrouve dans sa paroisse. Le nouveau Bureau se réunit pour la première fois le 27 décembre 1923. Georges Frenette en est élu président et John Lévesque secrétaire-trésorier. Et ça continue : en avril 1925, le curé fonde l'Union régionale des Caisses populaires Desjardins du district de Gaspé. Le siège social sera à Nouvelle et siégeront au conseil d'administration

Georges Frenette, John Lévesque et Léon Lavoie. Le 10 octobre 1929, le curé Saint-Laurent se fait remplacer par John Lévesque au poste de secrétaire-gérant du Bureau central.

Madame Minnie fut, de son côté, la première laïque à succéder au curé-fondateur comme gérante de la Caisse populaire. Elle est embauchée au salaire de 25 $ par mois avec possibilité d'augmentation annuelle. Elle entre en fonction le 1er juillet 1921. Cette nouvelle source de revenus permettra à la famille Lévesque, nous le verrons plus loin, d'accéder à un statut social nouveau et réservé à bien peu de familles de Nouvelle. Les quelques détails suivants en disent beaucoup sur le contexte économique de l'époque. En 1923, la gérante voit son salaire augmenté à 50 $ par mois et à 60 $ en 1924. Ainsi, les deux filles de Minnie, Élisabeth et Léona, pourront étudier à l'Alma Mater de leur mère, à Carleton, au cours des années 1920-24, et Louis pourra entrer au Séminaire en 1926. En 1931, Minnie touchera 75 $ jusqu'en 1938. À compter de cette année-là, la gérante aura droit à 1 % de l'actif. Selon les registres de ses différents conseils, la caisse était très bien tenue[9].

Revenons brièvement au moment de la création de la Caisse populaire. Un mois après la fondation, au cours de l'assemblée du mois de mai 1917 du conseil municipal, on autorise le secrétaire-trésorier, John Lévesque, à prendre une part dans la Caisse populaire de Saint-Jean-l'Évangéliste et à y déposer l'argent de la Corporation municipale.

Le 19 août 1934, c'est la bénédiction de la pierre angulaire de l'église paroissiale. La pierre contient des dons symboliques des fidèles : il y a là 1,00 $ de Dame John Lévesque et 1,00 $ de sa fille Élisabeth, institutrice. L'église sera bénie le 12 août 1935 : les marguilliers du temps de la construction apposent leur signature au procès-verbal de l'événement et John Lévesque en est. Le même jour, on bénit les cloches. Sur la troisième cloche, on a gravé les noms d'une quinzaine de familles bienfaitrices, dont celle de John.

Le couple aura donc joué un rôle de premier plan dans la vie économique et sociale de Nouvelle. Selon les archives de la caisse, c'est à regret que le conseil d'administration accepte les démissions de John et Minnie, en mai 1940, au moment où ils quittent la région, eux qui avaient tant fait pour la caisse.

John avait vraiment le goût du commerce : vers les années 1936-1940, il ouvrit une cantine, dans une ancienne petite bâtisse désaffectée et transportée à travers champs jusque sur son terrain devant sa maison. Minnie cuisait dans sa cuisine de délicieuses tartes que John vendait dans sa cantine à 10 ¢ pièce. Une fois la semaine, le samedi, la cantine recevait un bidon de crème glacée en provenance de Gray's Velvet Ice Cream de Campbellton. Le délice était transporté sur le porte-bagage de l'autobus Doiron qui s'arrêtait à tout signal des clients. Parfois, surtout aux jours de grande chaleur, l'autobus prenait beaucoup de retard et lorsque John, après l'avoir extrait de son gros sac de toile empoussiéré, ouvrait le bidon, devant les yeux inquiets des garçons qui salivaient déjà depuis quelques heures, tenant fort leur pièce de cinq sous, c'était la profonde déception, la désolation : tout s'était liquéfié[10].

L'épreuve de la maladie

Donc l'enfant né en ce Jeudi saint reçoit le nom de Louis. L'attente fut longue et le bébé est plutôt fragile. Ses premières années occasionneront beaucoup d'inquiétudes à ses parents. L'enfant est sujet à des inflammations de poumons et, à plusieurs reprises, on craint le pire. Deux voisines et amies de la famille, Madame Arsenault et Madame Jolicœur, viennent en aide à la mère anxieuse pour soigner l'enfant malade. D'ailleurs, des épidémies sévissent à Nouvelle. Louis n'a pas encore ses deux ans lorsque son père, le secrétaire-trésorier de la municipalité, inquiet et préoccupé, tout comme ses collègues du conseil municipal, doit inscrire au procès-verbal de l'assemblée du 3 février 1913 la résolution adoptant «le Règlement municipal sur la maladie contagieuse». Le document, signé par John Lévesque, devra être lu par lui-même à la porte de l'église le 13 février. Il stipule, entre autres articles, que «le Dr J. A. Morais, médecin exécutif du Bureau d'hygiène de cette municipalité, s'engage à faire deux visites dans chaque famille pour 5 $, soit 3 $ pour la déclaration de maladie contagieuse et 2 $ pour mettre en liberté lesdites maisons». Or l'une de ces épidémies frappera la famille de John et Minnie.

Un enfant doué pour le négoce

Le jeune Louis est sauvé. Très tôt, il se révèle un garçon éveillé, vif, curieux surtout et tellement actif qu'il mobilise quasi constamment les adultes chargés de le surveiller. Il a deux ans et demi lorsque, en décembre 1913, lui arrive une petite sœur qu'on baptisera Hectorine et que la maladie ravira à sa famille le 19 juin 1920 alors que la petite n'a pas encore sept ans. Louis partage régulièrement ses jeux avec son frère Raymond, son aîné de deux ans, mais celui-ci entre à l'école en septembre 1915 laissant son petit frère tout seul avec ses quatre ans et toutes ses énergies. L'enfant s'ennuie et, curieux de ce que peuvent bien faire à l'école Élisabeth, Léona et Raymond, il se met à demander d'aller à l'école lui aussi. Or, le printemps venu, il a de la chance et sa demande est exaucée. En mai 1916, comme les enfants de l'école doivent «marcher» au catéchisme, libérant ainsi le professeur pour lui permettre d'initier les futurs arrivants de septembre, Louis, tout heureux, est admis à l'école.

L'après-midi même de son premier jour de classe, il revient à la maison avec de nouveaux et plus nombreux crayons de mine et crayons d'ardoise, une règle échangée avec quelques sous de retour, des gommes à effacer, etc. Ce commerce déplaît aux parents qui lui avaient pourtant procuré tous les articles scolaires dont il pouvait avoir besoin. Les événements allaient cependant montrer que les parents n'avaient pas prévu tous les besoins du jeune écolier. Surtout pas tous ses talents.

Son père, par ailleurs heureux de constater ce sens du négoce et de l'économie chez son fiston, l'encourage dans son apprentissage des chiffres. Un jour, il lui dit : « Si tu peux compter, je te donnerai ce que tu compteras de sous. » En un rien de temps, l'enfant peut compter plus de sous que le père n'en peut disposer et il y a bris unilatéral de contrat. À moins de six ans, Louis maîtrise déjà ses tables de multiplication et de division. John et Minnie connaissent bien la valeur des sous et, dans la famille, on apprend à économiser. Louis, pour sa part, semble particulièrement doué en cette matière.

D'instinct, il découvre, beaucoup plus rapidement que les autres enfants de son âge, le jeu de l'échange profitable et la variété des possibilités qui s'offrent à l'intéressé, même au modeste écolier dans son petit village. Ainsi, il a appris, probablement en écoutant les conversations des adultes, que les sous américains valent plus que les canadiens. Voici donc un filon : il se fera attentif à la présence de sous américains dans les poches de ses petits copains de l'école et les leur échangera systématiquement contre des sous canadiens sinon contre des objets divers : une pomme, un crayon ou une gomme à effacer. Sa mère, devenue commis à temps partiel de la Caisse populaire avant d'accéder à la gérance, le félicite un jour de venir déposer ses économies qu'elle s'apprête à inscrire à son carnet. L'enfant de huit ans précise qu'il y a là, dans son dépôt, quatorze sous américains et qu'il entend bien s'en voir créditer la valeur juste.

L'église paroissiale se trouve à une dizaine de minutes de marche de la maison paternelle et Louis y va régulièrement servir la messe du curé Saint-Laurent. Se remémorant ce souvenir en 1990, il disait : « À dix sous par jour, ça faisait 60 sous par semaine et parfois nous servions une messe de mariage, ce qui nous donnait un peu plus. Il y avait aussi les prêtres visiteurs qui ajoutaient un pourboire. » Servir ainsi quotidiennement la messe peut facilement banaliser pour un enfant les événements religieux de la paroisse mais il y eut dans cette église certains événements que Louis n'oublia jamais. Ainsi, en novembre 1918, âgé de sept ans, il accompagna sa mère à l'église où la communauté s'était réunie pour remercier le ciel de ce que la guerre mondiale ait enfin cessé son carnage. « Je revois le visage ému de ce grand jeune homme de notre voisinage avec qui maman se réjouissait, en sortant de l'église, de ce qu'il avait de justesse évité la conscription[11]. »

Il n'y avait pas que les sous du service à l'autel. Le samedi, Louis allait aider sa mère, gérante de la Caisse populaire, à compter et mettre en rouleaux les pièces de monnaie. Il pouvait récolter là 10 et parfois 25 sous.

Cet intérêt marqué pour le négoce a-t-il été stimulé chez l'enfant par la dure épreuve qui l'a frappé au cours de sa sixième année et qui l'aurait poussé à chercher une certaine compensation, un exutoire à sa peine profonde ? On peut l'imaginer. Le 24 septembre 1917, c'est l'épreuve cruelle, la consternation pour la famille et pour Louis. Raymond est atteint de diphtérie et, en quelques jours, la maladie le ravit aux siens : il a huit ans. Comme la maladie est contagieuse, les prescriptions d'hygiène en vigueur imposent alors des règles qui accentuent la cruauté du drame et la douleur de la famille. On devra procéder à l'inhumation dès le lendemain. John transportera la dépouille de son fils vers le cimetière, dans sa voiture à cheval dont il a enlevé le siège. On ne pourra même pas s'arrêter à l'église paroissiale. Cette privation obligée du service religieux déchire les entrailles de la famille en deuil. Seul compagnon du père éploré, le jeune Louis, silencieux, le cœur brisé, est bouleversé par l'incompréhension et la douleur où il est plongé, à six ans.

À compter de ce triste jour, l'enfant rappelle souvent à ses parents, sur le ton de la complainte, qu'il est maintenant seul, qu'il n'a plus son compagnon de jeu et qu'il s'en désole. Il trouve même le moyen de négocier cette solitude contre des permissions spéciales ou petits privilèges qu'il arrache à la discipline familiale habituelle. Ainsi, il obtient de pouvoir garder près de lui à table, pour usage exclusif, le sac de ses biscuits préférés achetés au petit magasin des voisines, les demoiselles Marie-Anna et Delvina Leblanc.

Son ingéniosité et sa débrouillardise vont toujours grandissantes. Il détecte partout les occasions de tirer profit des circonstances. Un dimanche d'automne, alors que Louis n'avait encore que dix ans, Alfred Greene, ce cousin de Minnie que tous appellent Fred, part à la chasse aux lièvres et amène avec lui ses trois fils Frank, Georges et Patrick qui ont à leur tour invité le jeune cousin. Or, pour chasser ce gibier qui abonde dans la petite forêt avoisinant la rivière Nouvelle, la consigne est claire : les enfants marchent aux côtés ou en arrière du chasseur et, comme les lièvres, agiles et curieux, sont susceptibles à tout moment d'apparaître et de disparaître dans leur très rapide course, il faut, dès que l'un d'eux se manifeste, siffler brusquement, ce qui a pour effet d'immobiliser momentanément l'imprudent, tout juste le temps qu'il faut au chasseur. Les enfants sont à l'affût et chacun veut être le premier à siffler. Ce jour là, l'équipée revient au village tout heureuse, portant comme des trophées

La famille Lévesque en 1924: John, Léona, Louis, Élisabeth et Minnie. (Coll. privée)

huit beaux lièvres encore chauds. Arrivé chez Fred, Louis doit poursuivre sa route jusque chez lui où on l'attend pour le souper. Or le chasseur semble avoir oublié quelque chose et Frank se souvient bien que l'oubli fut réparé. «Monsieur Fred, lui rappela Louis, j'en ai sifflé deux.» Et Louis rentra chez lui avec ses deux lièvres.

L'enfant est attachant, son esprit vif et «ratoureux» attire l'attention de plus d'un adulte. À l'école, il est un élève doué et intéressant. L'institutrice, Bertha d'Amboise, cousine de Minnie, pensionne chez les Lévesque. Discrètement, à la maison, elle sait donner au garçon un petit conseil par-ci, un autre par-là. Naturellement, l'enfant s'attache à cette institutrice-pensionnaire. Or voilà qu'il n'est pas le seul à apprécier Bertha et un jour c'est un cheminot du nom de Honoré (Son) Arsenault qui obtient la préférence de l'institutrice qu'il épouse à Nouvelle le 11 septembre 1922. Louis, qui a alors onze ans, en est bien attristé. Il proteste avec les moyens du bord en refusant tout simplement d'aller servir la messe de mariage ce matin-là, bien que ce soit pourtant son tour.

Bon élève oui, mais déjà, en bas âge, plutôt enclin à choisir parmi les matières scolaires celles qui lui paraissent les plus pratiques. Ainsi, un soir, s'affairant à ses devoirs, autour de la table de cuisine, en compagnie de ses sœurs, il demande encore une fois à sa mère comment s'épelle tel ou tel mot. Sa mère lui conseille de nouveau d'imiter ses sœurs qui consultent leur dictionnaire. Elle lui rappelle que c'est ainsi qu'il pourra écrire correctement plus tard. Contrarié, Louis lui répond que plus tard il n'aura pas besoin d'être habile à écrire puisqu'il aura alors des secrétaires pour le faire. Déjà, un plan de carrière se dessinait dans l'esprit du garçon.

À la conquête d'un marché élargi

Négociateur en herbe, il a entrepris de convaincre son père de lui acheter une bicyclette. Le désir de posséder ce véhicule extraordinaire est d'autant plus obsédant que son compagnon d'école, Louis Frenette, fils du marchand général du village, vient de recevoir une magnifique CCM Rambler flambant neuve. Mais l'objet convoité coûte assez cher et John propose à son fils une bicyclette usagée. L'enfant comprend la situation économique familiale mais elle ne lui plaît guère. Il va donc chez le marchand général, le père de son copain, et négocie un prix spécial pour une bicyclette neuve dont le prix de détail est de 37 dollars. Ensuite, il expose longuement à son père les inconvénients et risques inhérents à l'achat de matériel usagé : l'absence de toute garantie, le remplacement prochainement prévisible des pneus, la probabilité d'une vie utile trop brève et enfin, la différence maintenant sensiblement réduite entre les prix des deux bicyclettes. De plus, Louis a maintenant accumulé des économies lui permettant de payer une bonne partie de cet objet de rêve.

Le gérant de la coopérative agricole et secrétaire-trésorier de la municipalité ne peut résister à l'argumentation de son jeune fils. Gain de cause. La bicyclette commandée arrive au magasin et chez les Lévesque pendant les jours saints. Les amis, dont Louis Frenette, assistent au déballage. La route nationale n'est pas encore tout à fait dégagée. Qu'à cela ne tienne, les deux « Louis », comme on les appelle couramment dans le village, s'offriront, dès ce jour là, chacun sur sa propre bicyclette neuve, l'excursion la plus longue de leur jeune carrière de cycliste.

Léona, le grand-papa Jos Greene (82 ans) et Louis, le 10 septembre 1926. (Coll. privée)

Curieux, Louis s'intéresse à presque tout. Le journal quotidien publie régulièrement des annonces de commerçants de la ville à la recherche de vendeurs en province de leurs divers produits. L'enfant voit là de magnifiques occasions de réaliser assez facilement des profits. Il écrit souvent à ces annonceurs pour connaître leurs produits et les conditions offertes aux vendeurs. Dès ses dix ou onze ans, il fait affaire, par correspondance, avec plusieurs d'entre eux.

C'est comme cela qu'il devient acheteur de vieux fer pour un quelconque ferrailleur de la petite ville de Campbellton. À bicyclette, de ferme en ferme, il offrira aux cultivateurs de les débarrasser de toute ces ferrailles abandonnées derrière leurs hangars et leurs granges. Maintenant qu'il peut atteler le cheval de son père, le voici bien habilité à transporter ensuite toutes ces acquisitions qui s'amoncellent bientôt dans la cour de la maison, sous l'œil plutôt embarrassé de John. Celui-ci veut bien encourager son fils dans ses initiatives commerciales mais jusqu'où pourra-t-il en tolérer les inconvénients ? Dans la cour, c'est un capharnaüm de vieux métal rouillé : ressorts et essieux de voitures, pièces hétéroclites de charrue, de faucheuse, de herse et autres instruments aratoires désaffectés, carcasses de poêles de cuisine, etc. « Ça ne tardera pas, le rassure Louis, Monsieur Gilman, le Juif de Campbellton, m'a écrit qu'il allait venir acheter et emporter tout cela très bientôt. »

Le même Gilman achète aussi les peaux de bêtes et le crin de cheval. Louis se fera donc intermédiaire entre lui et les cultivateurs de Nouvelle. Il s'informera de leurs projets d'abattage et, le moment venu, il leur achètera leurs peaux de bœuf, de vache ou de veau, de même que tout crin de cheval disponible, pour revente à Gilman à un prix préalablement convenu, à la satisfaction tant du fermier que du jeune commerçant.

Sa bicyclette n'est pas qu'un jouet. Loin de là, elle lui ouvre des horizons. Le voici beaucoup plus mobile pour explorer le paysage commercial de Nouvelle. Et, en plus des ferrailles à localiser et des peaux de bêtes à prévoir, il y a les nombreuses occasions de se faire commissionnaire pour les voisins. Le jeune cycliste est rapide, efficace et on le réclame.

Le voisin et ami forgeron

Le premier voisin des Lévesque est un jeune forgeron que le cousin Fred a invité, en 1921, à venir prendre sa relève à Nouvelle. Tout nouveau venu dans le village, il eut besoin d'un gîte et Fred lui avait ouvert la porte de sa cousine Minnie où il s'installa pendant un an, le temps d'acquérir — sûrement avec la collaboration de Minnie, alors gérante de la Caisse populaire — un lopin de terre à côté de celui des Lévesque et de faire la conquête d'une future moitié, en l'occurrence une cousine germaine de Minnie. On le voit donc, celle-ci, toute maternelle, avait fait de son pensionnaire son protégé en quelque sorte. Aussi, ce fut tout à côté de la maison des Lévesque qu'il construisit la sienne et fonda son foyer.

Louis avait dix ans quand arriva le pensionnaire-forgeron devenu son voisin. Débordant de projets et d'initiatives, curieux de tout, l'enfant s'attacha au nouveau venu, cet artisan gaillard, enthousiaste et apparemment sans peur, qui eut bientôt fait de bâtir

Le voisin et ami forgeron. « J'ai du nouveau. Je vais pouvoir te faire remplacer ici. » (Coll. privée)

et d'ouvrir sa forge tout à côté. Louis était fasciné par l'activité qui bourdonnait dans cet atelier : les bruits des outils, des machines, de l'enclume, les odeurs de cheval se mêlant à celles que le feu tirait du fer, du charbon et de la corne des sabots, les conversations de la clientèle des cultivateurs et forestiers, tout cela l'attirait dans la forge du voisin Arthur où il se retrouvait le plus souvent possible, au retour de l'école. Trop souvent même, selon Minnie qui n'appréciait guère l'entendre répéter à table certains mots appris dans ces lieux où on ne faisait pas toujours dans la dentelle. « Je vais avertir Arthur de t'envoyer à la maison », l'a-t-elle menacé plus d'une fois. « Mais Arthur a besoin de moi, de plaider Louis. Je tourne le soufflet et je fais des commissions. » Effectivement, il tournait volontiers le soufflet de forge, parfois pendant une bonne heure et davantage, pour quelques sous, permettant ainsi au forgeron de façonner plus rapidement les fers mis au feu, celui-ci étant activé sans arrêt.

Et puisque le forgeron doit alimenter son feu de forge au charbon, Louis eut bientôt une idée. Il avait vu, le long de la voie ferrée traversant le village, de nombreux morceaux de charbon. Pourquoi ne pas cueillir cette petite manne tombée des locomotives du Canadien national? Il se mit donc à cette cueillette qui lui permettait parfois, la longue marche et la patience aidant, de rapporter dans un sac de jute qu'il portait sur son dos jusqu'à dix ou douze kilos de cette récolte que l'ami forgeron lui achetait volontiers au prix du marché.

Lorsqu'à quinze ans Louis quitta son village pour devenir étudiant pensionnaire au Séminaire de Gaspé, le forgeron regretta souvent les visites quotidiennes du jeune débrouillard qui s'empressait d'apparaître dans la forge dès le retour pour les vacances. Aux vacances de Noël de 1929, quand le collégien se pointa pour saluer son ami, celui-ci lui dit: «J'ai du nouveau. Je vais pouvoir te faire remplacer ici.» Et il l'amena à la maison lui présenter fièrement son premier fils, nouveau-né d'un mois[12]. Louis regrettait de n'avoir pu, retenu au collège, être le parrain du premier fils de son ami Arthur. Il eut droit cependant à une seconde chance l'année suivante lorsque le deuxième fils du forgeron eut la plus commode idée de naître pendant les vacances, en juillet.

Car Louis avait atteint l'âge de quitter l'école primaire de sa Nouvelle natale. Il aspirait sérieusement à faire des études plus poussées, convaincu que c'était là la clé d'un avenir prometteur. Sans plus d'études, à Nouvelle, comme un peu partout en Gaspésie, les perspectives d'avenir sont fort limitées: la plupart des jeunes Gaspésiens n'ont d'autres débouchés que la barque de pêche ou la petite ferme familiale pendant l'été et le métier de forestier pendant l'hiver. Louis est persuadé qu'il lui faut pousser ses études. Il ose même rêver en secret de devenir avocat.

Mais il faut pour cela suivre un long cours classique. Or, à Nouvelle, à cette époque, personne n'a encore franchi ce cap du cours classique pour accéder à une profession libérale. Il n'y a pas un seul collège classique dans toute la Gaspésie. Cependant, un audacieux et courageux bâtisseur a entrepris, en 1923, de doter la région d'une telle institution. Il s'agit du premier évêque de Gaspé, Mgr François-Xavier Ross. Il a annoncé à la population gaspésienne, peu après son arrivée à son siège épiscopal de Gaspé, que c'était là sa priorité et qu'il prévoyait ouvrir les portes d'une institution dispensant le cours classique, le Séminaire de Gaspé, dès septembre 1925. Partout en Gaspésie, les curés transmettent le message du nouvel évêque et encouragent leurs paroissiens à penser y inscrire l'un de leurs fils. Mais bien peu de parents osent même y penser, tellement l'argent est rare. Le fils du marchand général Georges Frenette, l'autre Louis, sera du nombre des élus et pourra s'inscrire au Séminaire de Gaspé pour l'ouverture prévue en septembre 1925.

Quant à Louis Lévesque, son avenir et ses rêves seront-ils bloqués à cause de la modestie des moyens de sa famille? On en discute sérieusement à la maison. Minnie gagne maintenant 60 $ par mois comme gérante de la Caisse populaire. Bien rares sont les épouses qui peuvent ainsi ajouter au revenu familial. Aussi, les économies accumulées par le jeune commerçant pourraient contribuer au payement des 80 $ qu'il en coûtera trois fois par année au Séminaire de Gaspé pour la pension, l'enseignement, la buanderie et les services médicaux. Le moment est crucial. On réfléchit, on calcule et finalement la décision est prise: Louis entreprendra son cours classique, avec son ami Louis Frenette. Ils seront de la première cohorte des privilégiés que recevra la nouvelle institution gaspésienne. Mais voici que l'évêque bâtisseur se butte à

Les élèves de l'école n° 3 de Nouvelle en 1923. Ce sont, dans l'ordre habituel, 1re rangée en avant: Edith Greene, Fernande Frenette, Hélène McBrearty, Angeline Gauthier, Ludo Caissy, Lucie Kearney, Ethel Greene, Yolande Lavoie, Angélie Dubé, Anne-Marie Lavoie, Marcelle Lavoie, Yvonne Savoie, Émile Gauthier, Célestin Kearney, Léonard McBrearty, René Savoie, George Gauthier et Jean-Charles Savoie.

*Deuxième rangée: Irène Berthelot, Simone Lavoie, Gabrielle Frenette, Gerty McBrearty, Carmelle Allard, Thérèse St-Onge, Blanche d'Amboise, Irène Fallu, Séraphine Gauthier, Lucy Williamson, Blanche St-Onge, Bernardin Day, Pierre Kearney, **Louis Frenette**, Willis Greene, Édouard Kearney, Donat Savoie, Joachim St-Onge Léopold Savoie, Albert Allard et Gaston Berthelot.*

*Troisième rangée: Rita McBrearty, Léa Lavoie, Gerty d'Amboise, Marguerite Gauthier, Geneviève St-Onge, Lucie St-Onge, Marguerite Nadeau, Alice Fenette, institutrice, François-Xavier Cloutier, instituteur, Frank Greene, Léonard Cyr, Georges Greene, Albert Gauthier, Camil Francœur, **Louis Lévesque**, Wilfrid McBrearty, Lionel Allard, Léonard Gauthier et Alphonse St-Onge.*

d'incontournables difficultés de financement qui retardent les travaux de construction de son Séminaire dont l'ouverture doit être reportée d'une année, à septembre 1926. Les deux Louis, déçus dans leur projet, poursuivront des études à l'école primaire une année de plus pendant laquelle on les encouragera à mieux préparer leur entrée en Éléments-Latins. Depuis trois ans maintenant, grâce à l'esprit d'initiative du curé Saint-Laurent, l'école du village s'est enrichie d'un maître. Le professeur Cloutier a pris charge des garçons de douze ans et plus qui étaient jusqu'alors regroupés, avec les filles, dans une salle de classe à division multiple.

Au Séminaire de Gaspé

Et arrive ce septembre du départ. L'entrée au Séminaire a lieu le 12. Les deux Louis, avec bagages et projets d'avenir, prennent le train de la Baie qui les conduira à Gaspé après un voyage de quelque six heures. La séparation est pénible mais c'est là une partie du prix à payer pour suivre son étoile. L'acclimatation à la vie de pensionnaire, dans un édifice à peine terminé, un milieu nouveau avec une soixantaine de compagnons nouveaux, un règlement sévère, tout cela n'a rien de facile mais on tiendra le coup. Ce sont les Pères jésuites qui

À la gare de Nouvelle, le 12 septembre 1926, jour du premier départ vers le Séminaire de Gaspé. De gauche à droite: Louis et Léona Lévesque, Alice, Gabrièle et Georges Frenette, Élisabeth Lévesque, Louis, Marguerite et Fernande Frenette. (Coll. privée)

dirigent le Séminaire et, de concert avec l'évêque bâtisseur, ils mettent à l'honneur les exigences intellectuelles et autres auxquelles doivent se soumettre ces jeunes qui se donneront d'ailleurs comme devise de classe, «Primi inter pares» (Premiers parmi des égaux).

Louis réussit bien ses études. Il a du talent, on l'a vu déjà. Cependant, tout en mettant le temps et l'effort nécessaire pour s'assurer de bons résultats, il continue, beaucoup plus que ses professeurs ne le souhaiteraient, à s'intéresser à des réalités autrement plus prosaïques et terre à terre que le latin, le grec, les vers de Virgile ou l'Anabase de Xénophon. Louis a besoin d'activités très concrètes. Il aime toujours le commerce et son nouvel environnement lui offre un marché intéressant. Pourquoi le négligerait-il?

Régulièrement, il porte dans ses poches tout un inventaire dont il a deviné l'intérêt pour sa nouvelle clientèle: un assortiment de crayons de mine, de stylos, de canifs ou même de montres-bracelet. Et son flair particulier semble lui révéler les besoins de tel ou tel de ses confrères ainsi que ses capacités de payer. Ses crayons coûtent bien un peu plus cher qu'au magasin mais les voici, immédiatement, bien aiguisés même et livrés à l'acheteur. Ses confrères se souviennent de ce geste du dépanneur omniprésent qui, prévoyant et bienveillant, s'approche d'eux dans la cour et ouvre les deux pans de son veston où apparaissent les aubaines du jour. Il y a aussi le commerce du chocolat qui trouve bonne clientèle dans tout pensionnat. Louis achète à cinq cents les tablettes convoitées et les revend à sept ou même à dix cents, selon la conjoncture du marché qui est souvent fonction de la saveur variable des derniers repas servis au réfectoire!

Le confrère de classe Félix Gagné témoigne: «Louis aimait le Séminaire plus ou moins. Il trouvait la discipline trop sévère, particulièrement l'interdiction de fumer. Il s'en distrayait par son commerce de mille choses. On le voyait, dans la cour de récréation, circuler d'un groupe à un autre pour offrir sa camelote. Il avait toujours quelque chose à vendre. Affairé, il avait souvent à sortir en ville, des commissions à faire, des parents à visiter à l'hôpital. C'était un collègue au commerce agréable, on le respectait. De toute évidence ses intérêts débordaient les nôtres, ceux de nos études, de nos loisirs, de la cour du Séminaire: son commerce ne pouvait pas se limiter à notre petite communauté. On eût

Le Séminaire de Gaspé en 1926. À peine terminé, comme ayant surgi au pied de la montagne, isolé sur son site, face à la baie de Gaspé. Il avait accueilli ses premiers élèves le 12 septembre 1926.

La première classe d'Éléments-Latins de l'histoire du Séminaire de Gaspé (1926-1927). Parmi ceux qui ont eu droit à un siège: à l'extrême gauche, Louis Lévesque et, à l'extrême droite, Louis Frenette.

dit que ses affaires étaient pour lui sa deuxième vie. »

Élisabeth, sa sœur, se souvient qu'elle lui envoyait à peu près mensuellement à cette époque, en guise d'encouragement à poursuivre ses études, un billet d'un dollar. Sa mère et son père faisaient de même. Encouragement oui, mais aussi augmentation appréciable du pouvoir d'achat du commerçant-dépanneur.

Évoquant, soixante-dix ans plus tard, leur arrivée au Séminaire de Gaspé, l'ami d'enfance Louis Frenette réfléchit tout haut: «On nous appelait les deux Louis, à Nouvelle et à Gaspé. Nous étions de bons amis et nous le sommes demeurés jusqu'à la fin. Nous sommes partis ensemble vers le Séminaire de Gaspé, le 12 septembre 1926. Au Séminaire, tous ont appris que mon ami Louis avait de remarquables aptitudes pour les affaires. Comme je décrochais souvent de très bonnes notes, il me demandait

*Le 11 septembre 1927, veille
du départ vers le Séminaire de
Gaspé pour la deuxième année.
Tante Élise Greene est bien
fière de son grand neveu
collégien.*

parfois : " À quoi ça sert d'arriver premier en classe ? "
Il avait beaucoup d'intérêts en dehors des cours. »

À la distribution des prix couronnant les travaux de la première année de ce cours classique, en juin 1927, tandis que Louis Frenette se classait parmi les bons premiers, l'autre Louis se contentait d'un premier prix de piano. Il avait commencé ses études de musique à Nouvelle avec Évelyne Frenette, sœur de Louis, à qui il avait confié, se souvient-elle, que son rêve d'avenir était de devenir millionnaire. L'année suivante, en Syntaxe, il obtint un accessit en préceptes et analyse, un second prix en thème grec et un accessit en anglais. En Méthode, un premier prix, « Prix de cinq piastres en or », en instruction religieuse, un deuxième prix de thème latin, un accessit en version grecque et un autre en piano. En Versification, un deuxième prix de thème grec.

Les cours de piano au Séminaire coûtaient trois dollars par mois. À la fin de sa troisième année, en juin 1929, Louis avait dû sacrifier à d'autres préoccupations plus urgentes le temps normalement prévu pour les cours de piano, le grand livre de comptabilité du procureur montre qu'il s'est fait créditer six dollars pour deux mois de piano.

Succès non négligeable dans les études mais aussi, parallèlement, succès remarqué dans l'exploitation de ses talents pour les choses concrètes. Il saura même en faire bénéficier ce Séminaire dont les moyens sont plus que modestes. En 1929-1930, les deux Louis se retrouvent vice-présidents du Comité des jeux qui manque évidemment de ressources financières. À l'automne, les étudiants du Séminaire ont monté une pièce de théâtre à l'occasion de la fête du saint patron de l'institution, saint François-Xavier, le 3 décembre. Il y aurait là un profit à tirer pour notre Comité des jeux, suggère Louis Lévesque à l'autre Louis. Et l'organisation se met en marche. Louis Lévesque écrit au curé de

Juin 1929: les collégiens de Gaspé font du théâtre. Dans le rôle du roi sur son trône: Louis Lévesque.

Nouvelle lui demandant la permission d'utiliser, pendant les prochaines vacances, la salle paroissiale pour y présenter la pièce des collégiens.

Le curé Saint-Laurent juge l'initiative des plus louables et s'en ouvre ainsi dans son «Journal de bord» paroissial. «La lettre plaide les besoins du Séminaire trop pauvre... Le curé ne peut que louer un si bon mouvement et abandonne la salle Saint-Jean-l'Évangéliste à cet écolier du nom de Louis Lévesque et à ses confrères. Ces élèves demandent à leurs professeurs de les préparer pour une petite séance qu'ils joueront le 27 décembre, jour de la fête patronale de saint Jean-l'Évangéliste. On avise le curé de l'intention de fêter à la fois le soixantième anniversaire de l'érection canonique de la paroisse. Nouvelle acceptation, pourvu que leurs études n'en souffrent pas... Le 27 décembre, dès huit heures, la salle est pleine à sa capacité. Succès complet[13].»

L'ami Louis Frenette avait reçu de sa famille un petit appareil-photo. C'était certes alors un objet de luxe. Le fils du marchand général s'amuse donc à croquer de temps à autres, comme souvenirs personnels, quelques scènes de la vie de pensionnat. Louis Lévesque, de même qu'il l'avait fait pour la bicyclette, convainc sa famille de lui en acheter un aussi. Mais, il en tirera un autre profit que son ami. Ces scènes de la vie étudiante, les confrères sont nombreux à en vouloir des copies. En un rien de temps le service à la clientèle fonctionne : Louis affiche dans la salle de récréation les nouveautés photographiques de la semaine, accompagnées d'un formulaire de commande et, quelques jours plus tard, c'est la distribution des photos commandées en retour du payement comptant. Il y a là un petit commerce fort appréciable. Il fallait y penser.

Le 30 mars 1929 est un jour tragique à Gaspé. L'église-cathédrale de Mgr Ross est la proie des flammes. Les séminaristes accourent sur les lieux pour apporter quelque secours. Louis Lévesque s'amène comme photographe. Or, que l'on sache, personne d'autre que lui n'a photographié la scène du sinistre. C'est ainsi que les archives de la Société historique de la Gaspésie peuvent conserver des photos de l'incendie de 1929 insérées dans un album personnel que Louis Lévesque y a apporté en 1980.

Des vacances d'affaires

L'une des bonnes affaires que réalisa Louis comme agent commercial recruté par les annonces des quotidiens fut celle des cartes à poinçonner. À l'été de 1930, John et Minnie, ayant réussi quelques économies, ont acheté une Plymouth usagée. Louis mettra à profit cet investissement majeur. Les cartes à poinçonner, distribuées par Odilon Saint-Hilaire de la Beauce, sont des planches perforées de plusieurs centaines de trous dans chacun desquels se trouve un petit papier roulé sur lequel apparaît le coût, de 1 à 99 cents. Il faut payer le prix indiqué et certains de ces billets donnent droit à un des nombreux cadeaux associés à chaque planche à poinçonner. Louis sillonnera donc la Gaspésie et le nord du Nouveau-Brunswick, vendant à tous les commerçants possible ces cartes à poinçonner qui permettent de beaux profits non seulement à l'intermédiaire mais aussi aux marchands dépositaires. Or, certains cadeaux plus alléchants sont attribués à quiconque poinçonne les derniers trous de la planche. Vers la fin des vacances, Louis retourne visiter ses clients et, dans bien des cas, ayant supputé les probabilités de l'opération payante, il achève lui-même le poinçonnage des planches et revient ainsi avec de nombreux cadeaux pour son marché d'automne au collège. Cette astuce ajoute au profit de 300 $ réalisé par la vente elle-même des planches en cet été de 1930, au grand soulagement du père John qui avait prévenu son fils : « Si tu fais faillite, je ne payerai pas. »

Au goût du destinataire

Très tôt, l'observateur éveillé avait constaté que ses concitoyens acceptaient volontiers de verser des sommes considérables pour commémorer, par de belles épitaphes au cimetière, le souvenir d'un être cher. Un fabriquant annonçait ses produits dans le journal. Louis devint son agent. Il connaissait assez bien la plupart des familles de la localité que le deuil avait frappées. Déjà son expérience lui avait appris qu'on n'est jamais si bien servi que par soi-même. Il entreprit donc de vendre des épitaphes aux vivants prévoyants. C'est ainsi qu'on put l'entendre, plus d'une fois, faire la démonstration des nombreux avantages d'une telle prévoyance : avoir sur sa tombe une épitaphe à son goût, avec une inscription choisie par soi-même, soulager d'autant les survivants des choix à faire et des frais inhérents à cet achat. Et le vendeur eut bientôt fait d'identifier de bons clients éventuels de ce commerce relié à la prévoyance.

À Pointe-à-Fleurant, dans le voisinage de Nouvelle, il avait connu certains rentiers anglophones aux économies appréciables et il s'est appliqué à leur vendre des épitaphes sur mesure. Au cours de ses vacances d'été de 1929, il avait réussi une certaine vente qu'il jugeait intéressante. Quel avait été alors l'argument décisif pour conclure l'affaire avec ce client en particulier, nul ne le sait, mais, au retour du collège pour les vacances de Noël, le vendeur s'informa de l'état de santé d'une certaine dame Fraser pour apprendre que, loin d'être décédée, elle allait très bien. « Oh, fit-il remarquer prudemment, je ferais beaucoup mieux de ne pas me montrer dans ces parages. » Beaucoup plus tard, vers 1990, il repassa en ces lieux et photographia une épitaphe qui lui rappelait des souvenirs de jeunesse. Il offrit la photo à son petit-fils après avoir écrit à son endos : « Épitaphe ou pierre tombale que j'ai vendue à John Fraser vers les années 1931 à Pointe-à-Fleurant, en Gaspésie. D'un côté, était gravé le nom de son épouse, décédée en 1930 ; l'autre côté était laissé vacant pour lui... Ce fut l'une de mes meilleures idées. » Le même été, sortant de la forêt où se trouve le St-John's Salmon Club, près de Gaspé, par la route qui passe près du cimetière de York, il demande au chauffeur de s'y arrêter et invite son compagnon Irving Liverman à une petite visite : « Vois-tu cette épitaphe, et celle-là, et cette autre, c'est moi qui les ai vendues, quand j'étais étudiant ici, à Gaspé. » « Quelle mémoire ! et quel homme d'affaires ! » de s'exclamer le compagnon de pêche... et de course de chevaux... évoquant ce souvenir.

La pierre tombale des Fraser dans le cimetière de Pointe-à-Fleurant. « Ce fut l'une de mes meilleures idées. » (Coll. privée)

Une cigarette fatale ?

L'interdiction de fumer, avons-nous vu, lui était particulièrement pénible dans cette vie de pension-

naire. On connaît un certain nombre des subter-
fuges, escapades et astuces qu'inspirait traditionnel-
lement en ces milieux le goût de fumer en cachette.
L'amateur de cigarette Louis en savait quelque
chose. Nous voici en 1931, les premiers étudiants
du Séminaire en sont maintenant en classe de
Rhétorique et jouissent du privilège de servir les
tables au réfectoire des élèves, ce qui leur vaut
parfois un petit plat spécial pour leur repas qui suit
celui de la communauté. Un soir d'octobre, après
leur souper, Louis convainc son confrère non
fumeur Gérard Guité de l'accompagner et ils sor-
tent par la fenêtre du réfectoire afin de tirer discrètement une touche. Malheureusement, une des
religieuses en service à la cuisine est témoin de
l'escapade et juge de son devoir de la rapporter au
préfet de discipline.

*Équipe de hockey du Séminaire
de Gaspé (hiver 1930-1931).
À l'extrême droite: Louis
Lévesque.*

   Peu après l'infraction, aux vacances de Noël,
Louis Lévesque quittera définitivement le Séminaire
de Gaspé. Démentant des rumeurs peu flatteuses
pour les bons Pères du Séminaire, Gérard Guité
affirme que l'incartade d'un soir des deux rhéto-
riciens ne fut pas la cause du départ de Louis. «Les
Pères, précise-t-il, lui ont peut-être conseillé de
changer de collège mais ils ne l'ont pas mis à la
porte pour cette escapade.»
   Ce même confrère se souvient que Louis n'aimait guère participer aux activités de l'Association

d'art oratoire du collège. Souvent invité à y prendre la parole, il refusait en expliquant : « Mon métier n'est pas de faire des discours. » Les activités littéraires n'étaient pas le fort de Louis. Il y avait là, semble-t-il, quelque chose de trop théorique et trop abstrait à son goût. Il se conformait donc aux exigences de ces disciplines mais sans plus. C'est ainsi que les procès-verbaux de l'Académie Jacques-Cartier, un cercle d'art oratoire pour les élèves de Belles-Lettres et de Rhétorique, nous montrent un Louis Lévesque comme titulaire du siège « Taché » tandis que l'autre Louis occupe celui de « Bourassa ». Or la plupart des membres de l'Académie figurent au programme des activités du cercle, à tour de rôle, comme orateurs d'un soir. Le titulaire du siège « Taché » ne sera pas inscrit au programme comme orateur. Il apportera néanmoins une participation remarquée comme comédien : à la séance du 11 mars 1931, dans un extrait du « Mariage forcé » de Molière, le voici dans le personnage de Pancrace, docteur aristotélicien, donnant la réplique à Sganarelle, joué par le confrère Félix Gagné. Au cours de la séance de l'Académie de décembre suivant, les deux mêmes interprètes joueront dans une saynète intitulée « Latour et son fils ».

Pourquoi donc Louis quittera-t-il le Séminaire de Gaspé au milieu de son année de Rhétorique ? Pas à cause d'une cigarette, affirme le compagnon de cette banale aventure de pensionnat. Mais pourquoi donc les Pères lui auraient-ils conseillé de changer de collège ? On peut risquer une hypothèse basée sur le peu d'enthousiasme de Louis pour la chose littéraire. Les examens du baccalauréat de Rhétorique auront lieu en juin suivant et ils portent sur six matières, dont le français. L'examen de français consiste en un discours ou une dissertation, il dure cinq heures et, à lui seul, il compte pour trente points alors que les cinq autres comptent chacun pour vingt points. Les Pères du

Séminaire auraient-ils suggéré à Louis qu'il serait prudent pour lui de s'inscrire dans un collège où les exigences en cette matière seraient quelque peu allégées ? C'est peut-être là une hypothèse valable.

L'Université St.Dunstan's de Charlottetown est affiliée elle aussi, comme le Séminaire de Gaspé, à l'Université Laval qui administre les examens du baccalauréat ès lettres en Rhétorique et du baccalauréat ès arts en deuxième année de philosophie. Comme il s'agit d'une institution en milieu anglophone, les exigences en dissertation française pourraient bien y être moindres pour l'obtention du baccalauréat.

Toujours est-il que Louis Lévesque se retrouve, en janvier 1932, à l'Université St.Dunstan's comme étudiant externe. Et il en est très heureux. « Je me suis retrouvé comme au septième ciel », raconte-t-il en 1990[14]. La rigueur des règlements disciplinaires au Séminaire de Gaspé lui avait toujours pesé énormément. « Je me sentais comme dans une prison », explique-t-il, évoquant des contraintes disciplinaires qu'on retrouvait à cette époque dans l'ensemble des collèges de pensionnaires du Québec. « Entrés là en septembre, nous n'en sortions que le lendemain de Noël ; on ouvrait nos lettres, nous ne pouvions écrire qu'à nos parents... Ce furent les pires années de ma vie. Je trouvais difficile cependant de quitter : ma mère avait fait de gros sacrifices pour me permettre ces études. Mais en décembre 1931, je n'en pouvais plus, j'ai décidé de partir. » Donc, si on lui a conseillé de partir, on aurait devancé un éventuel projet de sa part.

Grâce aux contacts de sa sœur Léona, infirmière à l'hôpital Saint-Sacrement de Québec, il est accueilli chez une dame MacDonald, parente d'un patient qui avait particulièrement apprécié les bons soins reçus à l'hôpital de Québec de la part de l'infirmière gaspésienne. Chez Madame Mac-Donald, Louis appréciera le confort et l'agréable impression de retrouver la bienveillante présence de ses parents, particulièrement de Minnie, dont il avait été privé pendant ses années de pensionnat à Gaspé. Peu après son arrivée à Charlottetown, il écrit à ses éducateurs de Gaspé, les Pères Jésuites : « Je suis très heureux ici et je ne comprends pas comment j'ai pu tenir le coup avec vous pendant cinq ans et demi. »

Cette dame MacDonald, qui lui avait rendu son bonheur, se mérita une reconnaissance impérissable. Souvent, tout au long de sa carrière, Louis s'informait d'elle et, à l'occasion, passait lui rendre visite. Quelque trente ans après avoir bénéficié de ses soins maternels, il apprit qu'elle était souffrante, confinée à un fauteuil roulant, et qu'elle désespérait de ne pouvoir jamais réaliser le rêve de sa vie. L'ancien étudiant pensionnaire s'enquit de ce rêve. On l'informa que c'était de pouvoir un jour visiter l'Oratoire Saint-Joseph. Louis envoya quérir la dame, dans son avion privé, avec escorte appropriée. On l'installa bien confortablement dans un hôtel à proximité de l'Oratoire, on l'amena à son lieu préféré de dévotion chaque jour pendant une semaine après quoi on la reconduisit chez elle, comblée de joie.

Le Gaspésien poursuivra en ce nouveau milieu de Charlottetown des études sérieuses qui lui valurent, pour ses deux années de philosophie, la très bonne moyenne de 76 % et son baccalauréat ès arts de l'Université Laval en mai 1934.

Au cours des vacances d'été, Louis ne tarda pas à retourner à Charlottetown. Il pouvait encore disposer de la Plymouth familiale pour vaquer à son commerce mais son attraction pour les Maritimes dépassait largement désormais celle d'une clientèle à qui vendre des planches à poinçonner. Le bachelier avait réalisé à Charlottetown une merveilleuse conquête qu'il lui tardait de revoir. Quelques années auparavant, en 1927, alors que Léona étudiait comme infirmière à l'hôpital Saint-

Sacrement, Minnie et Louis se rendent la visiter et font connaissance avec la famille de Gustave Lachance, alors contemporain de Louis. Ce fut l'origine d'une amitié qui devait durer toujours. Le compagnon de voyage à Charlottetown en cet été de 1934 fut ce même ami de Québec. Louis se rendit à Québec avec la Plymouth paternelle et, d'une seule traite, tous deux firent route vers Charlottetown. Les deux copains furent hébergés à St.Dunstan's, grâce à la bienveillance du Père Mac-Donald.

Longtemps après, se souvenant de cette visite, l'ami Gustave écrira à l'une des filles de Louis : «J'ai rencontré à Charlottetown celle qui aurait pu devenir l'auteure de tes jours : une fort belle blonde. » La jolie conquête se nommait Margaret Campbell et elle était alors étudiante en techniques infirmières. En août du même été, on la retrouve en visite chez John et Minnie, à Nouvelle. Les foules affluent alors à Gaspé pour célébrer le 400e anniversaire de la découverte du Canada. Élisabeth et Léona amènent la visiteuse aux fêtes où on les voit poser, sur le pont de Gaspé, en compagnie de Jeanne Poirier, la future épouse de Gustave Lachance. Louis n'est pas de la partie à Gaspé. Il est probablement retenu ailleurs par ses nombreux clients, les marchands...

Notes

La plupart des renseignements généalogiques contenus dans ce chapitre ont été puisés aux deux sources suivantes :
Clément Cormier, c.s.c., notes manuscrites sur la généalogie des familles Lévesque et Greene, Centre d'études acadiennes, Université de Moncton.
Réginald Day, *Histoire de Nouvelle*, Gaspé, Société historique de la Gaspésie, Collection « Gaspésie des municipalités », 1992, 201 p.

1. C'est plus tard seulement, soit le 10 octobre 1912, que, selon la coutume très répandue alors, le nom de la municipalité de Nouvelle fut, par arrêté-en-conseil, changé en celui de la paroisse religieuse couvrant le même territoire, c'est-à-dire celle de Saint-Jean-l'Évangéliste qui avait été érigée canoniquement le 16 novembre 1868. Le 5 décembre 1953, la municipalité reprit officiellement son nom de Nouvelle.

2. Cet avocat célèbre allait être aussi un homme d'affaires important et un politicien de carrière. Il fut élu député de Bonaventure à l'Assemblée législative en 1904, en 1908 et en 1912. En 1914, il devint Conseiller législatif et, en 1915, ministre sans portefeuille dans le Cabinet Taschereau. En 1939, le gouvernement du Canada en fait le premier haut-commissaire du pays en Irlande où il décède en 1941. En juin 1993, sa petite-fille fait rapatrier ses cendres dans le lot familial du cimetière de New-Carlisle.

3. Archives de la municipalité de Nouvelle.

4. Archives de la municipalité de Nouvelle, une lettre en provenance du ministère de l'Agriculture est adressée à John Lévesque, secrétaire du cercle agricole Saint-Jean-l'Évangéliste, en juillet 1912. Seule l'enveloppe a été conservée.

5. Jules Bélanger, Marc Desjardins et Yves Frenette avec la collaboration de Pierre Dansereau, *Histoire de la Gaspésie*, Montréal, Boréal Express, 1981, p. 352.

6. *Ibid.*, p. 353.

7. L'abbé Joseph-Alexis Saint-Laurent, curé de Saint-Jean-l'Évangéliste (Nouvelle) et gérant de la caisse populaire de l'endroit, est le maître d'œuvre du regroupement des caisses de la Gaspésie. Il est d'ailleurs le fondateur de quatre des huit caisses de la région. Le 21 juillet 1923, son évêque, Mgr François-Xavier Ross, le nomme « directeur ecclésiastique des caisses populaires du diocèse » avec le mandat d'assumer l'organisation et le contrôle de la comptabilité des caisses populaires. Au cours des 21 mois suivant le 3 décembre 1923, il mettra sur pied huit autres caisses populaires (Pierre Poulin, *Histoire du Mouvement Desjardins*, Tome II, p. 62-64).

8. A.E.G., Paroisse de Nouvelle, cahier de notes personnelles du curé décrivant les événements marquants de sa paroisse, p. 87.

9. À l'embauche de Minnie, en 1921, la caisse comptait 450 sociétaires et avait un actif de 84 338 27 $. Cette même année, la caisse transporte ses pénates du presbytère vers cette ancienne école qui avait abrité les premières années du couple et qui était devenue propriété de la Société coopérative agricole. Le couple s'y retrouve maintenant au travail. En mai 1927, la caisse compte 419 sociétaires et un actif de 124 535 70 $. Cette année-là la Caisse s'installe dans la nouvelle salle paroissiale (qui brûlera le 12 novembre 1933). Survient ce même automne la crise économique et à la fin de mai 1940, au départ de Mme Lévesque, l'actif n'est plus que de 56 310 31 $ et les sociétaires ne sont plus que 363. Dans les délibérations des différents conseils de la caisse, il est souvent question des effets néfastes de cette crise économique nationale.

10. Plus tard, le fils de John achètera plus qu'un bidon : toute la compagnie Gray's Velvet Ice Cream.

11. Audio-cassette sur laquelle Louis Lévesque évoque des souvenirs de son enfance, le 24 septembre 1992.

12. Ce nouveau-né allait être plus tard l'auteur du présent ouvrage.

13. Archives de l'évêché de Gaspé, cahier manuscrit « Paroisse de Nouvelle, » p. 47-49.

14. Audio-cassette..., le 24 septembre 1992.

Chapitre deux

❧

LE MONDE DE LA FINANCE
1934-1947

LOUIS LÉVESQUE est maintenant bachelier ès arts. Il a obtenu son « bacc ». Voilà, pour le citoyen de Nouvelle, tout un accomplissement personnel. C'était là pour lui un objectif primordial, une étape importante à franchir vers l'idéal qui l'anime. Devenir bachelier, c'est, pour un Gaspésien de cette époque, sortir de la masse et accéder au très petit nombre des privilégiés pour qui il devient possible d'accomplir de grandes choses. Louis est maintenant de ceux qu'on dit instruits. Il s'est donné des outils hautement valorisés dans cette famille où Minnie, diplômée de l'école normale, n'a rien ménagé pour favoriser l'instruction de ses enfants. Combien de fois, tout au long de son enfance, Louis n'a-t-il pas entendu proclamer la valeur incomparable de l'instruction pour réussir dans la vie. Et lorsqu'enfin il se retrouva au Séminaire de Gaspé, au cours classique, combien de fois n'a-t-il

Juin 1934: Louis Lévesque, finissant de l'Université St.Dunstan's de Charlottetown et nouveau bachelier ès arts de l'Université Laval.

pas entendu ses professeurs rappeler, devant cette jeunesse privilégiée qu'on leur avait confiée, ce mot d'ordre de Mgr Ross, le fondateur du Séminaire, proclamant par ordre d'importance les priorités qu'il s'était données en assumant la tâche de conduire la Gaspésie sur le chemin de sa libération : « Et d'abord nous nous appliquerons à vous faire progresser dans les voies de l'intelligence[1]. »

L'avenir s'ouvre, tous azimuts, devant le nouveau bachelier. Il en est conscient et heureux. Tout ou presque tout lui est maintenant possible. Le voici parmi les tout premiers de Nouvelle, parmi les rares bacheliers gaspésiens, c'est une première et décisive étape. Il envisage maintenant, avec plus de confiance encore, une seconde étape de sa vie : accéder au rang des premiers au Québec. Le défi est grand, il est stimulant et le temps presse.

Le fils de John et Minnie porte toujours en lui-même, comme une pulsion instinctive, ce projet audacieux dont il s'était ouvert sans fausse modestie, plusieurs années plus tôt, à son professeur de piano, Évelyne Frenette, sœur de son ami Louis. «Je veux devenir millionnaire», lui avait-il confié. Un moyen utile pour y parvenir lui semble être de se faire avocat. Le prestige du plaideur éloquent débitant ses savants et astucieux plaidoyers devant les cours bondées dans une atmosphère tendue par l'expectative dramatique n'est pas ce qui l'attire dans la profession des disciples de Démosthène. Il y voit plutôt l'aspect très utile de cette connaissance approfondie de la loi qui le guiderait dans les méandres des transactions à venir qu'il voudrait les plus correctes, inattaquables et profitables. Mais les études universitaires coûtent cher. Peut-être vaudrait-il mieux gagner d'abord un peu d'argent.

Louis profitera de l'occasion qui lui est offerte d'un emploi immédiat. Sa mère, comme gérante de la Caisse populaire de Nouvelle, faisait affaire avec la succursale de Carleton de la Banque Provinciale du Canada. Par ailleurs, un concitoyen, Edmond Frenette, frère de son ami Louis et diplômé de l'École des hautes études commerciales, travaillait à la Société de l'Assomption à Moncton, chargé, entre autres responsabilités, des placements et du financement des entreprises. Frenette avait-il des relations privilégiées avec la succursale de la Banque Provinciale à Moncton? Toujours est-il que Louis postule un emploi comme commis à cette succursale et il signe un contrat d'engagement le 7 septembre 1934. Le contrat stipule qu'il s'agit d'un engagement «pour un espace de temps indéterminé» et que «le salaire de l'employé sera révisé de temps à autre et déterminé par la Banque, en raison de ses capacités, de l'importance des services rendus et des aptitudes démontrées. (Il est présentement fixé à la somme de cinq cents dollars par année, payable semi-mensuellement les quinze et fin de chaque mois. »

Plaidoyer pour un meilleur salaire

Louis veut bien travailler comme commis et faire ses armes mais quand on est bachelier doit-on accepter, ne serait-ce que temporairement, un aussi misérable salaire ? Quand, autour de la table de la cuisine, il regardait l'avenir, en compagnie de John et Minnie, il est certain que tous trois évaluaient autrement le salaire d'un bachelier ès arts. Avec huit années d'études, n'est-il pas normal de gagner plus qu'une gérante de Caisse populaire qui, au moment où son fils débute à la Banque Provinciale du Canada, touche près du double de ce qu'on offre à son grand garçon bachelier ?

Son salaire ne déçoit donc pas que Louis. Au cours du mois d'octobre de cette même année 1934, Frank Greene, fils du cousin Fred, rencontre Minnie sur le chemin du bureau de poste et s'informe de Louis, son copain de l'école de Nouvelle dont on sait qu'il a obtenu un emploi à Moncton. Elle lui répond, triste et pensive : « Après tant d'études, il ne gagne que 40 dollars par mois. C'est bien peu ! Je suis obligée de payer son assurance. »

Louis n'est pas homme à reporter indéfiniment le règlement d'un problème. Il trouve que son salaire est trop bas, il en parle à qui de droit et n'obtient pas de réponse satisfaisante. Le 8 janvier 1935, il écrit au gérant général de la Banque, à Montréal, pour lui annoncer qu'il croit devoir quitter son emploi.

Sans retard, le surintendant général lui répond que ce projet de démission lui paraît prématuré. Il affirme n'avoir aucune raison de douter de ce que

Louis allègue dans sa lettre. Bien sûr, malgré une expérience encore très limitée à la banque il pourrait cependant rendre de grands services. Aussi, il invite l'employé à reporter sa décision définitive et à accepter un transfert immédiat au bureau-chef de Montréal. En priant l'employé mécontent de considérer cette proposition, il lui demande une réponse par retour du courrier.

Été 1934: en voyage avec sa soeur Élisabeth et Jeannine, fille aînée de son voisin et ami forgeron, Arthur Bélanger. (Coll. privée)

Marché conclu. Louis se retrouve au bureau-chef de Montréal, au département des prêts sur nantissement. C'est là que pour la première fois il voit des obligations. Il se met au courant des opérations de courtage. Le 15 juillet suivant, le même surintendant général informe le patron de Louis «que le salaire de l'employé précité a été porté à la somme de 600 $ par année, soit 25 $ bi-mensuellement, à compter du seize juillet 1935». Mais c'est apparemment trop peu et trop tard. Deux semaines plus tôt, Louis s'est inscrit à l'école de droit avec 150 $ empruntés sur une police d'assurance et, le 16 septembre suivant, il comparaît devant le notaire F. Samuel Mackay avec l'avocat Henri Crépeau qui accepte de le recevoir dans son étude comme clerc avocat. Le notaire Mackay rédige à cet effet un contrat stipulant que «ledit Jean-Louis Lévesque s'oblige d'assister jour par jour, aux heures accoutumées, à l'étude dudit Henri Crépeau, faire ce que son dit patron et ses associés lui commanderont de faire...»

Cependant, ne voilà-t-il pas, dans ce contrat, des clauses plutôt contraignantes pour le jeune et enthousiaste Gaspésien qui trépigne de passer à l'action? Le contrat demeure en l'étude du notaire Mackay, dûment signé par lui-même, mais l'étudiant en droit Jean-Louis Lévesque n'y appose pas sa signature et il reprend son plaidoyer très concret en faveur d'un meilleur salaire à la Banque.

Joliette, une étape clé

La direction de la Banque souhaite que son employé acquière le plus tôt possible de nouvelles expériences qui pourraient justifier les augmentations de salaire réclamées. On lui offre un transfert à la succursale de Joliette où il pourra élargir son expérience en comptabilité. Une augmentation annuelle de 50 $ accompagne ce transfert. Le voici donc à Joliette, au centre d'une région dans laquelle, on le verra, il trouve un champ fertile à l'amorce et à la croissance de sa jeune carrière de financier. Dans ce contexte économique intéressant, Louis fait la connaissance du comptable de la succursale où il arrive, un nommé Sylvestre Sylvestre qui sera en quelque sorte son mentor et que Louis n'oubliera jamais par la suite.

Le surintendant de la Banque lui écrit, le 15 avril 1936 : « Soyez assuré que nous sommes bien disposés à votre égard et dans trois mois nous aurons l'occasion de vous en fournir la preuve, si vous êtes en position d'assumer un poste supérieur ; or, ne négligez rien pour vous mettre au courant le plus tôt possible de tout ce qui concerne la régie interne et les devoirs généralement assignés à un comptable de succursale. » Deux mois plus tard, en juin, Louis se retrouve à la succursale de Windsor en Ontario, promu au poste de comptable de succursale, avec une augmentation de salaire de 100 $ annuellement. Il y travaillera jusqu'en juillet 1937.

L'expérience qu'il a acquise à la Banque, particulièrement en ce qui concerne la vente d'obligations, a nourri son goût naturel de vendeur. Il rêve plus que jamais de ce métier. De plus, il a une autre raison de revenir à Montréal : l'amie de cœur qu'il a rencontrée au cours de l'été 1935 vit dans la métropole et il s'en trouve bien loin.

De nouveau, vendeur...

Le voici donc de retour à Montréal où il connaît une petite maison de courtage qui aurait peut-être besoin de ses services. Il frappe donc à cette porte, un vendredi. « Nous avons tous nos vendeurs », lui répond-on. « Mais, insiste le candidat, vous avez des régions entières où il y a de l'argent que vous pourriez aller chercher. Laissez-moi vendre pour vous pendant une semaine et nous nous reparlerons. » Il mentionne la région de Joliette où il a déjà eu l'occasion, pendant son séjour à la Banque Provinciale, de jauger la valeur et la localisation de nombre de « bas de laine ». La proposition mérite considération et, heureux hasard, le représentant à Joliette de cette maison de courtage, un monsieur Verrier, citoyen français, a dû rentrer en son pays. On propose donc à Louis Lévesque de remplacer le Français pour faire ses premières armes comme vendeur d'obligations. Marché conclu. On instruit le candidat des procédures à suivre, des valeurs actuellement en vente par la maison et des divers dossiers ouverts par son prédécesseur. Mais le nouveau vendeur est sans le sou et ce n'est pas la politique de la maison de financer les dépenses personnelles de ses vendeurs. Le candidat insiste et négocie : on lui consent une avance de cinquante dollars.

Il partira donc dès lundi, vers Joliette, à la conquête d'une clientèle dont le poids pourra décider de son avenir. Il a une semaine devant lui pour faire ses preuves. Sa petite amie, Jeanne Sénécal, heureuse de ce qu'il se soit déniché un nouvel emploi, lui prête volontiers sa voiture. Or, dans la nuit de dimanche à lundi, des cambrioleurs défoncent le véhicule emprunté et, avant de partir à Joliette, Louis doit débourser ses cinquante dollars aux mains du garagiste qui a réparé les dégâts et qui ne laisserait pas partir l'automobile à crédit.

Voici notre nouveau vendeur à Joliette. Il rend d'abord visite au gérant de la Banque Provinciale, monsieur Gérard Casavant, puis se rend chez Sylvestre Sylvestre, toujours comptable à la même banque où il avait, un an auparavant, supervisé le travail de Louis.

— Je suis vendeur d'obligations et j'ai besoin de ton aide. Il me faut de bonnes adresses à Joliette où je peux vendre tout de suite.

— Ça serait plutôt délicat de te donner des adresses à Joliette. Mon patron vend lui aussi des obligations et je tiens encore à mon emploi.

— Je comprends bien ça, mais, en dehors de Joliette... ?

— Si tu le veux, nous pourrions aller faire un tour à Berthier, mon coin natal, et je te présenterai des gens.

— D'accord, nous allons à Berthier dès ce soir. Je n'ai pas de temps à perdre.

Sylvestre conduit donc Louis à Berthier, dans sa famille, où se trouvent son frère Emmanuel et sa sœur Rachel. Après les présentations et explications d'usage, Louis étale sa marchandise. Il insiste sur une émission des Sœurs de la Providence à 4 %. Rachel lui confie : « Nous n'avons pas d'argent mais j'ai 500 $ que je peux vous prêter. » Et Louis effectue ce soir-là la première vente d'obligation de sa carrière. Rachel travaillait depuis longtemps chez le marchand général de Saint-Cuthbert tandis qu'Emmanuel était comptable chez Eddy Match et vérifiait, à l'occasion, les livres de certaines municipalités et commissions scolaires. Les Sylvestre invitent Louis à revenir dans quelques jours pendant lesquels ils auront préparé des listes d'adresses qui pourraient l'intéresser. Rachel connaissait bien la clientèle du marchand général et Emmanuel était bien au courant des prêts consentis aux commissions scolaires et aux municipalités de la région. Peu de jours plus tard, le vendeur était de retour à

Berthier, chez les Sylvestre, et prenait livraison des précieuses informations promises.

Lorsqu'il revient au bureau de son nouvel employeur, Louis a vendu davantage dans sa semaine que plusieurs vendeurs d'expérience. On lui paye sa commission et il devient vendeur attitré de la maison. Une carrière est lancée. La clientèle de Joliette et des environs offre un excellent potentiel. La région connaît depuis peu une certaine renaissance économique grâce à la culture du tabac. Commencée en 1936, cette culture s'avère rapidement prometteuse, elle qui fournira bientôt 80 % de cette production québécoise dont la qualité bénéficiera d'une grande renommée. Les comptes d'épargne de nombre d'individus de toute la région en bénéficient largement. Surtout, le nouveau vendeur bénéficie d'excellentes informations et c'est dans l'enthousiasme qu'il peut laisser libre cours à ses évidents et naturels talents de vendeur. Talents parmi lesquels le flair et le doigté, qui ne sont pas les moindres, servent à merveille le nouveau courtier, dès ses premiers mois de travail.

Il y avait à Berthier le notaire J.- A. Boivin, un notable bien en place qui, tout à fait légitimement, recommandait à ses divers clients disposant d'économies les services de son propre beau-frère, Monsieur Gougé, courtier de son métier. Louis devenait donc un compétiteur quelque peu embarrassant et il eut à faire face à certaine stratégie d'obstruction. Mais il allait bientôt retourner la situation à son avantage. La municipalité de Saint-Cuthbert s'apprêtait à lancer une émission d'obligations que vendrait la maison qui employait Louis. On aurait besoin des services professionnels d'un notaire et Louis vit à faire choisir le notaire Boivin. Ainsi, de fil en aiguille, non seulement toute obstruction sera graduellement aplanie mais les deux hommes se lieront d'amitié, ils s'associeront bientôt et conduiront ensemble d'importantes et très fructueuses affaires.

Le Gaspésien possède quelques contacts dans les provinces maritimes où il a terminé son cours classique. De plus, il nourrit en lui-même un profond attachement à ses racines acadiennes auxquelles il saura, le moment venu, démontrer généreusement sa fidélité. Il est, pour son employeur, l'homme tout désigné pour explorer le marché en ces lieux. En décembre 1937, le voici donc à Moncton où il décroche sa première émission d'obligations : 500 000 $ pour l'Hôtel-Dieu de l'Assomption, dirigé par les Sœurs de la Providence. Il ne faut pas oublier que le concitoyen de Nouvelle, Edmond Frenette, est toujours en poste à Moncton, à la Société de l'Assomption.

Le mariage

Comme employé de la Banque, le salaire de Louis ne facilitait guère les projets de mariage. Maintenant qu'il travaille à commission, il peut penser enfin à épouser Jeanne. Projet d'importance que les deux amoureux avaient choisi de reporter en attendant une meilleure conjoncture financière. Au cours de ses vacances de juin 1935, Louis s'était rendu au Manoir du lac Caché de Saint-Alexis des Monts, avec le fils du propriétaire. C'est là qu'il avait rencontré Jeanne Sénécal, qui s'y trouvait en vacances. Mlle Sénécal était une femme douée de remarquables qualités de cœur et d'esprit. Elle était une femme d'avant-garde, ce qui n'était pas pour déplaire au prétendant. Elle avait étudié au collège Marchand, travaillait comme secrétaire bilingue pour la Sun Life et possédait sa propre voiture, une Ford décapotable bleue, modèle 1929. Le mariage eut lieu le 24 mai 1938 en l'église Notre-Dame de Montréal. L'ami d'enfance, Louis Frenette, agissait comme son témoin. Et, pour leur lune de miel, les nouveaux époux s'enfuirent, dans la voiture de Jeanne, en Gaspésie où ils firent le tour de la parenté et des amis.

Le matin de leur départ de la maison paternelle de Nouvelle, les nouveaux mariés doublèrent, sur la route conduisant à l'église, un garçon de huit ans. Louis reconnut le petit voisin, stoppa la voiture et l'interpella :

— Où est-ce que tu t'en vas ?

— Servir la messe de sept heures.

— Tiens, prends ça, lui dit-il en allongeant la main gauche pour mettre dans celle de l'enfant une poignée de monnaie.

— Euh ! merci beaucoup, fit le garçon, quelque peu embarrassé de recevoir ainsi 45 sous sans trop savoir pourquoi.

— Hein ! C'est plus que pour servir une messe, évalua le grand voisin, d'un ton amical et encourageant...

Et la voiture repartit vers Montréal, vers l'avenir, vers la fortune, laissant derrière elle l'enfant du voisin, les souvenirs d'enfance du jeune marié, son village de Nouvelle et sa Gaspésie[2].

Une clientèle privilégiée : les communautés religieuses

On le verra, le courtier Louis Lévesque se fera une spécialité de la clientèle des communautés religieuses. Et ça lui réussira. À cette époque encore, autant au Nouveau-Brunswick qu'au Québec, les diverses communautés religieuses d'hommes et de femmes ont la responsabilité de la quasi-totalité des organismes d'éducation, de santé et autres services sociaux. Leurs œuvres sont en pleine expansion et les gouvernements, bien contents de les voir assumer ainsi des services essentiels à la société, se portent volontiers garants des emprunts qu'elles doivent effectuer. Louis Lévesque, on l'a vu, a déjà réussi une percée importante chez les Sœurs de l'Hôtel-Dieu de Moncton et ce ne sera qu'un début. Le 7 juillet 1939, le courtier visite les Sœurs Hospitalières de Saint-Joseph à Campbellton et leur

Le 24 mai 1938, il épouse Jeanne Sénécal.

En voyage de noces. Au centre, l'ami Louis Frenette. À l'extrême droite, la sœur aînée, Élisabeth Lévesque.

fait « une offre fort avantageuse d'émission d'obligations. Serait-ce, écrit l'analyste, notre bon Père saint Joseph qui nous vient en aide ? Notre Mère veut à tout prix faire un emprunt à taux très bas afin d'épargner de gros intérêts à notre Maison si pauvre en ressources pécuniaires. Notre Mère envoie le courtier M. Lévesque voir Mgr P.-A. Chiasson à ce sujet[3]. »

J.-Louis Lévesque, B.A.

Louis Lévesque a pris de l'expérience et, naturellement, il veut voler de ses propres ailes. Il deviendra courtier en valeurs à son propre compte. On a déjà vu combien il importait au jeune Gaspésien de décrocher son baccalauréat ès arts. Eh bien, c'est toujours pour lui un accomplissement dont il est fier. Aussi, son papier officiel de correspondance, à défaut de la mention d'une maison d'affaires, portera, en caractères bien visibles et d'égale grosseur, le nom du courtier et son titre académique, celui de

Bachelier ès Arts. Si ses employeurs n'ont pas su reconnaître à sa juste valeur son niveau de scolarité, il montrera, lui, maintenant qu'il en décide, que certains acquis méritent d'être affichés. Le diplôme attestant du succès de son cours classique en est un. Donc, au 276 ouest, rue Saint-Jacques à Montréal, à la suite 715, c'est au courtier en valeurs J.-Louis Lévesque, B.A., que l'on aura affaire à compter de 1940.

Alors se succéderont les transactions avec les communautés religieuses. Celles-ci sont nombreuses au Québec, elles sont presque toutes francophones et le courtier Louis Lévesque sait leur inspirer confiance. Dès 1940, il achète l'émission de 100 000 $ émise par les Sœurs du Saint-Rosaire de Rimouski pour leur monastère de Sainte-Rose. La satisfaction des religieuses de Moncton et de Campbellton aura évidemment alors servi d'excellente référence. En février 1941, il offre ses services aux Sœurs Servantes de Notre-Dame du Clergé de Lac-au-Saumon qui projettent des travaux de construction. Il se rappelle à leur souvenir en août, leur signale qu'il est prêt à se rendre les rencontrer immédiatement et que leur contracteur, Monsieur Dubé, peut leur parler de la satisfaction des Sœurs du Saint-Rosaire de Rimouski. Il ajoute qu'il vient de financer le Sœurs Dominicaines de Berthierville pour un montant de 40 000 $ et qu'il inclut une circulaire à ce sujet. La lettre se termine ainsi : « C'est aussi par mon entremise que les Sœurs de l'Hôtel-Dieu de Campbellton ont émis pour 175 000 $ d'obligations et Mère Audet que vous avez l'occasion de voir aura certainement un bon mot à mon égard. » Résultat : J.-Louis Lévesque, courtier en valeurs, obtient de cette communauté religieuse une émission d'obligations de 105 000 $ datée du 1er octobre de cette même année. Autre résultat : la communauté recourra au même courtier, une seconde fois, un peu plus tard.

Parmi les autres communautés religieuses faisant partie de la clientèle du courtier maintenant à son propre compte, se trouvent, dès cette première année de vente, les Pères du Saint-Esprit de Lac-au-Saumon, la Compagnie de Jésus (Collège Jean-de-Brébeuf), le Collège Saint-Jean d'Iberville, les Sœurs de la Miséricorde, l'Hôtel-Dieu de Montréal. Les affaires prennent graduellement de l'ampleur et le courtier Lévesque pense à fonder une compagnie de courtage. Alors qu'il était à l'emploi de la Banque Provinciale, il avait fait la connaissance de Gérard Favreau, secrétaire général du Sun Trust devenu plus tard le Trust général du Canada. Monsieur Favreau était lui-même administrateur de NG Valiquette, une société montréalaise qui vendait des meubles au détail. Cette rencontre allait être le début d'une longue collaboration, d'une très fructueuse association et d'une fidèle amitié.

Premier emprunt de la victoire

La guerre qui a éclaté en 1939 entraîne malheureusement dans son sillage son tragique cortège de désastres, de souffrances, d'angoisses et d'incertitude mais elle apporte, par contre, certains avantages. Louis Lévesque ne sera pas appelé sous les armes, comme le seront des milliers de ses contemporains. En 1941, s'étend sur tout le pays une vaste campagne visant à convaincre tout le monde de faire son effort de guerre. Entre autres moyens préconisés, on invite le peuple à investir ses économies dans les obligations d'épargne du Canada. C'est le premier emprunt de la victoire. Des vendeurs sillonneront le pays. Louis Lévesque se verra confier par le courtier Aristide Cousineau, grand responsable de la campagne de vente d'obligations d'épargne du Canada, le comté de Joliette où il connaît bien du monde. La vente d'obligations d'épargne du Canada connaît un vif succès: le

contexte de la guerre mondiale, la publicité omni-
présente en faveur de la participation sur le troisième front, l'appel au patriotisme et au civisme,
tout concourt à convaincre chacun de délier les
cordons de sa bourse, voire de révéler les secrets du
bas de laine. Un observateur de l'époque décrit de
la façon suivante la première campagne d'emprunt
de la victoire :

> Les emprunts « de la victoire » visent un double but :
> garnir le trésor de guerre et réduire le pouvoir
> d'achat des ouvriers bien payés. Arthur B. Purvis
> préside un banquet à l'hôtel Windsor, le 19 mai,
> pour lancer l'emprunt de 1941. Des milliers de
> solliciteurs peignent, ratissent la ville, de bureau en
> bureau, de magasin en magasin, de porte en porte.
> Tous n'ont pas la bosse des finances comme Jean-
> Louis Lévesque, Gaspésien de naissance qui s'est
> familiarisé avec le marché des obligations au service
> de la Banque Provinciale (...) La campagne com-
> porte force distribution de brochures et distri-
> butions de films, mais aussi des manifestations
> bruyantes, de grands spectacles en plein air : défilés
> militaires, défilés de scouts, défilés féminins, céré-
> monies religieuses, « bombardement » aérien avec
> des feuillets de propagande[4]...

Oui, en effet, Louis Lévesque ajoute à tout le
battage publicitaire gouvernemental son énorme
talent de vendeur. En parcourant le territoire qu'on
lui a assigné, il découvre des ressources insoup-
çonnées. Sa mémoire phénoménale retient tous les
noms, toutes les adresses. Et son projet de fonder sa
propre compagnie de courtage lui paraît non seulement de plus en plus réalisable mais de plus en plus
urgent. Le potentiel est tel que pour l'exploiter
adéquatement, il faut plus qu'un bureau comme le
sien, il faut toute une équipe de vendeurs, il faut
une compagnie, sa compagnie. Et déjà Louis sait
quels seront ses collaborateurs immédiats. Par
exemple, ce notaire Boivin de Berthier, avec qui il
a déjà traité plusieurs transactions et dont il connaît

les qualités et l'expérience, il compte bien l'associer à son projet.

Fondation du Crédit Interprovincial Limitée

Louis Lévesque nourrissait donc ce projet depuis plusieurs mois, plusieurs années peut-être. L'expérience de la vente des obligations de la victoire ne fit qu'en précipiter la concrétisation. Pour passer aux actes, il lui fallait un minimum de capital. Or il s'était fait des amis dans la région de Joliette. Là aussi, il avait largement fréquenté les gens d'Église. Il connaissait ainsi le niveau d'épargnes de plusieurs membres du clergé de cette région et on sait qu'il inspirait naturellement confiance. Il exposa donc son projet et ses besoins à un certain abbé, professeur de philosophie au Séminaire de Joliette. Le sage confident n'hésita pas à lui prêter, à même les quelques économies amassées pour ses vieux jours, la somme de 2500 $ en obligations de la Ville et de la Commission scolaire de Montréal.

L'emprunteur signa, le 12 février 1941, un billet promisoire qui en dit long sur son honnêteté. La teneur du document montre à l'évidence qu'il tenait absolument à une protection à toute épreuve pour son philosophe créancier. Le billet transporte en garantie, un billet de 1400 $ échéant dix mois plus tard et une automobile Dodge 1941 entièrement payée (que le signataire s'engage à ne pas vendre, ni échanger, ni hypothéquer sans le consentement du prêteur). De plus, l'emprunteur s'engage à maintenir en force une police d'assurance-vie sur lui-même « d'au moins 3000 $ payable à l'abbé X et ceci aussi longtemps que je n'aurai pas acquitté ma dette envers lui ». Il s'engage à remettre au prêteur les coupons d'intérêt attachés aux obligations à leur date d'échéance ou l'équivalent en argent. Enfin, pour vraiment permettre à son créancier de dormir en paix, il ajoute : « Je déclare comme si j'étais sous

La nouvelle maison de courtage Le Crédit Interprovincial aura pignon sur rue dans l'immeuble Thémis, au 10, rue Saint-Jacques.

serment que mon ménage est payé, et que mon actif démontre un surplus d'au moins quatre mille dollars.»

Par ailleurs, grâce à la prévoyance de Madame Minnie qui, pendant que son fils était aux études, avait pris une assurance de 1000 $ sur sa vie, il y avait possibilité d'utiliser un autre petit capital. Évoquant les débuts modestes de son frère, Élisabeth affirme : «Maman lui payait une petite assurance-vie et il en retira la valeur rachetable pour commencer en affaires[5].»

Le printemps se passa, l'été aussi, apportant l'expérience des obligations de la victoire, et ce fut en octobre qu'eut lieu la fondation de sa compagnie, sous le nom de Crédit Interprovincial Limitée. L'annonce de la naissance de cette nouvelle maison de courtage précise, bien sûr, que son président a déjà une bonne expérience dans le monde religieux. Le 4 octobre 1941, on peut lire dans les quotidiens :

> On annonce l'organisation d'une nouvelle maison de courtage en obligations dont le nom est Crédit Interprovincial Limitée. Cette maison aura ses bureaux au 10, rue Saint-Jacques, édifice Thémis, à Montréal.
>
> Le président du Crédit Interprovincial est M. J.-Louis Lévesque, courtier en obligations bien connu dans les cercles financiers de la province de Québec. Le vice-président est M. J.-A. Boivin, notaire de Berthierville ; M. J.-Georges Dubé, de Rimouski, est directeur, et M. Vianney Favreau est secrétaire. M. Louis Lévesque a déjà financé plusieurs émissions importantes dont celle des Sœurs moniales dominicaines contemplatives de Berthierville, celle des Sœurs servantes de Notre-Dame, reine du Clergé, celle des Sœurs hospitalières de l'Hôtel-Dieu de Campbellton et autres. D'ici à quelques jours, cette nouvelle maison offrira sur le marché de nouvelles émissions d'institutions religieuses.

Le premier bilan du Crédit Interprovincial porte la date du 4 octobre 1941. La nouvelle maison n'ayant pas encore de papier officiel, le secrétaire a rédigé à la machine à écrire l'en-tête de l'unique page de ce bilan de 11 500 $. À la suite des signatures des président et secrétaire, le comptable Gérard Favreau, qui est aussi secrétaire du Sun Trust, a apposé la sienne, certifiant la conformité de ce bilan avec la « position financière de Crédit Interprovincial Limitée ». À l'actif figurent des billets recevables pour 2900 $ et une automobile de 1500 $. Au passif, du capital action pour 11 500 $. Pour ce modeste début, le courtier n'a avec lui comme tout personnel que Vianney Favreau, le frère de Gérard, et une secrétaire, Mademoiselle Hébert.

Évoquant plus tard les débuts de sa maison de courtage, Louis Lévesque se souviendra bien que : « C'était vraiment un tout petit bureau dans ce temps-là. À part moi, il n'y avait qu'un vendeur et une jeune fille. J'allais moi-même vendre les obligations[6]. »

Mais, le petit bureau grandira vite. Au terme de sa première année d'opération, le bilan de 11 500 $ est passé à 74 500 $. Et la clientèle se diversifie, tout en consolidant ses assises parmi les communautés religieuses. Dès le 9 octobre 1941, Louis écrit à la Révérende Sœur Supérieure des Sœurs Servantes de Notre-Dame du Clergé de Lac-au-Saumon, sur papier officiel à l'entête de la nouvelle compagnie : « Vu les affaires grandissantes de mon bureau, j'ai dû m'adjoindre des associés. À l'avenir mes affaires se traiteront sous le nom de Crédit Interprovincial Ltée. » Les communautés religieuses ayant eu recours aux services financiers de Louis Lévesque demeurent, dans bien des cas, des clientes fidèles auxquelles le Crédit Interprovincial offrira régulièrement de placer les économies dont elles peuvent disposer. Certaines de celles qui firent affaire avec le jeune courtier de 1940 compteront encore parmi ses clientes trente ans plus tard.

La fidélité de ces relations s'explique sûrement par le professionnalisme du courtier mais elle doit quelque chose aussi à la cordialité, à l'attitude profondément humaine, fraternelle même du courtier. Il lui arrivait même d'échanger, à l'occasion, avec l'une ou l'autre de ses clientes des petits ou gros cadeaux, l'un et l'autre connaissant bien le point sensible à toucher, soit une dévotion, soit un goût particulier pour les nourritures terrestres. Ainsi, le 30 avril 1945, le courtier écrit à la Révérende Mère Supérieure de l'une de ces communautés clientes : « Dans quelques jours, vous recevrez une statue du Sacré-Cœur que nous avons achetée chez Desmarais & Robitaille. (...) Il s'agit d'une statue de cinq pieds de hauteur qui est entièrement payée et que vous pourrez placer dans votre chapelle ou à l'entrée de votre monastère. »

Cinq ans plus tard, quelques jours avant Noël, l'économe générale de la même communauté écrit au courtier :

> Nous sommes très heureuses que les quelques conserves « Home made » vous aient fait plaisir. Puissions-nous avoir le bonheur de vous en servir à notre table lorsque reviendra la belle saison. (...) Notre chère Mère Fondatrice se joint à moi pour vous charger de bons souhaits à l'adresse de Madame Lévesque et toute votre chère petite famille, en plus de nos vœux anticipés pour un Joyeux Noël et une Heureuse Année. Puisse le Roi de la Crèche se tenir garant de nos redevances à votre endroit en vous comblant de ses bénédictions les plus prospères[7].

La bonne réputation du Crédit Interprovincial se répand à travers les communautés religieuses et dans le réseau des municipalités et des commissions scolaires du Québec. Nombreuses sont-elles à projeter développement, expansion, construction. Beaucoup d'économies, certaines modestes, d'autres moins, s'avèrent disponibles. Le champ d'action du courtage s'ouvre à travers le Québec, plus vaste et plus fertile que jamais. Louis Lévesque parcourt le paysage, visite les décideurs, les encourage à profiter tant de la possibilité d'obtenir de l'argent que de la qualité et de l'efficacité des services de sa maison de courtage. Il déniche les clients, ouvre des portes à ses vendeurs et fait converger vers les bureaux du Crédit Interprovincial une somme sans cesse grandissante de contrats à rédiger, de procurations et autres documents officiels à préparer. En peu de temps, il faut accroître le personnel pour suffire à la tâche.

Les émissions d'obligations croissent rapidement en nombre et en importance. Il n'est pas rare qu'une municipalité confie au Crédit Interprovincial une émission de 300 000 $ ou même de 500 000 $. Les vendeurs de Louis Lévesque sont bien formés et bien informés : ils savent où et comment écouler rapidement les obligations des clients. Le profit réalisé par le Crédit Interprovincial sur chaque contrat peut varier entre 2 et 5 % de la valeur totale de l'émission. Les affaires vont très bien.

Le président du Crédit Interprovincial, nouvelle maison de courtage qui a le vent dans les voiles, visite régulièrement son ami d'enfance et confrère de classe, Louis Frenette, devenu médecin. Celui-ci, que les confrères surnommaient amicalement « Tit-Oui », évoque avec une précision parfaite, après une longue carrière comme médecin de famille dans l'Est de Montréal, ce soir où le vendeur d'obligations, heureux et enthousiaste, lui avait déclaré, au bout de la table de la cuisine, avec la formule et l'intonation caractéristiques de la région de Nouvelle : « Chose ! Tit-Oui, j'fais d'l'argent ! »

Au cours des quelques mois que dura son premier emploi, à Moncton, il avait fait la connaissance de Edna Bilodeau qui travaillait à la même banque, comme secrétaire. Âgée de 91 ans en 1996, elle se souvient qu'il avait fait des études classiques, ce qui était rare en ce temps-là, qu'il travaillait en comptabilité et qu'il touchait un salaire de 10 $ par semaine alors qu'elle n'avait droit qu'à 8 $. C'était, affirme-t-elle, un garçon vraiment « gentleman ». La secrétaire conserve une lettre reçue de son ancien compagnon de travail devenu vendeur d'obligations. Elle déplie délicatement le document et, riant doucement de son erreur, elle confesse : « Lisez ça. Vous allez voir. Si je l'avais écouté, je serais devenue riche. Mais je ne l'ai pas écouté. » Il lui offrait d'acheter certaines obligations dont il disait : « Ça vaut la peine de s'en occuper. Ne manque pas cette aubaine. » Et lui donnant de ses nouvelles, il poursuivait amicalement : « Je fais une assez belle vie. J'aime mon travail. Nous ne recevons pas beaucoup de commandes de Moncton, pourtant il doit y en avoir à votre succursale qui ont des stocks en main ainsi que des débentures. J'irai peut-être à Moncton en vacances en juillet. Je suis à la veille de devenir riche, ce ne sera pas des farces. »

Louis Lévesque se rend compte qu'il dispose maintenant d'une expérience, d'une organisation et d'un personnel lui permettant d'aller chercher beaucoup d'argent quand il sait faire la preuve de la solvabilité de l'emprunteur. Or la compagnie le Crédit Interprovincial Limitée n'est-elle pas elle-même une maison de plus en plus respectée, crédible et solvable ? Pourquoi ne pourrait-elle pas émettre dans le public des obligations lui permettant d'aller chercher des capitaux avec lesquels acheter le contrôle d'un commerce intéressant ?

Le projet est d'autant plus tentant que le succès de Louis Lévesque comme vendeur d'obligations de la victoire dans la région de Joliette a amené Aristide Cousineau à lui confier, pour la campagne d'emprunts de la victoire de 1943, le comté de Missisquoi et, en 1944, une partie des Cantons de l'Est. Le Canada se vend très bien, surtout quand le vendeur a du talent. Les commissions du vendeur s'accumulent en conséquence et s'ajoutent à l'actif du président du Crédit Interprovincial.

Achat d'une première compagnie : Fashion-Craft Ltée

À l'occasion de ses démarches de vendeur d'obligations d'épargne du Canada, ou de la victoire, Louis Lévesque rencontre, à l'automne de 1944, à ses quartiers généraux de Victoriaville, le secrétaire de la compagnie Fashion Craft, Monsieur Desautels, qui lui apprend que la compagnie est peut être à vendre. L'information retient sérieusement l'attention du courtier mais Monsieur Desautels meurt subitement peu après.

Sans tarder, Louis Lévesque obtient un rendez-vous avec Eugène Richard, président de Fashion-Craft, juste au moment où la vente de la compagnie est sur le point de se conclure en faveur d'un autre acheteur. Le président du Crédit Interprovincial convainc alors Monsieur Richard de changer d'idée et, en trois heures, le principe de la transaction est décidé. L'offre que Richard avait déjà en main provenait de certains commerçants juifs mais il préféra vendre à un Canadien français. Louis dispose de deux possibilités de financement pour cet achat : la Banque Provinciale avec laquelle il entretient d'excellentes relations et le Sun Trust où Gérard Favreau occupe le poste de secrétaire.

Un journal publie alors la photo des deux hommes avec, en bas de vignette, l'information suivante :

> M. J.-Louis Lévesque, président du Crédit Interprovincial Limitée, s'est récemment porté acquéreur des intérêts de Fashion-Craft Mfrs., Limited. L'actif de cette compagnie dépasse 1 700 000 $. M. Richard, le président actuel, demeure à son poste et M. Lévesque devient vice-président. Celui-ci s'est associé M. Gérard Favreau, à titre de gérant-général et vice-président de l'exécutif. M. Favreau, jusqu'à ces derniers temps, était secrétaire du Sun Trust Limitée.

L'association de Lévesque et Favreau venait d'amorcer une série de transactions qui allaient faire la fortune de l'un et de l'autre de même que celle de plusieurs collaborateurs. Les nombreuses relations de Gérard Favreau avec les banques, les trusts et autres instances du milieu financier faisaient de lui l'homme tout désigné pour identifier, au moment propice, les compagnies que le groupe Lévesque–Favreau pourrait tenter d'acheter. Il était bien placé aussi pour fournir des avis judicieux sur les modalités de financement d'éventuelles acquisitions.

Quelques mois à peine suffirent à Lévesque et Favreau pour trouver les moyens d'acheter les parts de Fashion-Craft qu'ils n'avaient pas acquises dans la transaction de l'automne. En février 1945, ils deviennent les seuls et uniques propriétaires de Fashion-Craft Manufactures Limited.

La compagnie Fashion-Craft, fondée en 1906 par Auguste et Eugène Richard de Québec, possède, outre sa manufacture de Victoriaville, les trois magasins Lechasseur Ltée de Montréal, le magasin Lechasseur Inc. de Québec, le magasin Gordon Dunfield Ltd de Toronto, le magasin Brown-Urquhart Ltd de Sarnia, les magasins de Fashion-Craft Shops à Sherbrooke, Trois-Rivières, Peterboro, London, Kingston, North-Bay, Chatham, Hamilton, Guelph, Fort-Williams et Sudbury; enfin le magasin Richardson-Jarman Ltd de Vancouver. D'autres subsidiaires se sont ajoutés à la liste: le magasin Max Beauvais Ltée, acheté en 1945 de Madame Poulin, sœur des MM. Richard; le magasin Stan Evans Style Shop Ltd. de Winnipeg et le magasin Pascos Ltd de Toronto.

Fashion-Craft fabrique des vêtements de qualité sur mesures ou tout faits pour messieurs: complets, paletots, vestons « sport », pantalons, uniformes militaires et autres. Son chiffre d'affaires est passé de 2,7 millions$ en 1945 à 7 millions$ en 1953. De ce total, 4,4 millions$ représentent la production de 105 000 vêtements, et 2,5 millions$ les ventes des subsidiaires. La manufacture seule emploie 525 personnes. Les vêtements Fashion-Craft sont vendus non seulement par les filiales de l'entreprise mais aussi par plus de 500 magasins répartis d'un bout à l'autre du Canada. Avec son bureau-chef du boulevard Saint-Laurent, à Montréal, il s'agit de l'une des plus importantes maisons du genre au Canada.

Le bureau-chef de la Fashion-Craft au 2012, boulevard Saint-Laurent, à Montréal.

Évoquant cette transaction et plusieurs autres qui suivront, l'historien Rumilly rend à Louis Lévesque l'hommage suivant :

> J.-L. Lévesque connaît le marché des obligations (...). Auguste Richard a développé sous le nom de Fashion Craft, une entreprise florissante : une manufacture, 22 magasins, 500 employés. Lévesque la lui achète, en finançant l'achat par une émission de titres. Puis il achète et parfois revend les entreprises les plus diverses. J.-L. Lévesque rappelle L.-J. Forget par son audace calculée[8].

Le financier a pris goût à la chose. Ses contacts dans la région de Joliette ont continué de s'intensifier. La même année 1945, il achète le Téléphone du Nord qui dessert les comtés de Berthier, Joliette, Montcalm et Maskinongé. Il réorganise l'affaire, l'incorpore sous le nom de Corporation de Téléphone de Joliette et, trois ans plus tard, la vendra à The Bell Telephone Co. of Canada. Toujours la

Monogramme et raison sociale de la Fashion-Craft.

même année, il achète Acme Glove & Apparel Ltd, maison qui possède cinq manufactures à Saint-Tite, Joliette, Loretteville et Montréal. Il constate bientôt que la remise sur pied de ce commerce est une tâche pratiquement impossible et il s'en défait un an plus tard. Il aura, dans cette affaire, perdu de l'argent mais appris beaucoup car l'avenir montrera qu'une transaction au bilan aussi négatif aura été pour le financier un cas plutôt isolé.

Le goût d'acheter des compagnies ne diminue en rien chez l'homme d'affaires son intérêt pour le commerce des obligations. Au contraire. En ce même automne 1945, parmi les contrats qu'il signe, se retrouve celui d'une cliente des premières années. Les religieuses hospitalières de Saint-Joseph (Hôtel-Dieu de Campbellton), sur le conseil du courtier Louis Lévesque, décident de consolider leurs «finances et de faire, à cet effet, un emprunt de 300 000 $ pour 14 ans —, avec amortissement du capital, de sorte que, après avoir payé 327 475 $ dans les 14 ans et $1/2$, il restera une dette de 188 006 $ sur les 300 000 $. Les courtiers en l'occurrence sont Le Crédit Interprovincial dont Monsieur Louis Lévesque est le président[9]. »

La carrière trépidante du financier connaît une courbe ascendante que suivent avec grand intérêt les observateurs du monde des affaires. Cependant la vie impose son rythme et ses drames. Le 23 mai 1946, Louis a l'immense douleur de trouver sa mère Minnie sans vie, victime d'une crise cardiaque. Depuis quelques années, elle continuait d'accueillir, comme la bonne maman de toujours, les quelques chambreurs de la maison qu'il lui avait achetée, rue Chomedey, à Montréal. Les témoignages de sympathie affluent, montrant à l'évidence l'importance de la place que le jeune financier s'était déjà taillée dans le monde montréalais des affaires.

Un patron attentif aux personnes

Un constat général de la part des témoins de la carrière de Louis Lévesque est bien celui de son attitude profondément humaine. Ce spécialiste des affaires avait le souci constant de la personne. Sous un extérieur qui l'exprimait plutôt difficilement, il cachait un cœur tendre et doucement attentif au sort de ses collaborateurs, aux joies et aux peines de leur vie. Combien de fois a-t-on remarqué cette facilité avec laquelle il désignait par leurs prénoms les épouses et les enfants de ses collaborateurs dont il demandait régulièrement des nouvelles.

Roger Paquet, un des collaborateurs du financier parmi les plus anciens et dont nous parlerons plus loin, se souvient de cet intérêt personnel de son patron non seulement pour ses collègues ou collaborateurs mais aussi pour leurs familles. «Il connaissait les prénoms de nos épouses et de nos enfants.» Madame Paquet, renchérissant sur le propos de son époux, évoque cette confidence révélatrice de Jeanne Lévesque: «Louis ne fait jamais d'insomnie pour des questions d'affaires, lui avait-elle confié, mais si l'épouse d'un de ses collègues ou un de leurs enfants est malade, il lui arrive de mal dormir.» Louis n'aimait pas le mot «employé». Il préférait nettement celui de «collègue» ou de «collaborateur». À une dame qui s'était un jour identifiée auprès de lui, il avait précisé: «Votre mari, madame, n'est pas mon employé, il est mon collègue.»

Au cours de la première année qui a suivi l'acquisition de Fashion-Craft, les administrateurs de cette compagnie ont mis sur pied le club du «Quart de siècle» afin d'exprimer leur reconnaissance aux personnes qui, pendant de nombreuses années, ont contribué au succès de la Maison. En décembre de chaque année, une fête réunissait les employés de Fashion-Craft et on y citait à l'honneur ceux et celles qui avaient atteint vingt-cinq ans de service. Le président Louis Lévesque ne manquait pas, dans son discours de circonstance, de leur rappeler l'importance de tous et chacun pour le succès de l'entreprise. «J'insiste, leur disait-il le 11 décembre 1948, sur le fait que Fashion-Craft n'est pas l'œuvre de quelques-uns, mais bien celle de tous, et sur ce, j'adresse mes sincères félicitations au personnel tout entier. La renommée de nos produits ne peut-être due qu'à vous tous qui fabriquez ces produits.»

L'année suivante, dans les mêmes circonstances, il rappelait: «Il est un élément d'actif qui n'est pas inscrit dans nos bilans annuels, mais qui n'en est pas moins d'une valeur inestimable: c'est le personnel de notre Maison, dont la loyauté, le dévouement et l'intelligente activité contribuent, dans une bonne mesure, à donner aux produits de notre industrie la qualité qui leur assure une renommée sans cesse grandissante.» Et il poursuit en insistant de nouveau sur le facteur humain du succès de la Maison: «Une entreprise comme la nôtre doit avoir, bien entendu, des capitaux suffisants, un outillage perfectionné et des matières premières choisies. Mais que vaudraient toutes ces choses sans les hommes qui les mettent en œuvre?»

Il aimait compter parmi ses collaborateurs des compatriotes de sa Gaspésie natale. Parmi eux se trouvait Jean-Paul Guité qui jouait, au Crédit Inter-provincial, un rôle des plus prometteurs. Son sens des affaires et sa vive intelligence du monde de la finance en faisaient un conseiller hautement apprécié de son patron qui fondait en lui les espoirs les plus beaux. Guité, un ex-officier de la marine, avait développé une personnalité plutôt originale, mar-

Le collègue et très cher ami gaspésien, Jean-Paul Guité, ex-officier de la marine. «Il appréciait son style tout à fait personnel.»

quée d'une sorte d'extravagance à l'anglaise dans ses goûts vestimentaires et autres. Le patron appréciait cet homme et son style tout à fait personnel. Une belle et franche amitié s'était établie entre les deux Gaspésiens.

Or, le 19 novembre 1956, ce collaborateur si cher périt tragiquement dans l'incendie d'un camp de chasse. On appela le patron et ami à la pénible tâche de l'identification des restes calcinés. Cela ne lui fut possible que par la montre qu'il avait offerte à son ami et conseiller Jean-Paul. L'homme fut consterné, profondément bouleversé par cette tragédie. Témoins impuissants de sa douleur, à son retour parmi eux ce jour-là, ses collègues d'alors ne peuvent oublier la poignante sympathie qu'ils ressentirent en voyant leur patron s'enfermer dans son bureau, pendant de longues heures, pour pleurer sa peine, seul avec le souvenir de Jean-Paul, son ami et si précieux collaborateur.

Conformément aux dernières volontés de l'ex-officier de la marine, on confia ses cendres à la mer, tout comme on le faisait jadis lorsqu'un marin périssait en cours de voyage.

Fidèle en amitié, le président du Crédit Inter-provincial se fit un devoir de soutenir financière-ment l'épouse de Jean-Paul Guité en l'aidant à subvenir aux études des deux enfants, Michel et Diane, qu'il avait laissés orphelins. Ceux-ci, de même que leur mère, lui en furent grandement reconnaissants et le témoignage amical de leur gratitude fut toujours pour Louis Lévesque un doux souvenir de ce Jean-Paul, un ami trop tôt disparu.

Un chèque historique de 31 083 708 $

Ce fut un événement marquant dans le monde de la finance au Québec. Jusqu'à ce jour, le Crédit Interprovincial poursuivait son petit bonhomme de chemin pendant que les grandes et anciennes maisons de courtage pouvaient l'observer, peut-être avec intérêt, peut-être avec une certaine condescendance mais sûrement pas avec la perspective que bientôt le jeune Gaspésien Louis Lévesque prendrait place, de façon audacieuse et définitive, dans ce qu'on pourrait appeler la ligue majeure des financiers du pays.

La Ville de Montréal avait décidé de convertir sa dette en tentant d'obtenir des emprunts à taux moins élevés. Les courtiers accoururent, particulièrement les habitués, dont la grande maison Ames de Toronto. Le bruit courut à l'effet que le Crédit Interprovincial était dans la course. Aux yeux de plusieurs, ça ne pouvait pas être sérieux.

Or, en cette nuit du 27 au 28 février 1947, au bureau du Crédit Interprovincial, des hommes calculent fébrilement. Il y a là, avec leur président, les administrateurs du Crédit Interprovincial dont Gérard Favreau et Vianney Favreau. Il y a là aussi Emé Lacroix, avocat spécialisé en droit municipal. Plusieurs suggestions et propositions ont déjà été mises sur la table, longuement analysées, discutées, retenues puis rejetées. Il est déjà deux heures du matin et il faut en arriver à une décision : celle du choix d'un taux à soumettre à la Ville de Montréal, dès l'ouverture des bureaux ce même jour, pour tenter d'obtenir sa nouvelle émission d'obligations. Pas facile de viser juste pour établir un prix à la fois gagnant et payant. Trop bas, il sera refusé ; trop haut, ce sera la faillite... À cette heure tardive, on décide que chacun inscrira sa proposition sur un bout de papier qui sera ensuite retourné au milieu de la table, comme au jeu de cartes. On y va ainsi et la suggestion de Louis Lévesque, la plus haute, fait consensus. Le Crédit Interprovincial offrira à la Ville de Montréal de lui acheter son émission d'obligations à 99,19 % et damera ainsi le pion, de quelque 1/8 de cent, au deuxième plus haut soumissionnaire.

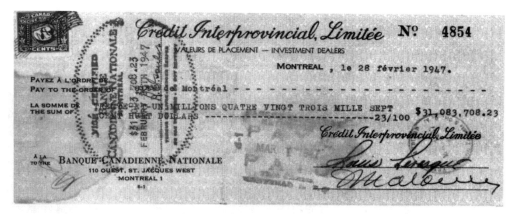

Louis Lévesque signe un chèque de 31 083 708 $. Une photo qu'on publie comme celle d'un monument... « Cette transaction extraordinaire est la première du genre confiée à un seul homme dans l'histoire de la ville de Montréal. M. Lévesque a fait concurrence, seul, à un grand nombre de compagnies de finance pour obtenir l'émission à cause du meilleur prix qu'il sut offrir. »

Le 28 février 1947, la nouvelle paraît à la une dans tous les journaux. Des photos montrent Louis Lévesque remettant à Monsieur G.C. Marler, vice-président du comité exécutif de la Ville de Montréal, un chèque au montant de 31 083 708,23 $ tiré sur la Banque Provinciale du Canada et signé par Louis Lévesque. La cérémonie avait eu lieu la veille à 9 heures, dans les bureaux de la Banque de Montréal, en présence de plusieurs personnalités dont Monsieur J.-S. Bolton, gérant général de la Banque de Montréal, Monsieur Louis-A. Lapointe, directeur des services municipaux, Edmond Hamelin, membre du comité exécutif, P.-E. Sénécal, assistant-directeur des finances. Le quotidien *La Patrie* publie en première page, comme celle d'un monument, la photo du chèque lui-même, daté du 28 février 1947 et dûment certifié par la Banque Provinciale du Canada. Son bas de vignette se lit : « Cette transaction extraordinaire est la première du genre confiée à un seul homme dans l'histoire de la Ville de Montréal. M. Lévesque a fait concurrence, seul, à un grand nombre de compagnies de finance pour obtenir l'émission à cause du meilleur prix qu'il sut offrir».

Un journaliste du quotidien *La Patrie* jubile. Il célèbre dans l'événement la destruction d'un mythe. Intitulant son article «Beau succès d'un jeune Canadien français dans le monde de la finance», il écrit:

> Par cette audacieuse transaction, M. Lévesque vient de placer les maisons de finance canadiennes-françaises à la tête de cette catégorie de maisons d'affaires de chez nous.
>
> Cela détruit d'un seul coup le mythe qu'on nous place sous le nez à maintes reprises, à savoir que les Canadiens français ne s'entendent pas beaucoup en affaires. L'exemple de ce jeune financier est d'un apport sérieux au monde de la finance canadienne[10].

Le journaliste sentait donc vibrer ses fibres nationalistes et il l'exprimait spontanément. S'il connaissait quelque peu le héros de l'affaire, il pouvait deviner que lui aussi, sous son extérieur calme et plutôt réservé, avait chaud au cœur et savourait intérieurement cette victoire qui le faisait accéder à un niveau de son domaine vers lequel il tendait ardemment depuis des années. Louis Lévesque avait réalisé une étape essentielle du rêve de sa vie: il s'était hissé, lui, le jeune financier francophone, au rang des grands parmi lesquels les siens n'avaient pas encore, ou si peu, jusqu'à ce jour là, affirmé ainsi leur présence. Il avait enfin cassé pour les siens la glace séculaire de l'establishment financier anglophone.

Évoquant cette heureuse transaction avec la modestie qui le caractérisait, Louis Lévesque expliquait à un journaliste, une quinzaine d'années plus tard: «Les gens nous trouvaient fous, mais nous n'avions aucune inquiétude. À ce moment là, il y avait peu d'obligations sur le marché et l'argent roulait. Nous prenions les obligations d'une main pour les vendre de l'autre. C'est tout simplement que le moment et les conditions étaient opportuns, n'importe quel enfant aurait pu en faire autant[11]. » Le journaliste écrit: «Alors que tout le monde s'attendait à une banqueroute, M. Lévesque plaça tranquillement toutes les obligations, réalisant bien sûr une commission intéressante.» En fait, cette commission dépassait quelque peu les 250 000 $, ce qui était une somme considérable à l'époque, d'autant plus que le président du Crédit Interprovincial, n'étant membre d'aucun syndicat de courtiers, contrairement aux compétiteurs qu'il venait de déclasser, n'avait pas à partager son profit.

Beau et important profit, oui, mais le principal profit de cette transaction historique fut certainement la notoriété soudaine et la très précieuse crédibilité qu'elle apporta au Crédit Interprovincial. Des portes, de grandes portes, jusqu'à ce jour fermées, s'ouvrirent soudain à cette maison canadienne-française qui avait fait la démonstration d'un dynamisme et d'une efficacité si remarqués. Et les contrats se mirent à s'ajouter, à se multiplier.

Louis Lévesque était bien conscient que cette émission d'obligations de la Ville de Montréal constituait pour sa maison un puissant tremplin et il allait effectuer le saut avec toute l'assurance et l'élégance d'un athlète averti et confiant. L'équipe du Crédit Interprovincial était fin prête à passer à l'action dès le moment de la décision de la Ville de Montréal en sa faveur. Le prudent et avisé financier avait à l'avance, avec ses vendeurs, choisi et préparé sa clientèle et en peu de temps toutes les obligations de la Ville de Montréal avaient trouvé preneur.

Le jour où les dernières de ces valeurs sont vendues, Gustave Lachance entre, rue Saint-Jacques, au bureau de son ami Louis pendant que celui-ci est au téléphone. Le financier raccroche et, radieux, annonce à son visiteur qu'il vient de terminer la vente de cette émission de plus de trente millions. «Je suis bien content, lui annonce-t-il, l'œil radieux, je m'en vais tout de suite acheter ma Packard et tu viens avec moi.» Tous deux se rendent à un garage de l'ouest prendre livraison de la voiture rêvée. En ce moment crucial de sa carrière, l'homme s'offrait un cadeau. «Je suis surtout content, confie-t-il à Lachance, parce que c'est la seule Packard de ce modèle actuellement disponible sur le marché et que je l'enlève au président de Dominion Securities qui voulait l'avoir lui aussi.» Du garage, les deux amis font un crochet vers la résidence du fier propriétaire, rue Bloomfield, pour montrer la Packard à Jeanne et reviennent au bureau. La journée du financier n'est pas pour autant terminée!

De ces visites impromptues qu'il lui arrivait de se permettre au bureau de son ami, Gustave Lachance retient, entre autres souvenirs, cette acrobatie étonnante de la mémoire du financier: «Je l'ai vu une fois à son bureau donner par cœur, au téléphone, une longue liste des échéances d'obligations de diverses émissions avec tous les taux correspondants.» À ce sujet, Gérard Favreau disait au même Gustave Lachance: «Je n'ai jamais vu un homme avec une telle mémoire et un tel flair pour prendre le bon risque au bon moment[12].»

Notes

1. « Mandement d'entrée » du premier évêque de Gaspé, prononcé le 3 mai 1923, Mandements des évêques de Gaspé, vol. I, p. 24.

2. Cet enfant allait être l'auteur de ce livre.

3. Archives des Religieuses Hospitalières de Saint-Joseph, Bathurst, Procès-verbaux du Conseil.

4. Robert Rumilly, « Histoire de Montréal », tome V (1939-1967), Montréal, Fides, p. 50.

5. Entretien avec l'auteur le 8 janvier 1996.

6. Interview accordée à Ken Smith, de la Presse canadienne, et publiée dans *Le Devoir*, *The Toronto Telegram* et *La Presse*, le 11 juillet 1961.

7. Archives de la Maison mère des Sœurs Servantes de Notre-Dame Reine du clergé, Rimouski.

8. *Ibidem*, p. 121.

9. Les Religieuses Hospitalières de Saint-Joseph, *ibidem*, Procès-verbaux des 30 octobre et 18 novembre 1945.

10. Ernest Pallascio-Morin, *La Patrie*, 28 février 1947.

11. Juillet 1961, interview à la *Presse canadienne* mentionnée plus haut.

12. Entretien de Gustave Lachance avec l'auteur, le 15 mai 1996.

Chapitre trois

LE VENT DANS LES VOILES

1947-1957

LES GRANDES PORTES S'OUVRIRENT, effectivement. Le Crédit Interprovincial ne sera plus une maison de courtage qui cherche sa place dans le firmament financier du Québec. Sa place est maintenant bien assurée parmi les grandes maisons. Le succès étonnant remporté avec l'émission de la Ville de Montréal procure au Crédit Interprovincial de Louis Lévesque ses lettres de noblesse et un immense respect. À compter de ce jour-là, les transactions de tous ordres se multiplieront sans cesse. Quand on a financé avec brio la Ville de Montréal, les autres villes peuvent s'amener. Et elles s'amenèrent. Les développements urbains d'après-guerre battent leur plein et les municipalités ont besoin d'argent. Elles deviennent ainsi les clientes de choix du Crédit Interprovincial qui peut rassurer les épargnants à qui il offre ces obligations puisque le gouvernement du Québec s'en porte garant. Par exemple, la Ville de Jacques-Cartier obtient du ministre et de la Commmission municipale l'autorisation d'emprunter 6 525 000 $ pour se doter de services réuliers d'aqueducs et d'égoûts. Ce sera la plus forte transaction de ce genre que la rive sud ait encore négociée. Le Crédit Interprovincial, du financier Jean-Louis Lévesque, se charge de l'émission, à 5 pour cent[1].

Les villes du Québec émettent des obligations dont le Crédit Interprovincial assume la vente avec un succès grandissant. Ce sont Québec, Trois-Rivières et des dizaines d'autres villes et municipalités qui entrent dans la danse des obligations. Et le Crédit Interprovincial mène le bal. À cette clientèle importante s'ajoute celles des entreprises commerciales et industrielles tandis que les institutions religieuses demeurent toujours fidèles à leur courtier de confiance. Petit à petit, les surplus du Crédit Interprovincial s'accumulent de façon importante et cela lui permet d'atteindre, au cours des années 1950, à une efficacité et à une renommée qui rayonnent sur l'ensemble du territoire du Québec.

Financer aussi le gouvernement du Québec

Le nationaliste premier ministre Maurice Duplessis semble bien heureux de voir la maison du jeune Canadien français acheter et revendre avec de plus en plus d'aisance les émissions d'obligations des villes et municipalités du Québec. Et il le montrera de façon on ne peut plus concrète.

Le gouvernement du Québec a besoin lui aussi d'emprunter de l'argent. Et il ne peut évidemment confier l'opération qu'à des maisons de haut calibre. Le Crédit Interprovincial est maintenant de celles-là. Moins d'un an après l'émission de Montréal, les grandes maisons de courtage sont en compétition pour l'obtention d'une émission d'obligations du gouvernement du Québec dépassant les 23 millions.

Le 10 septembre 1948, Maurice Duplessis appose sa signature, à titre de président, au bas d'un arrêté en conseil de la Chambre du conseil exécutif contenant le paragraphe suivant: «Que les dites obligations au montant en capital de $23,725,000 soient vendues au Crédit Interprovincial Limitée au prix de 99,13% et intérêt couru...»

Le lendemain, la presse canadienne-française jubile de nouveau. L'un des quotidiens du Québec écrit, sous le titre de «Un coup de maître»:

> C'est la deuxième fois en moins d'un an que le Crédit Interprovincial rafle à la barbe d'un puissant syndicat canadien-anglais une émission de cette importance. (...) Qu'une simple maison de courtage canadienne-française se porte acquéreur, en quelques mois, sans l'appui officiel d'aucun groupe financier, de deux émissions totalisant $ 55 millions et qu'elle réussisse à les placer, semble-t-il, sans difficulté, indiquerait que le marché financier canadien-français s'est considérablement élargi depuis quelques années. (...) Le Crédit Interprovincial vient d'opérer un deuxième coup de maître dont nous devons à juste titre nous réjouir.

L'expansion déclenchée en bonne partie par ces coups de maître est extrêmement rapide. Avec les capitaux accumulés et surtout avec cette crédibilité bien établie qui permet d'aller chercher de plus en plus d'argent dans le public, les succès du Crédit Interprovincial incitent le groupe Lévesque et Favreau à poursuivre et intensifier les transactions d'achat de compagnies déjà bien en place au pays. Gérard Favreau, le premier vice-président du Crédit Interprovincial, est aussi, avons-nous déjà vu, le spécialiste qui scrute l'horizon financier pour y détecter les compagnies éventuellement intéressantes à acheter. En 1947, Lévesque et Favreau achètent la compagnie Fred-A. Lallemand & Co Ltée, qui possède deux manufactures, situées à Montréal (1620, rue Préfontaine) et à Laprairie, et

Signature de Maurice Duplessis.

qui fabrique de la levure pour boulangerie, de la poudre à pâte et autres ingrédients analogues, enfin du sirop de malt et des extraits de malt houblonné.

Cette maison distribue ses produits à travers le Canada par l'intermédiaire de bureaux régionaux situés à Sydney, Québec, Montréal, Ottawa et Winnipeg, bureaux dont relèvent plus de quarante centres de distribution. En 1953, son chiffre d'affaires approchera les 2 millions et elle emploiera quelque 130 personnes. Au sujet de cet achat, Louis Lévesque écrira à son ami Gustave Lachance, le 30 juillet 1947, de sa maison d'été de Saint-Gabriel de Brandon :

> Je suis à prendre des forces avant la réorganisation d'une importante compagnie que j'ai achetée dernièrement. J'aurai quelque chose à m'occuper pour cet automne. Je suis allé prendre possession vendredi dernier de Fred A. Lallemand & Co. Je pense que c'est un deuxième Fashion-Craft si ce n'est que le commerce a été négligé au cours des dernières années.
>
> Cependant, il s'en vient une hausse sur le pain qui entraînera une hausse des prix du *yeast*. Comme nous produisons au-delà de 100 000 livres par semaine et que nous augmentions nos prix de 0,03 $ la livre, à la fin de l'année ça fera 150 000 $ de plus.
>
> Ensuite, nous manufacturons à Laprairie le malt, le sirop de malt, le *malted chocolate*, le *home-Bresco* etc, et nous vendons au char à des clients tels Kellogs, Viau, Weston, etc... Tout ceci veut dire que la clientèle est là... Si tu as un bon char, viens pour une fin de semaine...

Achat de Dupuis & Frères Ltée

La même année 1947, le groupe Lévesque-Favreau achète la librairie Beauchemin Ltée. Deux ans plus tard, Raymond Dupuis, un des membres de la famille possédant le grand magasin Dupuis & Frères

Smoking, cigarette et café avec l'honorable Gaspard Fauteux.

Ltée, une institution nationale du Canada français, souhaitait acquérir le commerce de la succession familiale. Il était prévu qu'il pourrait acheter les parts détenues par ses sœurs. Le Crédit Interprovincial devint alors l'instrument qui permit à Raymond Dupuis de faire l'acquisition, via la librairie Beauchemin : pour acquérir une société opérante, il fallait que l'achat se fasse par une autre société opérante. C'est ainsi qu'en 1949, Raymond Dupuis achète d'abord de Louis Lévesque la librairie Beauchemin et cette institution se retourne et achète les parts des sœurs Dupuis avec les revenus d'une émission d'obligations de 2,5 millions vendue par le Crédit Interprovincial[2]. Peu de temps après, le groupe Lévesque-Favreau devra reprendre Dupuis & frères. Il administrera le grand magasin avec Edmond Frenette et Hector Langevin. Plus

tard, Marc Carrière, un homme d'affaires de Montréal, fera l'acquisition du grand magasin qui, entre-
temps, était passé aux mains de Paul Desmarais.

L'équipe s'élargit : embauche de Mᵉ André Charron

Il y eut bien sûr un certain nombre d'hommes clés
dans la carrière et les succès de Louis Lévesque.
L'un des principaux parmi eux fut Mᵉ André
Charron. Il fit la connaissance de Louis Lévesque à
la suite d'une rencontre avec Gérard Favreau à
l'automne 1948[3]. Au cours de cette rencontre,
Favreau dit à Charron : « Nous sommes une jeune
équipe au Crédit Interprovincial et il serait peut-
être temps pour nous de songer à retenir les services d'un avocat à temps plein pour réduire les
honoraires professionnels payés à l'extérieur du
bureau. » Charron était avocat et membre du bar-
reau depuis peu. L'idée de Favreau lui plaisait. Il
souhaitait alors faire un stage pour se familiariser
avec la finance et retourner éventuellement au
bureau de MM. Brais & Campbell, avocats de
Montréal, chez qui il avait complété sa cléricature
au cours des années 1944 à 1948. Il alla donc voir
Favreau de nouveau pour causer de la possibilité de
l'introduire auprès de Louis Lévesque.

    Louis Lévesque reçoit le jeune avocat Charron.
Il lui dit que Gérard Favreau lui a bien parlé de sa
demande et que cela l'embête un peu parce qu'il a
alors des bons amis avocats et craint de les indis-
poser. Charron propose un compromis : « Acceptez-
moi comme apprenti, je pourrais me passer de
salaire, je serais ici pour prendre de l'expérience et
on verra par la suite. » Il signale à Lévesque qu'il ne
ferait possiblement qu'un stage pour ensuite
retourner chez Brais & Campbell y poursuivre sa
carrière.

    Soudain, dans la conversation, Lévesque dit à
Charron : « Savez-vous taper à la machine à écrire ? »

«Oui, répond Charron, j'ai toujours tapé mes notes à l'université moi-même, je ne suis pas tellement rapide, mais je peux le faire.» Quelques minutes après, poursuivant le test à sa façon, le financier, tâtant machinalement ses poches, dit au candidat : «Je n'ai plus de cigarettes, iriez-vous au restaurant d'à côté m'en chercher?» Le chercheur d'emploi va chercher des cigarettes et dépose le paquet sur le pupitre. «Je m'en souviens encore, il m'a dit : "Bon! très bien, on peut causer d'une possibilité d'emploi."»

Me Charron, qui allait devenir l'homme de confiance, le conseiller privilégié et le successeur de Louis Lévesque dans sa principale maison d'affaires, confie, près de cinquante ans plus tard : «J'ai toujours retenu ces deux questions. Par la suite, je me suis aperçu que c'était là ni plus ni moins qu'un test pour vérifier ma souplesse et ma disponibilité à tout faire sans attacher trop d'importance à mon statut d'avocat.»

Voyage d'acclimatation à saveur de crème glacée

Au printemps de 1949, Lévesque invite son nouvel avocat à l'accompagner dans un voyage en Gaspésie, par train. C'était un voyage d'affaires mais aussi une tournée de la parenté et des amis de la péninsule natale. «Je pense que j'ai visité tous les foyers qu'il connaissait à Nouvelle, se rappelle Charron. Il m'a présenté un tas de gens et nous nous sommes rendus finalement jusqu'à Gaspé. Pour moi, cela a été toute une expérience. C'est là que j'ai pu commencer à connaître vraiment Monsieur Lévesque.»

Entre autres visites effectuées au cours de ce voyage, les deux hommes s'amenèrent à Camp-bellton pour rencontrer la direction de la Gray's Velvet Ice Cream. Ce commerce rayonnait en exclusivité sur le nord du Nouveau-Brunswick et toute la partie sud de la Gaspésie. C'était de cette maison que John Lévesque, le père de Louis, achetait, en fin de semaine, pour la cantine qu'il tenait en face de sa maison, ce bidon de crème glacée qui, trop souvent hélas, se souviennent les gamins d'alors — dont l'auteur de ces pages — ne pouvait résister à la chaleur du soleil.

Était-ce le souvenir nostalgique de la petite cantine de son père qui poussait Louis à s'intéresser à la Gray's Velvet Ice Cream? Il y a des raisons de le penser. Un certain nombre de décisions ultérieures du financier nous indiqueront que parfois il se laissait inspirer par des motifs d'ordre plutôt sentimental ou affectif. Mais, il n'y avait vraisemblablement pas que cette dimension familiale dans l'intérêt qu'il portait à ce commerce de crème glacée. L'homme avait des yeux de lynx pour détecter les bonnes affaires. Comme on dit de certains autres qu'ils ont le pouce vert. Il avait dû avoir l'occasion de jeter son regard averti sur le bilan de ce commerce et de se faire rapidement une idée de ses possibilités d'expansion.

La Gray's Velvet Ice Cream fabriquait en 1959 pour 500 000 $ de crème glacée par année qu'elle distribuait, à l'aide d'une quinzaine de camions-frigidaires (ah, s'il en eût été ainsi au temps de la cantine de Monsieur John!), sur la côte nord du Nouveau-Brunswick et sur une partie de la rive gaspésienne de la baie des Chaleurs. Au retour du voyage en Gaspésie, Lévesque dit à Charron : « On va acheter cette affaire-là, c'est un bon produit, il y a moyen de prendre de l'expansion en descendant vers le sud du Nouveau-Brunswick. Vous allez retourner à Campbellton tenter de négocier l'achat. » L'avocat, se souvenant de l'importance des affaires que brassait déjà son patron, précise qu'il ne s'agissait pas là d'une transaction parmi les plus importantes, mais que ça plaisait à M. Lévesque. « C'était proche de Nouvelle en Gaspésie et ça desservait un secteur qu'il connaissait assez bien, ayant fait des études et pratiqué certains commerces de vacances au Nouveau-Brunswick. Pour ces raisons, il avait à cœur de faire quelque chose dans cette région. » Charron se rendit donc à Campbellton, négocia l'achat de la compagnie Gray's Velvet Ice Cream et en devint l'administrateur délégué. Contrairement aux autres transactions que traitait l'avocat pour son patron, celle-ci ne se déroula pas sous le chapeau du Crédit Interprovincial mais sous celui de Louis Lévesque personnellement. Une affaire comportant une dimension quelque peu sentimentale ou familiale, avons-nous dit.

Comme ce fut le cas pour la plupart des autres compagnies achetées par Louis Lévesque, celle-ci connut dès lors un beau regain de vitalité, elle se développa et devint rapidement un commerce intéressant à revendre. Quelques années seulement plus tard, le patron suggéra à son avocat-administrateur de sonder le gérant de Campbellton quant à ses possibilités de trouver du financement pour acheter la compagnie. Peut-être, suggéra-t-il, y aurait-il lieu de la lui vendre.

Nouveau mandat. Charron se rend à Campbellton et négocie avec le gérant une vente fort profitable. À son retour à Montréal, son patron lui dit : « Vous vous souvenez que je vous avais dit de mettre 25 % des actions votantes en votre nom parce que cela m'accommodait. Alors, vous garderez pour vous le pourcentage qui vous revient dans la vente. » L'avocat venait de découvrir, à l'usage, une façon de procéder caractéristique de son patron. « Évidemment, explique-t-il, on ne parlait pas de montants énormes mais, pour moi à ce moment-là, c'était beaucoup et beaucoup plus que ce que je pouvais mériter. Ce n'était pas une question de mérite : il me faisait un cadeau. Cela a été une première manifestation concrète de son attitude à mon endroit. » Une caractéristique du financier en

Récompense aux vendeurs du Crédit Interprovincial: départ vers la Jamaïque en 1951. Dans l'ordre habituel: Eudore Vaillancourt, Louis Lévesque, Jeanne d'Arc B.-Vaillancourt, Dame Wilfrid Morin, Jeanne Lévesque, Blanche L.-Paquet et Wilfrid Morin.

effet, car nombre d'observateurs de la carrière de Louis Lévesque affirment avec assurance que le financier a permis à tous ses principaux collaborateurs d'accéder à un excellent niveau de vie.

Par la suite, le travail de l'avocat du Crédit Interprovincial a largement consisté en la gestion légale et administrative des nombreux dossiers ouverts par le président ou par son collaborateur plus ancien, et deuxième vice-président de la maison, qui avait nom Gaston Thibodeau[4]: achat d'émissions d'obligations de toutes catégories, mais concernant le plus souvent des municipalités, des commissions scolaires, des hôpitaux, des fabriques, des collèges, des communautés religieuses. À cette époque-là donc, le Crédit Interprovincial transigeait encore peu avec des sociétés commerciales. De son côté, le patron s'occupait des relations financières avec les plus gros clients tels la Province de Québec, la Ville de Montréal, d'autres villes importantes ou Hydro-Québec qui venait de naître.

Et achète encore…

C'est le défi constant et le subtil plaisir d'un financier que de savoir saisir la bonne occasion d'affaires qui se présente et passe. Or Louis Lévesque excelle dans cet art. Il l'a montré plus d'une fois. Parfois cependant, il arrive, même au plus clairvoyant financier, de manquer une belle occasion. Ce fut le cas en janvier 1950, avoue humblement celui-ci, lorsque Vernon Cardy, qui avait débuté comme chasseur à l'hôtel Mont-Royal puis était devenu propriétaire d'une chaîne d'hôtels dont le Mont-Royal à Montréal et le King Edward à Toronto, en butte à certaines difficultés, décide de vendre ses hôtels. Notre financier juge l'affaire intéressante, il négocie avec la Banque Royale qui accepte de le soutenir, bien qu'il soit administrateur de la Banque Provinciale, mais, dans la course, un autre groupe le devance d'une petite heure. C'était le groupe Sheraton.

« La meilleure affaire de ma vie »

Or la malchance n'eut peut-être pour seul effet que d'aviver encore son sens des affaires. Quelques jours plus tard, il apprend par hasard que les intérêts majoritaires de l'Industrielle, Cie d'Assurance-Vie, sont peut-être à vendre, il va aux sources et juge que l'affaire l'intéresse. Une échéance s'impose cependant : il faut prendre une décision rapidement. Or, ce samedi de décembre, les Canadiens jouent au Forum et le fervent amateur de hockey tient à y être. D'urgence donc, il rejoint et dérange un officier de banque dans un cocktail huppé, lui communique les éléments d'une négociation de dernière heure et s'asssure de son appui. Il signe alors un chèque de 25 000 $ pour le dépôt accompagnant

Siège social de l'Industrielle-Alliance au 1080, chemin Saint-Louis, Sillery, Québec. « La meilleure affaire de ma vie. » (Coll. privée)

son offre et, trente minutes plus tard, se retrouve dans sa loge du Forum. Le Crédit Interprovincial venait de prendre le contrôle de l'Industrielle.

Le 11 septembre 1953, on inaugure en grandes pompes le nouvel édifice de l'Industrielle au 1080, chemin Saint-Louis, à Québec. C'est, après la Sun Life, la plus importante compagnie d'assurance canadienne ayant son bureau-chef au Québec. Son actif est passé de 16 millions en janvier 1950 à près de 30 millions en décembre 1953. Assurance en vigueur : 315 millions dont environ 50 % d'ordinaire, 35 % d'industrielle et 15 % de collective. Succursales : 40, dont quatre en Ontario. Représentants et employés de bureau : pas loin de 900.

«C'est la meilleure affaire que j'aie faite, de toute ma vie», affirmera Louis Lévesque, en juillet 1961, à un journaliste du *Devoir* qui titrera : «En quinze ans, J.-Louis Lévesque a porté son capital de 7500 $ à 200 000 000 $». À cette époque de 1961, le financier est encore relativement peu connu. On a peut-être vu sa photo quelques fois dans les journaux et les transactions qu'il a effectuées depuis une quinzaine d'années semblent avoir été enveloppées d'une discrétion ressemblant à celle de leur auteur. Il accorde très peu de rendez-vous à la presse. «Je ne vaux pas la peine qu'on s'occupe de moi», explique-t-il à ce journaliste qui avait enfin obtenu une entrevue avec le discret financier. Et, parlant de cette affaire qu'il considère comme la meilleure de sa vie, il précise : «L'Industrielle m'a coûté environ 600 000 $ et, il y a quelques mois, on m'en a offert 14 millions $ que j'ai refusés. Ça vaut beaucoup plus que cela», explique-t-il avec une très calme assurance.

Cette compagnie essentiellement canadienne avait été fondée en décembre 1904 par un peintre de Québec, Bernard Leonard, dans le but de doter sa ville d'une nouvelle et intéressante entreprise. Elle prospère bientôt, malgré certaines lacunes de technique. Mais c'est avec l'engagement en 1934 d'un actuaire, Monsieur A. F. Muth, vice-président et gérant général, que la compagnie s'organise selon toutes les règles de l'art.

Conférencier au club Richelieu

Louis Lévesque, avons-nous déjà vu, était un homme modeste. Aussi, il nous semble intéressant d'observer directement à travers son propre regard la feuille de route du Crédit Interprovincial, moins d'une dizaine d'années après sa fondation. Le président prenait la parole au cours d'un dîner du club Richelieu de Montréal, le 25 mai 1950, et des circonstances préalables l'avaient quelque peu forcé, comme il le dira, à faire ce jour-là l'éloge de sa propre maison. Le temps le presse et, bien sûr, il ne choisira que quelques-unes des réalisations du Crédit Interprovincial afin d'illustrer son propos. Écoutons-le...

> Je ne vous parlerai pas de ce que le Crédit Interprovincial a fait dans les domaines provincial, municipal, scolaire et religieux : j'en aurais pour l'après-midi.
>
> Quant au domaine industriel, j'en parlerai plus longuement car on nous a souvent blâmés de ne pas en faire assez alors que nous sommes la maison de finance qui en a le plus fait dans le Québec au cours des cinq dernières années. Je dirai même que nous en avons fait plus que la Banque industrielle, fondée par la Banque du Canada aux alentours de 1945...
>
> (Le conférencier donna alors, à titre d'exemples, les noms de plusieurs individus et compagnies ayant particulièrement bénéficié des services du Crédit Interprovincial soit pour acquérir des commerces ou industries, soit pour refinancer ou développer ceux qu'ils possédaient déjà. Et il poursuivit...)
>
> Et encore dans le domaine industriel, l'automne dernier nous avons assisté au plus parfait mariage financier des temps modernes en faisant souscrire 2,5 millions $ pour la fusion de Dupuis & Frères et de la Librairie Beauchemin.

Le conférencier résuma ensuite ce que sa maison de courtage avait fait « pour nous », selon sa propre expression. Il énuméra les compagnies dont le groupe Lévesque et Favreau avait jusqu'à ce jour-là réussi à prendre le contrôle. Enfin, en dernière partie de sa conférence, il fit état du généreux engagement de sa maison dans ce qu'il désigna comme « le domaine charitable ». Déjà, de nombreuses maisons d'éducation et un nombre plus grand encore d'individus avaient bénéficié du préjugé très favorable de Louis Lévesque envers leurs travaux.

Un autre collaborateur se souvient de son patron

Au fil des jours et de la progression de ses affaires, Louis Lévesque voyait, avec toute la perspicacité qu'on lui connaissait, à choisir de nouveaux collaborateurs clés. Il lui fallait à Québec un autre homme de confiance. Roger Paquet, diplômé des sciences sociales, avait travaillé pendant six ans comme gérant de caisse populaire[5]. Passé à la maison d'Oscar Dubé, il retrouva là un ancien collègue de Louis Lévesque qui lui parla du financier dont l'étoile montait en flèche. Par ailleurs, Lévesque et Paquet faisaient respectivement partie des clubs Richelieu de Montréal et de Québec. Lors d'une petite convention de courtiers québécois, Lévesque fait approcher Paquet pour l'inviter à sa maison d'été de Saint-Gabriel-de-Brandon où il lui offre un emploi «qu'on ne peut refuser». C'était en 1950. Paquet le prévient cependant qu'il ne pourra pas être très productif pendant l'année 1951 puisque, comme président du club Richelieu de Québec, il devra présider 52 dîners. Lévesque lui répond : «Allez-y, je connais le Richelieu, c'est bon.» Et on convient que Paquet prendra immédiatement quinze jours de vacances.

Or, pendant ces vacances, l'ancien gérant de caisse populaire, qui jouit de nombreux contacts dans la ville de Québec (Caisses populaires, la Solidarité, la Laurentienne, les communautés religieuses, etc.), procède déjà à quelques transactions qui n'échappent pas à l'œil attentif de son nouveau patron : «J'avais pensé que vous preniez des vacances, écrit-il à Paquet. Si vous continuez comme ça, nous aurons des difficultés à vous fournir des valeurs...»

En 1954, Lévesque invite Paquet au Conseil d'administration du Crédit Interprovincial où il siégera jusqu'au moment de sa démission au poste de directeur de la succursale de Québec. La succursale se trouvait rue Saint-Pierre qu'on appelait alors la «Wall Street de Québec». Il y avait là une

Roger Paquet, collègue de Louis Lévesque de 1950 à 1987. «Monsieur Lévesque était un homme d'une grande humanité. Et, souvent, il semblait vouloir discrètement le cacher.» (Photo : Coll. privée)

vingtaine de maisons de courtage, avant que les banques ne procèdent à l'achat de plusieurs d'entre elles.

À Québec, la succursale du Crédit Interprovincial a fait, comme on pouvait s'y attendre, vu les succès connus de son président-fondateur, une percée considérable dans la clientèle des maisons religieuses. Ce n'était pas facile car il y avait déjà là une chasse-gardée de quelques maisons de courtage. Mais cela n'empêcha pas le Crédit Interprovincial de planter à Québec des racines profondes et tenaces. En 1996, on retrouvera en ces lieux deux succursales de la maison-fille du Crédit Interprovincial (Lévesque Beaubien Geoffrion Inc.), celle de Sainte-Foy comptant une quarantaine de représentants. Roger Paquet a travaillé pour Louis Lévesque pendant 37 ans, de 1950 à 1987. Membre du Conseil d'administration et du Comité exécutif pendant des années, il voyait souvent son patron. À tous les soirs, à 21 heures, le téléphone sonnait : «Bonsoir, jeune homme, comment ça va?» Au moins un appel par jour. Le patron s'informait systématiquement de ce qui s'était passé dans la journée : «La dame dont vous m'avez parlé et qui devait venir aujourd'hui placer 5000 $, est-elle venue?»

Le patron aimait aller avec ses vendeurs visiter des clients. Paquet a fait de longues randonnées, parfois jusqu'en Gaspésie, avec Lévesque. De très longs silences accompagnaient souvent les voyageurs, autant en auto qu'en avion. Selon ce collègue des jeunes années, la vente des obligations d'épargne du Canada avait été une excellente école pour vendeurs. On ne pouvait rien vendre de plus sécuritaire : on vendait le Canada. Louis Lévesque y avait largement fait ses armes. Même après avoir acheté la maison Beaubien qui transigeait autant d'actions que d'obligations, il aimait dire souvent : «Souvenez-vous que l'argent est dans les obligations.» Sa carrière et son succès l'autorisaient à

On fête la Noël. Au centre: Roger Paquet.

parler ainsi : «Vendez des obligations et ça vous payera.»

Et les œuvres humanitaires...

Un jour de 1963, Mgr Giroux, directeur général de la campagne des œuvres de charité de Québec, demande à son ancien confrère de classe Roger Paquet de présider sa campagne annuelle de levée de fonds. Paquet lui ayant objecté : «Tu oublies que je ne suis pas mon propre patron», Mgr Giroux coupe court : «Eh bien, demande à ton patron!» Or, le patron avait déjà été approché via Charles Demers qui siégeait avec lui à la Banque Provinciale. L'objectif de la campagne de 1963 était de 800 000 $. Paquet assuma la présidence à temps plein pendant des mois. Après cette campagne exigeante mais fructueuse, le même patron envoya Paquet et son épouse passer quinze jours de repos à Nassau. À la gare de Montréal, en route vers Dorval et Nassau, le couple fut accueilli par Lévesque qui voulait lui offrir un verre d'amitié.

«Monsieur Lévesque était, insiste Roger Paquet, un homme d'une grande humanité et, souvent, il semblait vouloir discrètement le cacher. »

Lorsque survint, en 1964, le conflit qui l'opposa au syndicat de Fashion-Craft et au terme duquel il décida de prendre une position dont la fermeté ne fut pas des plus populaires, l'Université Laval s'apprêtait à lui décerner un doctorat honoris causa en sciences économiques. Il appela alors Roger Paquet à Québec et le chargea de voir le recteur de l'université, Mgr Vandry, afin de l'assurer que, si, à cause des circonstances, il jugeait préférable pour l'université de passer outre au projet de l'honorer, il comprendrait très bien le choix de l'université.

Selon Paquet, Lévesque était un nationaliste orthodoxe. Il fut le premier Canadien français à pouvoir entrer dans les bureaux du gouvernement du Québec avec un contrat de 23 millions. « Il en était bien fier, se rappelle Paquet, je l'ai vu alors venir à Québec avec un appareil Polaroïd afin de photographier la cérémonie de remise du chèque du Crédit Interprovincial au gouvernement du Québec .»

Conférencier devant les communautés religieuses

Nous avons vu au chapitre précédent avec quel soin le courtier Louis Lévesque cultivait la clientèle des communautés religieuses. Avec quel succès aussi. Il a toujours les mêmes bonnes raisons de continuer dans cette voie. Il sait très bien multiplier les contacts avec les sœurs économes des diverses maisons religieuses et il compte légitimement sur la publicité du bouche à oreille parmi ses clientes satisfaites de ses services. Or, voici que se présente une occasion extraordinaire lui permettant d'élargir davantage son réseau de contacts personnels. Occasion en or dont il ne manquera pas de profiter. Le père Bertrand, président de l'école d'administration hospitalière, l'invite à parler du financement des hôpitaux aux communautés religieuses féminines du Canada réunies en congrès au pavillon Mᵍʳ Vachon à Québec. Il y prononcera, le 10 mai 1951, une conférence des plus pertinentes et convaincantes. On le pressera de réitérer son propos au nouveau Pavillon de l'Hôtel-Dieu de Montréal, le 16 juin suivant.

Avant d'aborder directement le sujet, il lance à son auditoire une information dont le choix en la circonstance ne manque pas d'habileté. « Savez-vous que ce sont les femmes qui détiennent ou contrôlent les richesses des États-Unis? Eh bien, oui, ce sont les femmes et non les hommes. Aux États-Unis, les femmes contrôlent 70 % des richesses privées de la nation, possèdent la moitié des actions d'American Telephone & Telegraph et du chemin de fer Santa Fe, presque la moitié des actions des chemins de fer Pennsylvania, de U.S. Steel et de General Motors. »

Ensuite, il choisit de limiter son propos aux diverses façons de se procurer de l'argent et il annonce, comme il l'a bien appris jadis en classe de rhétorique, les trois points qu'il traitera : QUAND, OÙ et COMMENT se procurer de l'argent. Il explique à son auditoire comment l'emprunt par émission d'obligations est le plus populaire de nos jours et comment dans ce cas les administrateurs des hôpitaux doivent s'adresser à un courtier en obligations. Il signale que les corporations publiques comme les hôpitaux, qui sont directement ou indirectement soutenues par l'État, verront toujours leurs émissions d'obligations bien accueillies par le public. Aussi, à titre d'exemples très concrets, il présente les cas de quelques institutions dont le Crédit Interprovincial Limitée a lancé les émissions au cours des récentes années.

Il s'agit, tout d'abord, d'une communauté religieuse du Nouveau-Brunswick qui, en 1945, avait déjà émis des obligations pour une valeur de 1 350 000 $ afin de construire un sanatorium et un

Même fête de Noël. Louis, sa soeur Léona et, à l'extrême droite, leur tante Élise Greene.

hôpital et dont la maison-mère était déjà hypothéquée pour un autre 90 000 $. Or cette communauté avait besoin, pour compléter ses travaux de construction, d'une somme additionnelle de 1 200 000 $. « Comment emprunter de nouveau, demande le conférencier, sur des propriétés déjà hypothéquées ? La seule solution consistait à racheter toutes les obligations en cours, libérant ainsi toutes les propriétés de ces hypothèques, puis à réémettre des obligations pour la somme globale de 2 640 000 $, garanties par une première hypothèque. » Ce que fit, évidemment, le Crédit Interprovincial.

Le deuxième exemple est celui d'une communauté religieuse du Québec à laquelle le gouvernement avait consenti deux octrois totalisant 490 000 $ pour la construction d'un hôpital. En 1946, au début des travaux de construction, la communauté dut contracter un emprunt sur obligations pour la somme de 675 000 $. Avant la fin de la même année, nouveau besoin d'argent. On racheta la première émission pour en lancer une nouvelle de 1 200 000 $ comportant la même garantie que la précédente.

Suivent les exemples du Jewish General Hospital et du Herbert Reddy Memorial Hospital avec, en 1948 et 1949, des émissions respectives de 673 000 $ et de 315 000 $. Puis l'exemple des Sœurs de la Miséricorde de Montréal qui, vers la fin de 1949, lancèrent simultanément deux émissions d'obligations totalisant près de 2 000 000 $. Le conférencier mentionna ensuite le cas de l'Hôtel-Dieu de Montréal pour lequel sa maison a lancé en 1950 une émission de 708 000 $ et celui de l'Hôpital de Blanc-Sablon qui eut recours lui aussi, de la même façon, aux services du Crédit Interprovincial. Enfin, il fit mention de la plus importante émission à lui avoir été confiée dans l'année, soit celle des Filles de la Sagesse pour la construction de leur hôpital d'Ottawa.

Après avoir décliné cette liste plutôt rassurante, et même invitante, des réalisations de sa maison, le conférencier informa son auditoire de l'évidente confiance que les communautés religieuses inspirent aux épargnants québécois qui détiennent quelque 95 % de toutes les obligations émises au Canada par des communautés religieuses. Encore une fois, il salua le rôle des Caisses populaires en signalant qu'elles sont les plus importants acheteurs de valeurs religieuses au Canada.

La conclusion du conférencier allait de soi. Il invita son auditoire à suivre l'exemple de ces communautés. Il lui conseilla de prendre conseil auprès des sœurs économes dont la réputation est connue et d'aller voir ensuite un courtier qui se spécialise dans le financement des hôpitaux et des communautés religieuses. «Ils sont, malheureusement, très peu nombreux», ajouta-t-il, omettant très modestement l'emploi de la première personne.

Enfin, il demanda à ces religieuses de coopérer avec sa maison lorsqu'elle lance des émissions d'obligations religieuses. «Vous devriez vous faire un scrupule de n'acheter premièrement que vos propres obligations s'il y en a sur le marché et, deuxièmement, des obligations de communautés. En agissant ainsi, vous aiderez votre propre cause et vous éviterez de répéter certaines erreurs.»

Le président du Crédit Interprovincial n'avait pas prêché dans le désert. Il avait porté la parole en un terreau fertile. Plus nombreuses que jamais se sont ajoutées les émissions d'obligations de communautés religieuses dont la vente fut confiée à la maison de courtage de Louis Lévesque. Elles contribuèrent pour une large part à cette croissance rapide qui permit bientôt au Crédit Interprovincial d'inscrire sur un de ses feuillets promotionnels que ses transactions complétées au cours de l'année 1955 avaient dépassé les 240 millions de dollars.

Le Crédit Interprovincial a maintenant son propre édifice au 31 ouest de la rue Saint-Jacques. Il a ouvert des succursales à Québec, Sherbrooke et Moncton. Une trentaine de représentants sillonnent le Québec et multiplient les transactions dont le suivi est assuré par un personnel de bureau d'une vingtaine de personnes sous la direction du vice-président Gaston Thibodeau. Un deuxième vice-président, le notaire J.-A. Boivin de Berthierville, collaborateur des débuts, apporte à l'ensemble de ces travaux sa longue et précieuse expérience judiciaire.

Entre-temps se poursuit la ronde des acquisitions

Le Crédit Interprovincial fait de bonnes affaires, il accumule les profits et le président Louis Lévesque sait que ce capital peut fructifier. Aussi, il le fera fructifier. Gérard Favreau est toujours à l'affût d'éventuelles bonnes affaires. En novembre 1951, c'est l'achat de Slater Shoe Co (Canada) Ltd, pionnière de l'industrie de la chaussure au Canada. Fondée en 1869 par des MM. Slater d'Angleterre, cette maison s'est toujours spécialisée dans la chaussure de qualité, ce qui lui a valu de nombreux prix dans les expositions internationales et de s'établir un excellent marché au pays.

Slater, dont la manufacture est alors située rue de Normanville, à Montréal, fait pour 2,5 millions $ d'affaires par année avec l'aide de 350 employés et de huit représentants qui distribuent ses produits à plus de 800 magasins dans tout le pays. Ses marques de commerce sont « Slater », « McFarlane » (enfants). Elle est le fabricant exclusif au Canada des chaussures américaines de marque « Foot Saver ». La production de chaussures pour dames a été abandonnée en 1951. M. Eugène Gibeau, copropriétaire avec la succession Dufresne, en fut président jusqu'en 1951. Edmond Frenette,

Hommage aux employés de Slater Shoe ayant 25 ans de service. On reconnaît, en avant, Louis Lévesque, cinquième à gauche et Edmond Frenette, septième.

ce compagnon d'enfance à Nouvelle, en deviendra vice-président et gérant général.

L'année suivante, en 1952, Louis Lévesque et Gérard Favreau cèdent 50% de leurs intérêts dans Fred-A. Lallemand & Co Ltée à Roland Chagnon qui devient président et gérant général de l'entreprise[6]. Après deux ans, Chagnon trouve une formule lui permettant d'acquérir l'autre moitié de la compagnie. En achetant Lallemand, Chagnon acquérait normalement aussi le nom « Trans-Canada » qui était associé à cette compagnie. Mais Lévesque tenait à conserver ce nom. Il avait en tête un projet, nous le verrons plus loin. Il dit à Chagnon : « Attends un peu, je veux garder le nom de Trans-Canada. » Chagnon donne alors à la compagnie Fred Lallemant le nom de « Falco ».

Selon Chagnon, Louis Lévesque était un excellent vendeur, il inspirait naturellement confiance. L'expérience et la réputation qu'il s'était gagnées auprès de nombreuses communautés religieuses ajoutaient grandement à son prestige et à ses succès de financier. De plus, il jouissait d'une mémoire prodigieuse. Au moment de conclure l'achat de Lallemant, Chagnon retrouve le vendeur à sa maison d'été de Saint-Gabriel-de-Brandon et il est fasciné par ce que son hôte lui explique être en train de faire : installé sur une chaise longue, il a sur les genoux une liasse de factures de ses vendeurs d'obligations qu'il feuillette calmement en inscrivant, de mémoire, sur chacune, la commission accordée selon la nature, la difficulté et le cheminement de chaque dossier traité. Aucun document de référence. Le financier a dans sa tête toutes les informations nécessaires à cette opération qui semble être pour lui un jeu d'enfant.

Le même Chagnon se souvient qu'à la table du conseil d'administration de sa compagnie Louis Lévesque avait généralement l'air plutôt froid et distant : il était peu loquace, il examinait les chiffres déposés, il les analysait en silence. Dans un bilan, il savait discerner rapidement les points faibles et les possibilités de profit. En conversation, il donnait souvent l'impression de poursuivre intérieurement une deuxième réflexion. Un jour — Chagnon entretenait-il alors son partenaire du marché de la levure ou bien des exigences des gros clients que sont les viticulteurs... —, Lévesque lui dit, sans qu'il n'ait été auparavant question de cet autre commerce dont le fabriquant de levure ne connaissait

Réunion du conseil d'administration du Crédit Interprovincial. Dans l'ordre habituel: Jacques Goulet, ?, André Gibeault, Pierre Mercier, J.-Louis Lévesque, Oliva Boivin, Marguerite Frenette, Gerry Ryan, René Laplante, Gérard Favreau, Marcel Mathieu, Vianney Favreau et Armand Normand.

rien: « Roland, tu devrais t'acheter des chevaux, c'est payant, plus même que mon courtage. »

Lévesque avait appris jeune à vendre des valeurs intangibles, résume Chagnon. Et c'était là sa force et son domaine préféré. Il n'a jamais perdu sa crédibilité. Les transactions moins heureuses qu'il a pu faire ont toutes été industrielles ou commerciales, jamais du côté des obligations. Poursuivant le fil des souvenirs qu'il conserve de Louis Lévesque, Chagnon rappelle que le financier s'est retiré volontairement du conseil d'administration de la Banque

Provinciale, bien avant d'avoir atteint l'âge de la retraite. Chagnon explique cette démission par le souci de transparence de Louis Lévesque. «Lorsque le conseil analysait une demande de crédit qu'il avait faite lui-même, il devait, comme administrateur, se retirer de la table et il n'aimait guère cette situation.» Évoquant l'importance des affaires que brassait Louis Lévesque et le brio avec lequel il le faisait, Chagnon, intrigué, se demande tout haut: «Comment a-t-il pu quitter de telles affaires pour ce hobby des chevaux?»

Un affront à la probité du financier

L'été de 1952 en est un à saveur électorale. Le gouvernement de Maurice Duplessis ira en élections générales le 16 juillet. C'est la coutume alors de chercher noise à quiconque fait affaire avec le gouvernement en place. Or on sait que Louis Lévesque a transigé de belles affaires avec le gouvernement du Québec et avec de nombreuses municipalités qui avaient besoin pour cela de l'assentiment de ce même gouvernement. Il est évident que Louis Lévesque entretenait d'excellentes relations avec Maurice Duplessis et on a vu déjà combien il était agréable au «Cheuf» de voir monter dans le ciel financier du Québec l'étoile de cette firme de courtage du jeune francophone du Québec. Selon Roger Paquet, ce collaborateur de l'époque, Lévesque s'était rapproché du régime Duplessis pour de légitimes raisons d'affaires. Ses relations politiques ont été celles qu'elles auraient été avec tout autre gouvernement. Certains courtiers compétiteurs avaient connu Louis Lévesque comme copain vendeur d'obligations d'épargne du Canada. Entre eux, il n'était pas plus question des relations politiques de Lévesque que d'autres relations connues qu'entretenaient les maisons de courtage dont certaines relations avec l'archevêché de Québec.

Une grève sévit chez Dupuis & Frères en ce même été. Le 10 juillet, au cours d'une réunion syndicale tenue en la salle du marché Saint-Jacques, salle remplie d'une foule sérieuse et enthousiaste de plus de 800 grévistes qui débordait à l'extérieur, Gérard Picard, le président général de la Confédération des Travailleurs catholiques du Canada, prononce un discours accusateur dont les échos furent sûrement pénibles à l'oreille du citoyen Louis Lévesque :

> La maison Dupuis & Frères, affirme le syndicaliste, paraît avoir des intérêts à prolonger la grève. Autrement, il y a longtemps que nous aurions canalisé le conflit. Nous devons dénoncer Raymond Dupuis, président de la librairie Beauchemin et Louis Lévesque, président du Crédit Interprovincial, qui, à première vue, semblent les autorités de la maison Dupuis & Frères.
>
> La maison Dupuis & Frères devrait savoir qu'elle a des responsabilités sociales. Ces responsabilités sont plus grandes à cause des sentiments religieux et nationalistes qu'elle a exploités pour se grandir. Elle devrait respecter les convictions de sa clientèle et de ses employés[7].

Ces propos accusateurs étaient un affront à la probité d'un homme qui tenait mordicus à faire des affaires proprement. Déjà expérimenté, il savait cependant, comme le vieux La Fontaine, que nul ne peut satisfaire tout le monde et son père.

Acquisition du Palais du Commerce

Le financier Lévesque considère que Montréal doit disposer davantage d'espaces pour les grandes expositions. En août 1953, il achète de Roland Dansereau le Palais du Commerce Inc., immense édifice pour expositions, avec magasins et bureaux. Inauguré en septembre 1952, le Palais du Commerce (administré par Show Mart Incorporated)

Le Palais du Commerce, au 1600 rue Berri, en plein centre de Montréal, semblait répondre alors aux besoins de la métropole.

situé au 1600, rue Berri, en plein centre de Montréal, semble répondre alors aux besoins de la métropole. La grande salle d'exposition couvre 75 000 pieds carrés mais Louis Lévesque a des projets d'expansion pour ce Palais dont il confie l'administration à Wilfrid Morin tandis que M.-T. Custeau, spécialiste dans le domaine des expositions, continuera son travail technique comme par le passé. Cette transaction et les développements qu'elle promet suscitent l'enthousiasme des observateurs de l'activité économique à Montréal. Pour sa part, *Le Devoir* écrit :

> Comme on sait, il était question, depuis quelque temps déjà, d'ajouter deux étages à l'édifice du Palais. Cette entreprise s'est avérée un tel succès que l'agrandissement s'est révélé nécessaire dès la première année d'opération. Nul doute que le projet se réalisera bientôt, étant donné le dynamisme reconnu du nouveau propriétaire[8].

Se souvenir d'un service rendu

On a vu plus haut comment le comptable Sylvestre Sylvestre avait joué un rôle pour le moins déclencheur lorsque Louis Lévesque devint vendeur d'obligations. Nommé en 1939 gérant de la succursale de sa Banque à Saint-Denis-sur-Richelieu, Sylvestre recevra plus tard la visite de celui à qui il avait trouvé sa première cliente et qui l'invitera à devenir l'un de ses vendeurs. Sylvestre revint à Joliette en 1948 comme vendeur d'obligations pour le courtier Roger Bélanger. Il y a déjà là Aubin qui vend pour le Crédit Interprovincial, donc un compétiteur. L'harmonie règne cependant : les deux vendeurs se partagent les quartiers, les rues même. En mai 1953, Sylvestre démissionne de chez Bélanger et va offrir ses services à Louis Lévesque. Réponse : « Ça va, tu travailleras avec Aubin à Joliette. » Aubin meurt le 15 juillet et Sylvestre prend la relève. Il fera carrière comme vendeur pour le Crédit Interprovincial et se méritera certains prix d'excellence.

Création de la Corporation de Valeurs Trans-Canada Inc.

Les affaires du groupe Lévesque-Favreau continuaient donc de prendre de l'ampleur et cette ampleur, comme boule de neige, lui permettait d'en prendre davantage et plus vite. Le financier jugea venu le temps de regrouper sous une corporation nouvelle toutes les compagnies dont il avait acquis le contrôle. Il obtint donc, en 1954, précisément à cette fin, l'incorporation d'une nouvelle firme sous le nom de Corporation de Valeurs Trans-Canada et il en confia le secrétariat à son avocat et collaborateur André Charron.

La corporation allait chapeauter les compagnies déjà acquises et, comme Louis Lévesque offrait à un

Décembre 1953. Gala de la Chambre de commerce de Montréal qui a choisi J.-Louis Lévesque l'homme du mois.

certain nombre d'amis parmi ses clients d'en devenir actionnaires, elle allait voir son capital s'accroître rapidement, ce qui lui permettrait d'acquérir d'autres compagnies. Elle en regroupera jusqu'à une vingtaine. Or ces compagnies étaient, de toute évidence, judicieusement choisies et administrées de main de maître : la performance des actions de Valeurs Trans-Canada en témoignera clairement. De corporation privée qu'elle avait été jusqu'à ce moment, Louis Lévesque décidera en 1961 de faire de sa firme une compagnie publique cotée à la Bourse de Montréal, le groupe Lévesque se réservant toujours la majorité des parts, donc le contrôle du holding. Les actions allaient prendre une valeur qui ne sera pas pour peu dans le rayonnement et la respectabilité du financier fondateur. Émises à 10 $ en 1955, elles allaient atteindre, en sept ans, un sommet de 130 $, pour un gain de 1200 %. En septembre 1964, les actifs de la corporation de Valeurs Trans-Canada se chiffreront à plus de 200 millions et feront de la Corporation l'une des trois plus importantes compagnies de placements de type « closed-end » au Canada.

Prise de contrôle de La Prévoyance

Parmi les acquisitions importantes qui s'ajouteront à la liste des compagnies regroupées sous le chapeau de la Corporation de Valeurs Trans-Canada figurera, en 1956, celle de La Prévoyance, compagnie d'assurances. Cette compagnie est alors l'unique compagnie canadienne-française dont les activités couvrent le domaine entier de l'assurance. Son actif s'est plus que décuplé en vingt ans, passant de 2 à 27 millions, de 1945 à 1965. La prise de contrôle de La Prévoyance par la Corporation de Valeurs Trans-Canada donne lieu, dans la presse québécoise, à des félicitations enthousiastes aux responsables de la transaction. Ainsi, Marcel Clément, du journal *Le Devoir*, y va pour sa part des propos suivants qui n'ont rien pour nuire à la réputation grandissante de Louis Lévesque :

> Nous croyons opportun de féliciter publiquement l'Honorable Alphonse Raymond, LL.D., M.C.L., jusqu'à hier président du conseil d'administration et président de La Prévoyance pour avoir agi de manière à conserver cette institution progressive, disposant d'un actif d'au-delà de 8 576 83,02 $, entre les mains des nôtres. Trop de nos entreprises commerciales, industrielles et financières nous ont échappé, dans le passé, pour que l'on ne conserve pas celles existantes, d'autant plus que l'on reconnaît de plus en plus, dans tous nos milieux, que nos hommes d'affaires et financiers sont aussi habiles et

avertis que leurs confrères anglo-saxons ou autres
[...].

Nous apprenons que M. Jean-Louis Lévesque, B.A.,
D.Sc., vient d'être appelé à faire partie du conseil
d'administration de La Prévoyance. Voilà une heureuse nomination, car il s'avère, depuis quelques
années, que ce dernier est en train de se montrer de
plus en plus homme d'affaires averti et financier
habile, de sorte que Montréal n'a rien à envier à
Toronto, puisque notre ville possède, aussi, son E.P.
Taylor[9].

Après quelques années pendant lesquelles les
profits de la compagnie ne cessent de monter en
flèche, Louis Lévesque nomme son conseiller André
Charron vice-président exécutif de la Corporation

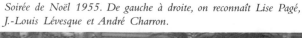

Soirée de Noël 1955. De gauche à droite, on reconnaît Lise Pagé,
J.-Louis Lévesque et André Charron.

de Valeurs Trans-Canada (C.V.T.C.). En 1965, c'est avec fierté et enthousiasme que Me Charron parlera de la compagnie dont il a été la cheville ouvrière et le secrétaire avant d'en assumer la vice-présidence :

> C.V.T.C. est essentiellement une société de type « holding » et de gestion, dont le but général est d'investir des fonds dans des valeurs d'entreprises canadiennes. Comme son nom l'indique, la compagnie s'est donné comme champ d'action le Canada tout entier et, bien que toutes ses filiales aient leur siège social dans le Québec, celles-ci ne font pas moins affaires à travers le pays. Dans la même ligne de pensée, et pour en assurer la plus large diffusion possible, les actions de la Corporation de Valeurs Trans-Canada sont inscrites à la Bourse de Montréal et furent les premières d'une entreprise établie au Québec à s'ajouter à la liste de celles négociées à la Bourse de Toronto. La compagnie compte à l'heure actuelle plus de 8000 actionnaires[10].

En cette même année 1965, au nombre des entreprises regroupées sous le chapeau de C.V.T.C. se retrouvent l'hippodrome Blue Bonnets, Dupuis & Frères, La Prévoyance compagnie d'assurances, L'Industrielle compagnie d'asurances, Alfred Lambert Inc., Enveloppe Internationale Ltée, Fonds F.I.C. Inc., Henderson Furniture Ltd, Ameublements Princeville Inc., La Librairie Beauchemin Ltée, Le Palais du Commerce, The Eagle Shoe Company, Drummond Welding & Steel Works Ltd, C. Durand quincaillerie Ltée, Evertex Co Ltd et Walk-Ease International Ltd.

Monsieur Duplessis, nous sommes blancs...

Entre-temps, il n'y eut pas que des applaudissements aux succès de Louis Lévesque. D'aucuns, parmi les observateurs de son ascension dans le monde des finances, trouvèrent le moyen de dénigrer ses succès. Or Louis Lévesque a toujours tenu, répétons-le, à ce que ses transactions fussent propres, inattaquables. Il a fait affaire avec le gouvernement Duplessis mais de façon à toujours en être fier. Le gouvernement était pour lui un client important et intéressant sans doute mais les mêmes règles de déontologie devaient s'appliquer avec ce client qu'avec tout autre. On a vu que le Crédit Interprovincial a déjà, de belle façon, établi sa crédibilité auprès du gouvernement du Québec. Les représentants de ce gouvernement, en commençant par Monsieur Duplessis, étaient sans doute sensibles au fait que le Crédit Interprovincial était la fondation d'un humble Québécois francophone qui perçait de façon remarquable dans le monde de la haute finance et qui ouvrait ainsi la voie à quelque chose comme un avenir national.

Nous sommes en 1957 lorsque va éclater ce qu'on a appelé le scandale du gaz naturel. Le gouvernement du Québec a mis sur pied une corporation pour acheter et exploiter le réseau de gaz d'Hydro-Québec. Les courtiers se partagent les stocks d'actions à vendre. Il s'agit d'une compagnie nouvelle, présentant donc certains risques mais aussi de bonnes chances de plus-value. Marcel Clément, rédacteur financier du journal *Le Devoir*, recommande l'achat de ces actions, pour que «le contrôle de cette compagnie demeure entre des mains québécoises». Robert Rumilly rapporte que les courtiers canadiens-français invoquent l'argument nationaliste auprès de leur clientèle et il mentionne, entre autres, le Crédit Interprovincial de Jean-Louis Lévesque, qu'il qualifie d'étoile montante du firmament financier[11].

Or un certain nombre de ministres du gouvernement Duplessis ont acheté de ces actions et cela a fait un scandale tel qu'on lui attribue en grande part la chute du gouvernement de l'Union nationale en 1960. En juin 1958, le chef de l'opposition, Jean Lesage, prétend que les courtiers ont donné la préférence aux amis de l'Union nationale. Le président du Crédit Interprovincial se sent visé et il n'entend pas laisser ainsi salir sa maison. Il écrit au premier ministre, le 27 juin, la lettre suivante, qui ne laisse place à aucune ambiguïté :

> Monsieur le Premier Ministre,
>
> Je déclare formellement que notre maison n'a subi aucune pression de la part de ministres, de députés ou de quelque membre de votre gouvernement pour la distribution des débentures et actions de la Corporation de Gaz naturel du Québec émises en avril 1957. Nous avons librement partagé entre nos clients les titres qui nous furent alloués, sans avoir été influencés d'aucune façon.
>
> Nous avons reçu des commandes pour cinq fois plus d'unités (soit une débenture de 1000 $ et quatre actions ordinaires de 10 $ chacune) que nous n'en avions à notre disposition. Nous les avons distribuées à 623 clients, ce qui représente un pourcentage de ventes plus considérable que pour toute autre émission d'obligations.
>
> Nous sommes convaincus d'avoir agi en toute équité et suivant les règlements de l'Association des courtiers en Valeurs de placement du Canada.
>
> Veuillez accepter, etc.[12]

Commandeur de l'ordre de Saint-Grégoire

Louis Lévesque était un homme sensible et charitable, avons-nous vu. Il compatissait fraternellement aux peines et aux souffrances de ses collaborateurs et de leurs familles. Mais là ne s'arrêtaient pas son ouverture et sa compassion envers ses frères humains. Il avait compris que les avoirs acquis par ses talents naturels devaient servir aussi à ses frères dans le besoin. Sans doute, son passé familial y est pour beaucoup dans cette attitude profondément chrétienne de commisération. Le fils de Minnie a certainement bien en tête le souvenir de cette mère dévouée qui, pendant des années, assuma généreusement à la maison, en plus de ses autres tâches quotidiennes, la garde et le soin de son vieux père Joseph Greene en même temps que de son beau-père Wenceslas Lévesque, deux aïeuls d'autant plus aimés qu'ils étaient diminués par l'âge et la maladie et que l'un d'eux était cloué à un fauteuil roulant. Régulièrement au cours de sa carrière, Louis contribua, plus souvent qu'autrement dans la discrétion, au soulagement de la misère de la communauté en général. Il en sera plus amplement question au chapitre huit.

En certaines circonstances, son implication charitable ne pouvait passer sous silence. Ce fut bien le cas lorsqu'il décida, en 1956, de s'associer au cardinal Paul-Émile Léger dans son projet de mettre au service des malheureux de Montréal l'hôpital Saint-Charles-Borromée, mieux connu sous le nom de l'Hôpital du Cardinal. On organisa «la Grande Corvée du Cardinal» et pendant que des milliers d'ouvriers y mirent bénévolement la main, les gens d'affaires se firent un devoir d'y apporter leur soutien financier. Louis Lévesque assuma, avec son ami Herbert John O'Connell, la présidence de cette levée de fonds. Le jour de la bénédiction et de l'inauguration officielle de l'Hôpital du Cardinal, le 4 novembre 1956, c'est dans les termes suivants qu'il en proclama l'objectif:

> Nos hommes d'affaires ont décidé d'aider à compléter l'hôpital en lui fournissant les fonds requis pour l'aménagement de salles d'opération, l'achat d'appareils scientifiques et médicaux, d'appareils de Rayons-X et autres matériel nécessaire pour que l'institution devienne un véritable centre de réhabilitation. Une centaine de citoyens éminents ont jugé indispensable d'appuyer ce projet ainsi que cinq autres entreprises absolument nécessaires pour assurer des soins convenables à nos miséreux, nos malades délaissés, nos enfants abandonnés.

À cette fin, une immense campagne de souscription, portant le non de «la Grande Corvée du Cardinal» sera lancée le 1er décembre prochain, en vue de recueillir la somme de 5 000 000 $. Cette tâche est gigantesque, mais l'intérêt manifesté depuis plusieurs mois par notre population nous a convaincus qu'elle pouvait être accomplie avec succès.

Effectivement, la tâche fut accomplie avec succès. Le président Louis Lévesque et son ami O'Connell y avaient mis tout leur cœur, leurs nombreux contacts et leurs moyens. Le cardinal, très heureux de voir ainsi son projet se réaliser, voulut les en remercier de façon appropriée. C'est ainsi que le 13 octobre suivant, il présidait, en l'église Notre-Dame de Montréal, la cérémonie d'investiture dans l'ordre Équestre Pontifical de Saint-Grégoire-le-Grand des Commandeurs J.-Louis Lévesque et Herbert John O'Connell. Dans le sermon de circonstance qu'il prononça alors, le cardinal expliqua :

> L'Ordre Pontifical de Saint-Grégoire-le-Grand a été institué pour marquer de façon tangible la reconnaissance de l'Église envers ses fils méritants. (...) Le travail bénévole des corvées ne suffisait plus. Il fallait donner à l'Hôpital un équipement scientifique. C'est alors que Messieurs Lévesque et O'Connell entrèrent en scène. En quelques semaines une grande corvée était organisée afin de recueillir les fonds nécessaires pour entreprendre ces transformations vitales dans un hôpital.
>
> Les hommes qui m'ont permis d'accomplir de telles merveilles méritent une récompense. Que pouvais-je leur donner ? C'est pourquoi j'ai demandé au Saint-Père, lors de mon passage à Rome, de leur accorder les insignes de Chevaliers. Et dans sa bonté, le Saint-Père en a fait des Commandeurs de l'Ordre Équestre Pontifical de Saint-Grégoire, l'Ordre le plus élevé après celui du Christ, qui n'est accordé qu'aux Chefs d'État[13].

Acquisition de l'hippodrome Blue Bonnets

Cette cérémonie très solennelle qui, à juste titre, orientait les projecteurs de la renommée vers le financier Louis Lévesque, allait-elle être pour sa popularité le fait le plus marquant de cette fin d'année 1957 ? Non, l'infatigable entrepreneur réservait autre chose encore à l'opinion publique. Le 22 décembre, la presse annonce à la une qu'il vient de se porter acquéreur de l'historique piste de course Blue Bonnets. C'est la Corporation de Valeurs Trans-Canada qui a fait l'achat et cela au prix de cinq millions et demi de dollars.

En décidant de faire cet achat important, le financier peut avoir cédé à un vieux penchant familial pour les chevaux. Son père John était amateur de chevaux et possédait, comme plusieurs petits cultivateurs du village, un cheval qu'il faisait courir, certains dimanches après-midi d'été, sur la piste de course de Nouvelle. Son oncle Narcisse Lévesque était vendeur de chevaux à Campbellton.

Pendant son enfance, combien de fois Louis est-il allé, d'abord avec son père, ensuite seul, flâner quelque peu dans la boutique de forge, où son voisin et ami Arthur Bélanger ferrait les chevaux, pour y entendre les clients parler « cheval ». Ça discutait, ça comparait et ça prononçait. On y évaluait les bêtes présentes d'après leur allure et leur comportement mais on procédait aussi, pour confirmer les péremptoires verdicts, à l'examen minutieux des dents, de la musculature en général et de celle du poitrail en particulier, indice d'une plus ou moins grande capacité de tirer dans le collier. On jaugeait aussi la force utile à attendre de la bête d'après la verticalité de ses pattes et sa morphologie plus ou moins longiligne ou trapue. Ce cheval-ci, plus trapu, aura plus de force pour un travail momentané, celui-là, plus longiligne, aura plus d'endurance. On remontait aussi les généalogies pour en déduire des jugements plutôt catégoriques sur l'avenir promis à tel ou tel autre jeune cheval : son poids, sa force pour un coup, son endurance, sa docilité de caractère, sa performance sur la route ou sur la glace, etc.

Entendre ces adultes sérieux échanger sur les chevaux avec autant d'intérêt peut fort bien avoir laissé dans la tête de l'enfant la certitude qu'il y a là quelque chose d'important dont il faudra s'occuper un jour... Au cours des années 1950, Louis Lévesque amenait souvent ses filles, alors adolescentes, faire un tour à Blue Bonnets. «Nous aimions alors flatter les chevaux que papa nous amenait et leur donner des carrés de sucre», rappelle sa fille Andrée.

En 1942, Louis et sa fille Andrée. «Nous aimions alors flatter les chevaux que papa nous amenait... »

Marcel Mathieu, avait été recruté par Louis Lévesque comme vendeur en 1953. Auparavant, il travaillait pour Canadian General Electric (CGE) et comptait parmi ses clients un nommé Omer Chantigny qui possédait deux chevaux de course dont l'un s'appelait Gayabi. Quelques années après être passé au service de Louis Lévesque, Mathieu rencontre Chantigny qui lui dit : «Ton patron conduit mes chevaux.» Étonné, Mathieu pose des questions et apprend que, effectivement, son patron a rencontré Chantigny à Blue Bonnets, à l'occasion de l'une de ses habituelles visites matinales, et lui a demandé la permission d'entraîner quelque peu Gayabi, ce à quoi Chantigny a consenti volontiers. «Le matin, à six heures et demi, ajouta Chantigny, il va souvent faire courir mon cheval.»

Quelque temps après, à l'ouverture du bureau, Gaston Thibodeau, le vice-président du Crédit Interprovincial, veut rejoindre le président sans faute. Or le président a quitté la maison depuis quelques heures déjà. Mathieu soumet qu'il peut se trouver à Blue Bonnets. «À Blue Bonnets, à cette heure-ci ?» de s'étonner Thibodeau. «Peut-être bien», maintient Mathieu. «Eh bien, iriez-vous voir ?» Et Mathieu se rend à Blue Bonnets où il

Décembre 1957: J.-Louis Lévesque se porte acquéreur de Blue Bonnets. Un représentant de la famille Jos Cattarinich signe le contrat en présence de Messieurs François Pilon, Marc Bourgie, Lucien Lachapelle, Vianney Favreau, J.-Louis Lévesque, Périgny, Gérard Favreau, Wilfrid Morin, Charles Champagne, Jean Lajoie, Aimé Bombardier, Maurice Custeau, André Charron et Charles Martel.

trouve le patron, bien à son aise dans le *solky*, guides en mains, les pieds haut en avant, savourant discrètement, dans le calme du matin, son plaisir de faire trotter Gayabi en rêvant aux moments exaltants de l'approche imminente du fil d'arrivée.

Oui, les souvenirs de jeunesse ont pu y être pour quelque chose dans la décision de Louis Lévesque d'acheter l'hippodrome Blue Bonnets, mais, ce qui est sûr, c'est qu'il a aussi en tête un projet d'homme d'affaires sérieux et clairvoyant: il développera cet hippodrome.

En annonçant la nouvelle, les commentateurs sportifs jubilent. Enthousiastes, ils donnent libre cours à leurs rêves d'avenir pour les sports à Montréal. Et il y a de quoi rêver car il est question, expose l'un d'eux:

de plans fantastiques non seulement pour l'amélioration de la piste de courses, mais aussi pour

À Blue Bonnets, «faire trotter Gayabi en rêvant aux moments exaltants...»

l'érection éventuelle d'un vaste stade (dont Mont-réal a tellement besoin) et de salles d'exposition sur les terrains adjacents. Blue Bonnets deviendra une entreprise qui fonctionnera 12 mois par année et non seulement 100 jours comme au cours des dernières années.

Reste enfin le centre sportif. Les nouveaux patrons de Blue Bonnets n'ont pas trop élaboré sur ce sujet, mais il semble qu'on érigera un ou une série d'édifices qui serviront non seulement à la présentation de spectacles sportifs de grande envergure, mais aussi à des expositions, des congrès, etc. Montréal pourrait donc rivaliser avec les autres villes importantes du Canada pour l'obtention d'événements majeurs comme la finale de la coupe Gray...

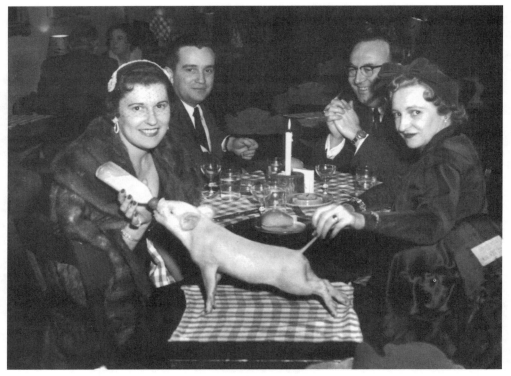

Janvier 1955, « Au Lutin qui bouffe », restaurant de J.-Louis Lévesque, le couple des proprios avec Monsieur et Madame Gilbert Ayers.

Et qui sait si un tel développement ne servirait pas un jour aux Alouettes ou encore à un club de base-ball majeur[14].

Cette transaction par laquelle il acquiert l'hippodrome de Blue Bonnets ouvre pour Louis Lévesque tout un pan de sa carrière de financier. Il atteindra, là comme dans ses autres entreprises, des sommets inégalés au pays qui ajouteront largement à son prestige et à sa popularité. C'est pourquoi nous consacrerons le chapitre six tout entier de ce livre à son implication très intense et fructueuse dans le domaine des courses et de l'élevage des chevaux.

Notes

1. Robert Rumilly, *Histoire de Montréal*, tome 5 (1939-1967), Montréal, Fides, 1974, p. 176.

2. Information publiée dans *Le Devoir* du 11 juillet 1952 : « La Librairie Beauchemin, avec la permission du procureur général, a émis pour 2,5 millions $ d'obligations. L'émission fut faite par le Crédit Interprovincial. »

3. Les détails qui suivent concernant Me Charron sont puisés à des interviews accordées à l'auteur en août 1995 et janvier 1996.

4. Gaston Thibodeau fut le bras droit du président du Crédit Interprovincial de 1947 à 1957.

5. Les détails qui suivent, concernant Roger Paquet, sont puisés à une interview accordée à l'auteur le 15 mai 1996.

6. Les détails qui suivent, relativement à Roland Chagnon, émanent d'une interview accordée à l'auteur le 17 mai 1996.

7. « G. Picard demande à MM. R. Dupuis et J.-L. Lévesque de s'expliquer », *Le Devoir*, 11 juillet 1952.

8. « M. J.-L. Lévesque devient le principal actionnaire du Palais du Commerce », *Le Devoir*, 17 août 1953.

9. *Le Devoir*, 1956.

10. « L'homme du mois, André Charron, vice-président exécutif de Corporation de Valeurs Trans-Canada », G. St-Gelais, *Revue Commerce*, février 1965, p. 45-46.

11. Robert Rumilly, *Maurice Duplessis et son temps*, Montréal, Fides, 1973, Tome II (1944-1959), p. 599.

12. *In* Robert Rumilly, *op. cit.*, p. 651-652.

13. Au cours de la même cérémonie d'investiture, Marc Carrière fut reçu, quant à lui, Chevalier du même Ordre Pontifical.

14. Roger Meloche, « Le roi de la finance et le sport des rois », *La Patrie*, 22 décembre 1957.

Chapitre quatre

Vers le courtage en priorité
1957-1966

On en est à l'époque où, de son côté, le jeune et prometteur Franco-Ontarien Paul Desmarais a déjà commencé à affirmer sa présence parmi les financiers du pays. Le dynamique homme d'affaires avait fait ses débuts à Sudbury en relançant avec brio une compagnie familiale d'autobus. En 1959, inquiète des projets d'étatisation du gouvernement du Québec, la Shawinigan Water and Power cherche à vendre sa compagnie de transport Québec Autobus pour deux millions de dollars. Desmarais ne peut disposer pour le moment que du quart de cette somme. Il réussit à emprunter et il achète. Après douze mois d'opération, le bilan de la compagnie est passé d'un déficit de 60 000 $ à un profit de 350 000 $. La trajectoire ascendante du jeune financier dans le ciel québécois est bel et bien amorcée. Il veut maintenant acheter la compagnie d'autobus Transport Provincial qui est à vendre.

Mais il se trouve que Louis Lévesque aussi souhaite, par l'intermédiaire de CVTC, acquérir la même compagnie. Il fera donc une offre d'achat à 14,75 $ la part et Paul Desmarais l'emportera avec une offre à 15 $ pour un total de 5 250 000 $.

Savoir reconnaître le talent des siens

Desmarais a besoin d'argent pour effectuer cet achat mais il est encore un nouveau venu dans le monde de la finance. Le perspicace président du Crédit Interprovincial avait déjà, depuis un bon moment, détecté dans ce compatriote francophone en émergence un immense potentiel d'avenir. L'aider à consolider ses assises serait une bonne affaire à la fois pour le Crédit Interprovincial et pour l'affirmation des Canadiens français dans ce monde de la finance où ils en sont encore à peu près à leurs premières percées.

Paul Desmarais ne connaît pas encore personnellement Louis Lévesque. Par ailleurs, Jack Porteous, son avocat, connaît bien le président du Crédit Interprovincial et il conseille à Desmarais de le rencontrer. Une première rencontre a donc lieu, à l'heure du lunch, à l'ancien club Saint-James et l'échange entre les deux financiers est court, efficace et prometteur[1]. Il est même historique dans la carrière des deux financiers. Dès que les présentations d'usage sont faites, Lévesque dit à Desmarais :

— Je crois savoir que vous voulez emprunter de l'argent ?

— Oui, c'est exact. Je voudrais emprunter deux millions pour dix ans à un taux raisonnable.

— Par exemple ?

— Pas plus de 6 ou 6 1/4 % (les taux d'intérêt sur les emprunts étaient alors d'environ 6 %).

— Ah non ! Il faudra payer plus que ça. Ce serait plutôt autour de 7 %. Et vous feriez beaucoup mieux d'emprunter non pas deux millions mais trois ou quatre millions.

En compagnie de deux amis: à sa droite, Raymond Lemay, qui accédera
à la direction de Blue Bonnets, et à sa gauche, Paul Desmarais.

Lévesque a parlé très calmement, avec assurance,
comme un père donnant à son fils un conseil sur la
conduite de la vie. Pendant que Desmarais réfléchit,
Lévesque griffonne quelque chose sur son paquet
de cigarettes et le retourne vers son jeune interlocuteur qui peut y lire : « 3 millions pour 10 ans
à 7 1/4 % ». Un autre moment de silence profond et
ça y est : marché conclu. Desmarais accepte les conditions sans plus d'hésitation ni de discussion et les
deux hommes, enchantés, prennent leur premier
lunch ensemble. Les papiers officiels suivirent, le
lendemain.

Ces deux individus étaient faits pour s'entendre.
Immédiatement, ils se sont trouvé des affinités. Car
ils en avaient. Tous deux provenaient de régions
dites éloignées, l'un de Gaspésie, l'autre du nord de
l'Ontario, régions éloignées où la nécessité souvent

inspire et encourage l'audace et la débrouillardise.
Tous deux étaient bilingues. Tous deux fort intelli-
gents. Tous deux confiants en eux-mêmes. Tous
deux se souvenaient que leur droiture transpirait
car, sans connaître encore cette coïncidence, tous
deux devaient leur début en finance à deux prêtres
âgés, l'un de Joliette, l'autre de Sudbury, qui, pour
avoir eu confiance en leur regard, leur avaient prêté
l'argent qu'il ne pouvaient pas obtenir ailleurs et
sans lequel leur avenir eût été tout autre.

Le Crédit Interprovincial assumera donc la
vente d'obligations qui permettra à Paul Desmarais
d'acquérir 50,8 % des parts de la compagnie
d'autobus Transport Provincial.

Le financier Lévesque, venu à Montréal de sa
lointaine Gaspésie, « savait par expérience quelles
difficultés attendaient un Canadien français désirant
se lancer en affaires et il prit en quelque sorte le
jeune et fougueux Desmarais sous sa tutelle en lui
ouvrant les portes des cercles financiers francophones du Québec[2] ».

« Quand Louis Lévesque décidait de faire
quelque chose, affirme Paul Desmarais, en évoquant
le souvenir de ce premier échange avec lui, il savait
où il allait[3]. » Peu après cette rencontre, Louis
Lévesque invite Paul Desmarais à venir parler à
quelques-uns de ses collègues. Le jeune émule lui
répond qu'étant de nature plutôt timide, il ne sait
trop quoi leur dire. « Dis-leur ce que tu fais et ce
que tu veux faire », simplifie Lévesque. Le moment
venu, Lévesque invite quelques collaborateurs à
venir rencontrer le visiteur dans son bureau. « Je
vais vous présenter, leur dit-il en fier patriote, un
homme qui n'a pas les deux pieds dans la même
bottine. »

L'acquisition de Transport Provincial avec l'aide
du Crédit Interprovincial constituera un véritable
tremplin dans la carrière de Paul Desmarais qui
n'hésite pas à affirmer : « C'était un homme

d'affaires canadien-français qui voulait faire du
financement pour aider les autres. Moi, c'est Louis
Lévesque qui m'a financé pour mes premières
grosses transactions[4]. » Avec l'acquisition de Transport Provincial, Paul Desmarais entre de pied ferme
dans le monde des finances de Montréal. « Quand
je suis venu à Montréal, en 1960, raconta-t-il un
jour, j'étais au septième ciel. Il y avait là tant de
choses à faire, tant de transactions possibles, tant de
plaisir en perspective. » En effet, dès 1961, Desmarais réussit à prendre le contrôle de Entreprises
Gelco Limitée, cela à travers diverses transactions
dont la vente de Transport Provincial à Gelco au
prix de 7,8 millions $. En 1964, il acquiert le
contrôle de Imperial Life dont les actifs sont alors
de 332 millions $[5]. Louis Lévesque et Paul Desma-
rais partageront pendant de nombreuses années
d'importants intérêts financiers et une belle amitié.

Le Crédit Interprovincial achète L. G. Beaubien

L.G Beaubien & Cie Ltée est, en 1962, l'une des
plus importantes et des plus anciennes maisons de
courtage au Québec[6]. Fondée en 1902 par Louis de
Gaspé Beaubien, cette maison s'était imposée
comme agent de change auprès des particuliers et
des investisseurs institutionnels. L. G. Beaubien
ouvrit un bureau à Paris en 1911 pour servir les
marchés français, belge, luxembourgeois et hollan-
dais. À peu près à la même époque, la société fonda
une filiale pour souscrire et distribuer de nouvelles
émissions d'actions et d'obligations au Canada.
Mieux connue sous le nom de Maison Beaubien,
cette filiale allait permettre à la société d'ouvrir
plusieurs bureaux régionaux au Québec, s'emparant
ainsi d'une part importante du marché financier au
détail.

La vénérable maison de courtage de la rue
Notre-Dame, qui se spécialisait dans les affaires des

institutions religieuses et des municipalités allait faire l'objet de la convoitise de Louis Lévesque. Lorsqu'en fin d'année 1962 survint la rumeur à l'effet que le Crédit Interprovincial allait acheter la Maison Beaubien, le personnel de ladite maison demeura plutôt perplexe. On ne croyait pas en la faisabilité d'une telle transaction. Louis Lévesque, l'homme de Blue Bonnets, cette renommée piste de courses qu'il avait acquise et reconstruite, avait la réputation du type très entrepreneur et même quelque peu risqué. Son association intime au monde des courses, souvent apparenté alors dans l'opinion publique au monde interlope, n'indiquait pas qu'il pourrait s'intéresser à une maison qui frayait largement avec les institutions religieuses. Lorsque la nouvelle retentit à l'effet que l'achat avait été conclu, il y eut même de la réticence chez beaucoup des employés de L. G. Beaubien. Ils se disaient : « Allons-nous rester avec ce nouveau pro-priétaire de la compagnie ? »

Or donc, Louis Lévesque convoque tous les employés de la maison L. G. Beaubien à l'hôtel Reine-Élisabeth le 29 décembre 1962. Il y avait là aussi les vendeurs du Crédit Interprovincial. Lévesque se fait attendre quelque 45 minutes et arrive enfin dans la salle. Il demande qu'on enlève de la scène huit des dix chaises qu'on y a placées derrière la table où il s'installe avec Gerald Ryan, qui est président du groupe Beaubien et qui a négocié avec lui la transaction au nom de la famille Beaubien. Il commence par expliquer que son retard est dû à une visite chez son barbier et à une rencontre fortuite, dans le hall de l'hôtel, d'un groupe d'hommes à chevaux participant à leur congrès et avec qui il n'a pu résister à un brin de causette.

Ensuite, s'étant rappelé lui-même à l'ordre du jour en ordonnant : « Maintenant, passons aux affaires », il adresse le discours suivant à son audi-toire de près de 300 personnes, vendeurs et employés de bureau, plutôt inquiets dans ce moment d'attente qui allait possiblement réorienter leur carrière :

D'abord, j'ai acheté L. G. Beaubien et il paraît, d'après ce qu'on entend, que j'ai payé deux fois trop cher. Si c'est là un problème, c'est le mien. J'ai fait mon évaluation de la compagnie et je dois en assumer les conséquences. Je crois qu'il y a quelque chose à faire avec cette compagnie. Deuxièmement, en achetant Beaubien, j'ai acheté vos emplois mais comme on n'achète pas les individus, eh bien, ceux et celles parmi vous qui ne se sentent pas heureux de travailler avec nous, je les invite à partir, (...) pas tout de suite cependant : ça paraîtrait mal. À ceux et celles qui veulent rester, j'annonce que j'ai un plan qui nous permettra de faire ensemble des affaires extraordinaires. Le Crédit Interprovincial est petit. J'achète une compagnie qui est quatre fois plus grande. J'aime faire de l'argent et on peut en faire ensemble. La première chose à faire — tiens ! je cherchais par où commencer et voici que je viens de trouver — se fera dès demain. Nous allons procéder à une émission d'actions secondaires de Blue Bonnets à 3,00 $ l'unité. Le marché étant actuellement à 3,35 $ environ, vous allez tous en vendre et vos clients vont faire de l'argent.

Le lendemain, l'émission d'actions est en marche et les ex-employés de Beaubien qui ont décidé de poursuivre leur carrière avec le nouveau patron l'avaient fait dans leur tête ce soir-là. Ce fut le choix de la grande majorité d'entre eux. Gilbert Gravel[7] était du nombre. Il pense avoir été l'un des premiers à prendre cette décision et il ne cesse de s'en féliciter depuis lors : dès ce jour-là, les commissions des vendeurs se sont mises à croître. Ce fut un saut de 30 % le premier mois et ainsi de suite avec une augmentation du double à la fin de la première année.

Ce vendeur devenu vice-président se souvient que personne n'est parti ce soir-là. Louis Lévesque avait conquis son auditoire. Il n'a pas révélé le détail

Gilbert Gravel, vice-président et administrateur de Lévesque Beaubien Geoffrion inc. entouré de Denise Desbiens et de J.-L. Lévesque.

En janvier 1963, la maison Lévesque Beaubien s'installe au 360 ouest, rue Saint-Jacques, dans le somptueux édifice de la Banque Royale du Canada.

de son plan d'affaires mais, de toute évidence, il avait bien observé le réseau de la maison Beaubien et il avait constaté que la machine ne tournait pas à pleine capacité. Or tous ces vendeurs, habitués à vendre des émissions de commissions scolaires et de fabriques de paroisses, allaient se retrouver dans un monde nouveau : ils allaient offrir à leurs clients des actions de Blue Bonnets, de Fred Lallemand et de combien d'autres compagnies les plus disparates. Ce serait pour eux une tout autre culture. Ils allaient entrer en affaires, vraiment et définitivement.

Quelques jours plus tard, Louis Lévesque visitait les bureaux de sa nouvelle compagnie, rue Notre-Dame. Ce fut l'occasion pour quelques-uns des employés d'en apprendre un peu plus sur les intentions et sur l'efficacité de leur nouveau patron. Après avoir fait le tour des lieux, il résume son évaluation devant eux de façon claire et prometteuse : « Je ne mettrais même pas mes chevaux dans ça, affirme-t-il, sur le ton de l'indignation. Les stalles de mes chevaux à Blue Bonnets sont plus propres que ça. On va d'abord vous sortir d'ici. » Et peu après, en janvier 1963, ce fut le déménagement au 360 ouest, rue Saint-Jacques, au deuxième étage de l'ancien édifice de la Banque Royale du Canada. Tout un changement du jour au lendemain.

Presque immédiatement, les listes des valeurs confiées aux vendeurs de Lévesque Beaubien se sont allongées et diversifiées. Le nouveau propriétaire est un vendeur-né et il entretient des contacts réguliers avec ses vendeurs. Chaque jour, il prend connaissance des transactions effectuées par chacun d'entre eux. Et il se souvient de tout. À la fin du mois, chaque vendeur reçoit le relevé de ses transactions, bien marqué des initiales du patron, toujours à l'encre verte. Le patron prépare lui-même les souscriptions à forfait (*underwriting*). Il connaît les possibilités du marché, le goût du public, les capacités de ses vendeurs et il établit les prix et les échéances en conséquence. « Ce qu'il nous demandait de vendre se vendait bien », se rappelle le vétéran vendeur Gilbert Gravel.

Pour ce vendeur-né qu'est Louis Lévesque, il y a, dans son personnel, d'abord et avant tout, les vendeurs. Les autres employés sont au service des premiers et le patron apprécie d'autant leur travail qu'il facilite celui des vendeurs. Tous ont compris : au bureau, ce qui compte, c'est la vente. Et les ventes montent en flèche. À compter de la première année de la nouvelle direction, le rendement annuel sur le capital ne cesse d'osciller autour des 30 %.

Travailleur infatigable, le patron contrôle lui-même chacun des comptes de dépenses de ses vendeurs et il signe lui-même les états de commissions et les chèques correspondants.

Deux produits : les obligations et les actions

L'acquisition de L. G. Beaubien fut un brillant exercice de complémentarité. La maison « Crédit Interprovincial Limitée » était surtout connue pour ses opérations en obligations, alors que la maison Beaubien l'était davantage pour ses opérations en bourse. À la suite de l'acquisition de L. G. Beaubien, deux entreprises furent créées. Les transactions à titre de mandant (vente d'obligations) furent effectuées sous le nom de « J.-L. Lévesque & L. G. Beaubien Ltée » tandis que les transactions en tant qu'agent (vente d'actions) étaient faites sous la raison sociale « L. G. Beaubien & J.-L. Lévesque Inc. ». Après la transaction, Lévesque détenait, avec quelques collègues, à peu près 84 % de la nouvelle société. L'acquisition de Beaubien avait donc manifestement élargi les opérations.

Ces compagnies étaient privées et n'allaient devenir publiques, avec actions cotées en bourse, que plusieurs années plus tard, soit en juillet 1986. Louis Lévesque possédait la quasi-totalité des actions et ne voyait pas d'avantage à en vendre.

Pourquoi, en effet, se départir d'un avoir qui rapporte, bon an mal an, 30 % ? Au cours d'un repas joyeux du temps des fêtes de 1963, le vendeur Gilbert Gravel ose avouer à son patron qu'il désire acheter quelques actions. La réponse se fait alors claire. C'est non. « Ici, nous ne vendons pas d'actions au garçon d'ascenseur. » Le demandeur y voit une allusion nette et très peu flatteuse à une pratique qui aurait eu cours sous l'administration précédente.

Dès la fusion, en 1963, le chiffre d'affaires de la nouvelle maison avait été de l'ordre de 3 250 000 $ puis il a progressé d'année en année pour atteindre 5 000 000 $ en 1970. Lévesque lui-même continuait de privilégier la vente d'obligations. Ce domaine lui était très familier et il y excellait, comme nous l'avons déjà vu. Marcel Mathieu travaillait depuis huit ans comme vendeur pour le Crédit Interprovincial lorsqu'en 1963 Lévesque le nomma au conseil d'administration de L. G. Beaubien & J.-L. Lévesque Inc. qui se spécialise dans la vente des actions. Entre les deux entreprises, une certaine et stimulante compétition s'est graduellement et amicalement installée. Un jour du début de l'année 1969, Mathieu dit à son patron : « Nous allons vous battre cette année. » « Jamais ! » riposta Lévesque. Or, cette année-là, rappelle Mathieu, « nous avons travaillé plus fort encore et nous avons connu des succès en conséquence ». À la fin de l'année, le patron dit à ses administrateurs : « Ça a bien été, votre jeton de présence passera de 500 $ à 1000 $. » Et Mathieu de résumer le style de son patron : « Peu de discours, peu de félicitations, mais des gestes concrets. »

Confier les destinées d'une très prospère maison

Parmi les hommes de confiance que le patron avait choisis avec le flair que l'on sait, Me André Charron continuait de grandir dans l'estime de Louis

Me André Charron, à l'emploi de J.-Louis Lévesque à compter de 1948, président de Lévesque Beaubien de 1972 à 1986, président du conseil de l'Association canadienne des courtiers en valeurs mobilières en 1972-73, président du conseil de la Bourse de Montréal 1980-82, président de Centraide Montréal en 1985.

Pierre Brunet, F.C.A. Président du conseil, président et chef de la direction de Lévesque Beaubien Geoffrion Inc. Président du conseil de l'Association canadienne des courtiers en valeurs mobilières en 1984-85, président du conseil de la Bourse de Montréal en 1974-75, président de la Chambre de commerce du Montréal métropolitain en1982-83, président de l'Orchestre symphonique de Montréal depuis 1989.

Lévesque. En 1969, le voici au siège du président de la maison Lévesque Beaubien. En 1970, les deux sociétés allaient fusionner sous le nom de Lévesque, Beaubien Inc. En 1972, le fondateur du Crédit Interprovincial, qui avait par la suite associé son nom à celui de la maison Beaubien, relevait d'une opération chirurgicale qui lui avait coûté un rein. Contraint de réduire son rythme de travail, il offre à Me Charron, témoignage de confiance assez clair, d'acheter la compagnie dont il préside déjà les destinées. Les deux hommes se connaissent bien et depuis longtemps : il leur faudra une heure pour conclure une entente. Charron achètera la compagnie dont il demeurera l'actionnaire majoritaire jusqu'en 1986.

Après quelque vingt-trois ans de recul, considérant le remarquable cheminement de la maison qu'il avait achetée de son patron, l'homme d'affaires qu'on pourrait appeler le digne dauphin de Louis Lévesque, résume de la façon suivante, et avec beaucoup d'admiration dans la voix, le mérite de ce financier perspicace qui, en 1948, lui avait demandé comme premier service d'aller lui acheter des cigarettes : « Monsieur Lévesque a été l'âme dirigeante qui a vraiment permis le progrès de la compagnie en intégrant le nom de Lévesque-Beaubien dans le milieu financier comme une maison qui allait être reconnue non seulement pour son chiffre d'affaires, mais aussi pour son professionnalisme[8]. »

Effectivement, la vision et la clairvoyance de Louis Lévesque ont tracé la voie, en 1963, à cette maison qui allait devenir la plus importante maison de courtage francophone au Canada. En 1972, lorsque Louis Lévesque cède ses actions à André Charron, la maison Lévesque Beaubien a déjà atteint le rang de première maison francophone avec des revenus bruts de 7 millions de dollars et un capital de 3 millions.

Au cours des treize années suivantes, Me Charron, avec Pierre Brunet qu'il nomme directeur général en 1973, réalise l'expansion de la compagnie, à travers le pays, par le biais d'une série d'acquisitions qui auront lieu au Québec, en Ontario et en Colombie-Britannique. Ainsi, en 1986, le nombre des employés de la maison passe à 1100, ses revenus bruts atteignent 100 millions de dollars et son capital se chiffre à 25 millions. Lévesque Beaubien se classe alors parmi les dix plus importants courtiers en valeurs mobilières au Canada. Au printemps 1986, Me Charron cède ses intérêts à Pierre Brunet et à son équipe qui assument le défi de poursuivre la voie tracée par leurs prédécesseurs.

Dix ans plus tard, en 1996, après une association avec la Banque Nationale du Canada qui, en 1988, prendra une participation de 70 % de l'actionnariat de Lévesque Beaubien et après avoir fait l'acquisition de Geoffrion Leclerc, Lévesque Beaubien Geoffrion, sous la présidence de Pierre Brunet, connaîtra un nouvel essor et triplera ses revenus bruts qui se chiffreront ainsi à 300 000 000 $ alors que son capital atteindra 160 000 000 $. « Monsieur Lévesque, déclare Pierre Brunet, serait fort heureux de constater avec quelle fécondité son initiative a porté fruit puisque la compagnie opère maintenant dans 50 succursales à travers le Canada ayant à son actif plus de 1800 employés dont 625 sont des conseillers en placements qui répondent aux besoins financiers d'environ 200 000 clients[9]. »

Un vendeur conquis par l'acheteur

L'achat par Louis Lévesque de la maison Beaubien en 1962 n'avait cependant pas fait que des heureux. Parmi les vendeurs de la maison Beaubien il y avait Gustave Boudreault[10]. Cet ex-fonctionnaire à la Ville de Montréal en avait eu assez du train-train de ce métier sans grand défi et, à 32 ans, il avait quitté la sécurité, la perspective de pension et les autres bénéfices marginaux pour devenir vendeur chez L. G. Beaubien. De plus, il avait renoncé à un salaire mensuel de 150 $ pour un nouveau salaire de 100 $. Devenu d'abord assistant au bureau de Saint-Hyacinthe et ensuite directeur à celui de Shawinigan, il s'était retrouvé, un an plus tard, au conseil d'administration de L. G. Beaubien. On lui vend alors une centaine d'actions de la maison dont il doit emprunter le payement. Mais il est le plus jeune de l'équipe, il déborde d'enthousiasme et les plus belles perspectives de promotion et d'avenir s'offrent à lui. L'annonce de la vente de la maison de son employeur lui coupe le souffle. Il voit là l'effondrement de ses plus légitimes projets. Les paroles de Louis Lévesque, ce soir de la rencontre du 29 décembre, ne lui plaisent pas du tout. Il les trouve dures. Il sent alors monter en lui la déception profonde et la colère. Il déteste cet homme qui vient briser son rêve, gâter sa vie.

Après la rencontre officielle, les directeurs de bureaux se retrouvent avec Louis Lévesque autour d'un verre de circonstance. Boudreault rage intérieurement. Il échange plutôt peu. Au moment du départ, le nouveau patron lui offre gentiment de le faire reconduire par son chauffeur. « Je n'ai pas besoin de chauffeur ! » explose-t-il. Et, plus de trente ans plus tard, il décrit ainsi l'humeur qui l'animait alors : « Je voulais me battre. » L'homme déçu regagne sa chambre et retourne à Shawinigan. Première nouvelle : réduction de salaire de 35 000 $ à 25 000 $ puisque le nouveau patron avait décidé qu'aucun de ses collaborateurs ne gagnerait davantage que lui, soit 25 000 $.

Et ce fut un grand et long silence entre les deux hommes. Boudreault savait bien cependant que le patron vérifiait quotidiennement les rapports de ventes en provenance des succursales par voie de télétype. Il se disait patiemment : « Il saura bien un jour qui je suis. » Quatre ans plus tard, Louis Lévesque convoque son directeur du bureau de Shawinigan à l'hôtel Cascades de la même ville. Après avoir échangé sur l'état des affaires, il demande à Boudreault de l'amener visiter son bureau. Debout au milieu de la pièce, il jette un regard tout autour, évaluant le décor intérieur et prononce : « Mais ce n'est pas beau ici. Le directeur de notre succursale de Shawinigan mérite un plus beau bureau que ça. Tu dépenses ce qu'il faut pour te faire un bureau convenable et tu m'envoies la note... »

Il avait fallu tout ce temps, mais la conquête avait été réciproque. À compter de ce jour, les deux hommes se sont rapprochés. Boudreault se retrouva mensuellement à Montréal à la table du conseil d'administration de Lévesque Beaubien.

> Autant je l'avais détesté, autant je l'ai apprécié, affirme Boudreault. Cet homme, si talentueux, si intelligent, m'en a tellement montré du monde des finances ! Il ne faisait rien sans voir où conduisait son geste. Il n'était pas homme à dire : « Oh, je n'y avais pas pensé. » Il m'a montré comment ne pas s'énerver. Il donnait l'impression d'avoir toujours tout prévu. L'homme n'improvisait pas. Son intelligence et son flair lui permettaient de prendre rapidement les bonnes décisions. « Achète ce que tu veux, en autant que tu sais ce que tu veux en faire », voilà ce qui semblait être sa boussole en affaires[11].

Gustave Boudreault, premier vice-président de Lévesque Beaubien geoffrion inc.

Une institution pour la suite des jours

Louis Lévesque porte depuis longtemps en son cœur un projet important. Il sait très bien, pour l'avoir expérimenté personnellement et aussi parce que ses éducateurs le lui ont bien enseigné, que le Canada français, comme tout autre peuple, n'a de chances de se développer, de s'affirmer et de s'épanouir que dans la mesure où il tablera sur la qualité de son éducation. Il sait que la clé de l'avenir est là et il attend le moment propice pour proclamer sa conviction de façon très concrète en investissant en faveur de l'éducation d'importantes sommes que lui ont rapportées ses bonnes affaires. Ce moment est arrivé en 1961 et il met sur pied la Fondation J.-Louis Lévesque afin de soutenir et promouvoir l'éducation et la recherche fondamentale. Il faut relire ici les propos du fondateur lui-même énonçant les objectifs de sa Fondation :

> C'est après avoir longuement réfléchi et surtout à la lumière de l'expérience difficile connue par d'autres financiers, que j'ai pris la décision d'établir cette Fondation qui fera non seulement œuvre utile et nécessaire dans la province et au pays, mais qui permettra encore aux nombreuses entreprises que je

dirige, particulièrement à l'importante société de gestion que constitue la CORPORATION DES VALEURS TRANS-CANADA, de rester indéfiniment aux mains des nôtres. Il faut préparer l'avenir et surtout garder dans la province ce que nous avons déjà acquis au prix de grandes difficultés.

La mise en place de cette Fondation constitue, dans la carrière de Louis Lévesque, un accomplissement très important et particulièrement révélateur de sa personnalité et de ses aspirations profondes. C'est pourquoi nous en traiterons de façon spéciale dans le dernier chapitre du présent ouvrage qui portera sur l'engagement philanthropique du personnage.

Toutefois, Louis Lévesque a créé sa généreuse Fondation et les divers témoins autorisés de l'époque n'attendront pas pour lui exprimer leur admiration et leur reconnaissance. Dès le 31 mai 1963, c'est l'Université de Montréal qui lui rend hommage en lui décernant un doctorat « honoris causa ». Le recteur, Mgr Irénée Lussier, débute alors l'éloge de circonstances par un hommage à l'Est du pays. « Il vaudrait la peine, affirme-t-il, de faire un jour le recensement des hommes prééminents dans tous les secteurs de la vie publique que l'Est du Canada, de la Gaspésie à Terre-Neuve, a fourni au reste du pays. Notre candidat trouverait rang dans cette exceptionnelle phalange. » Et, retraçant la fulgurante carrière du financier, le recteur met en évidence la clarté et la cohérence des convictions qui animent Louis Lévesque :

Administrer, c'est prévoir. Beaucoup d'hommes d'affaires, préoccupés du présent, oublient, hélas ! le lendemain et leur œuvre s'achève avec eux. Non seulement Monsieur Lévesque a bien choisi et formé ses collaborateurs mais il a su, grâce à la mise sur pied d'une société de gestion, la Corporation des Valeurs Trans-Canada, assurer pour ainsi dire la permanence de son œuvre et pris des mesures pour que son vaste réseau d'entreprises demeure la

Réception à l'hôtel Windsor, le 10 décembre 1962, en l'honneur de
J.-Louis Lévesque. Au centre: Donald Gordon, président du Canadien
National, à la droite de J.-Louis Lévesque: Mgr Irénée Lussier.
« Il vaudrait la peine de faire un jour le recensement des hommmes
prééminents dans tous les secteurs de la vie publique que l'Est du
Canada, de la Gaspésie à Terre-Neuve, a fournis au reste du pays. »

propriété des Canadiens français. Alors qu'on a si souvent déploré qu'après deux ou trois générations les sociétés familiales, faute de prévoyance, passent aux mains d'intérêts étrangers à notre milieu, on ne saurait trop louer la vision de Monsieur Lévesque.

Ce succès éblouissant, déjà digne de notre admiration, lui fournit le moyen de se tailler une place de choix dans un monde où nos compatriotes canadiens-français ne nous ont pas trop souvent donné d'occasion de nous enorgueillir, celui de la philanthropie. En effet, Monsieur Louis Lévesque a récemment édifié la Fondation J.-Louis Lévesque, l'une des plus riches en terre canadienne, vouée au soutien de la recherche scientifique. Il sait à quoi tient pour une large part la renommée de notre

Le 12 mai 1964, l'Université de l'Île-du-Prince-Édouard lui décerne un doctorat honorifique en même temps qu'au sénateur Edward Kennedy et au cardinal James McGuigan.

groupe ethnique et de notre pays et il veut aider les siens à la mise en œuvre de leur talent pour bâtir toujours plus haut sur ce qui est déjà acquis. (...) Voici des pas concrets vers la conquête économique.

L'année suivante, les honneurs se succèdent. Le 12 mai 1964, l'Université de l'Île-du-Prince-Édouard le fait docteur en droit « honoris causa » en rappelant que par la mise sur pied de sa Fondation il a reconnu publiquement ses obligations envers la société et donné la garantie que ses concitoyens et concitoyennes pourront profiter de ses propres succès. Le 6 juin 1964, c'est au tour de l'Université Laval, dont il était depuis 1934 bachelier ès arts, de lui rendre hommage en lui décernant un doctorat « honoris causa » en sciences commerciales.

Vouloir construire pour les siens, même une banque

Un désir tenace habite le financier Louis Lévesque et ne semble pas devoir s'atténuer de sitôt. Il est constamment à l'affût des occasions de bâtir. Ou bien il achète et revend des commerces après les avoir réorganisés ou rendus davantage productifs, ou bien il met sur pied des institutions qui attendent de naître. Et il aime le faire non pas seulement pour réaliser des profits et accroître sa fortune mais aussi et surtout pour contribuer le plus efficacement possible à la construction de son pays, plus particulièrement le Canada français. Il a créé des maisons qui ont connu le succès et, en cette année 1964, le voici épris d'un nouveau projet de création, de plus grande envergure cette fois. Il prend la tête d'un groupe de financiers qui veulent voir naître une

Le 6 juin 1964, l'Université Laval lui décerne un doctorat honorifique en sciences commerciales. Il signe ici le livre d'honneur en présence de Mgr Louis-Albert Vachon et de M. Paul-André Laberge, respectivement recteur et secrétaire-général de l'Université.

nouvelle banque à charte pour l'Est du Canada. Déjà deux projets de nouvelles banques attendent l'approbation du parlement canadien pour l'Ouest du pays. Or Louis Lévesque considère très important qu'il y ait un minimum d'équilibre entre les institutions financières des diverses régions du pays et il est, depuis le début de sa carrière, profondément intéressé et personnellement impliqué dans le développement de la société acadienne des Provinces maritimes, particulièrement du Nouveau-Brunswick. Cette implication fut telle d'ailleurs que nous lui consacrerons tout le chapitre cinq du présent ouvrage. Aussi la nouvelle banque projetée sera désignée sous le nom de Banque Trans-Canada ou celui de Banque des Maritimes. Elle servirait à la fois le Québec et les Provinces maritimes et elle aurait un capital autorisé de 10 millions $ et une réserve initiale de 2,5 millions $.

La nouvelle de ce projet fit naturellement la manchette des journaux du pays en ce début de mars 1964. L'un d'eux rapporte que le projet paraît à d'aucuns plutôt improbable du fait que Monsieur Lévesque siège déjà au conseil d'administration de la Banque Provinciale et que s'il met sur pied sa propre banque il devra démissionner de ce poste. Par ailleurs, prétend le même journal, s'il réussit à concrétiser son projet cela pourrait entraîner la fusion des deux banques canadiennes-françaises, la Banque Provinciale et la Banque Canadienne Nationale[12].

Un autre journal évoque la dualité des racines ethniques de Louis Lévesque et titre : « Entrée du Français-Irlandais dans le circuit des banques », et, signalant les diverses relations du financier avec les banques depuis ses débuts comme modeste employé, il écrit : « Jean-Louis Lévesque, un génie de l'argent français-irlandais de Gaspésie, a des raisons de connaître le pouvoir et le prestige du domaine des banques au Canada ». Sous la photo du président de Valeurs Trans-Canada, le journal écrit : « Jean-Louis Lévesque veut sa propre banque ». Et le même article se livre à diverses conjectures sur l'étendue de la fortune du Français-irlandais venu de Gaspésie et dont on connaît la discrétion qui lui a valu le titre de « mystérieux millionnaire ». La rumeur a voulu, écrit-on, que Lévesque ait tenté de prendre le contrôle de la gigantesque compagnie Canadien Pacifique. Même si rien n'en est sorti, l'incident souligne la stature du discret et modeste Canadien français : les actifs du CPR étant de 2,8 milliards $, la prise de contrôle de la compagnie coûterait au bas mot quelque 250 millions $[13]. La rumeur était bien fondée. En début de cette année 1964, Louis Lévesque avait effectivement tenté d'acheter de la compagnie CP le bloc de 10 % des actions de la Banque Provinciale qu'elle détenait. Son avocat, Me André Charron, avait organisé à cet effet, par l'intermédiaire de Monsieur Brais, une rencontre avec M. Crump, président du CP, qui dit à Lévesque que ces actions n'étaient pas alors à vendre. Par après, CP a vendu ce même bloc au Mouvement Desjardins. Quant au projet d'une nouvelle banque pour l'Est du pays, il demeura à l'état de projet.

Acquisition du Petit Journal

Une nouvelle occasion se présente en cette même année 1964 et le financier, fidèle à lui-même, la saisit au passage. Il achète, à travers la corporation de Valeurs Trans-Canada, le *Petit Journal*, hebdomadaire qui est né, a grandi et a prospéré comme entreprise familiale et qui a atteint au plus fort tirage des journaux canadiens de langue française. Jean-Charles Harvey, directeur des publications du même journal, annonce et commente la nouvelle avec beaucoup d'enthousiasme. Le journal qui l'emploie « ne peut, écrit-il, que continuer son essor en devenant partie intégrante du puissant empire financier de 200 millions $ qui s'est constitué grâce à l'initiative d'un compatriote considéré comme l'un des hommes d'affaires les plus éminents non seulement du Québec, mais du pays tout entier ».

À l'instar des universités, Harvey ne manque pas de souligner la préoccupation de son nouveau patron pour la cause fondamentale de l'éducation :

Ce chef d'entreprise n'a pas voulu limiter son action au succès matériel. Il a démontré ses préoccupations culturelles et philanthropiques — chose rare chez nos compatriotes — en créant, l'an dernier, la Fondation J.-Louis Lévesque. (...) M. Lévesque a reconnu par là que l'avenir de notre peuple tient plus à sa culture, à son rayonnement intellectuel qu'à sa force numérique. Il sait lui-même ce qu'il doit à l'éducation qu'il a reçue, et c'est pourquoi son altruisme l'a porté à préparer aux créations de l'avenir ceux qui viendront après lui[14].

Devant la maquette de l'Université Laval dont J.-Louis Lévesque s'est fait le généreux bienfaiteur. Dans l'ordre habituel: Hervé Baribeau, Aubert Brillant, Cyrille Vaillancourt, J.-Louis Lévesque, Léon Simard, Mᵍʳ Maurice Roy et Wilfrid Behrer.

Aussi, le journaliste écrivain est-il bien fier de rappeler à ses lecteurs du *Petit Journal* les propos tenus par le nouveau propriétaire lors d'une première visite aux bureaux de son journal. « J'apprends que le recrutement des journalistes bien préparés à la profession devient de plus en plus difficile. Il faudrait sans doute songer à créer, pour des jeunes qui ont le feu sacré, des bourses appropriées. Il y aura toujours de l'emploi pour les vraies compétences. »

La grève de Fashion-Craft

Un conflit syndical éclate à l'usine de Victoriaville de la Fashion-Craft. Un contrat collectif de travail lie la Fashion-Craft et le Syndicat des Employés du Vêtement de Victoriaville jusqu'au 30 juin 1964. Avant mars 1964, la compagnie refuse d'acquiescer à la demande d'un ouvrier de l'usine qui avait manifesté son désir de changer de département. Ce refus fait l'objet d'un grief qui est porté en arbitrage. Les parties au dit grief s'engagent à considérer comme obligatoire, exécutoire, finale et sans appel, la décision à être rendue par le tribunal d'arbitrage. Celui-ci, après avoir siégé à diverses reprises, rend jugement, au cours du mois de mars, rejetant le grief comme mal fondé en fait et en droit. Le 20 mars, un groupe d'employés bloquent l'entrée de l'usine, empêchant les autres ouvriers d'entrer au travail. Le 31 mars, la compagnie fait parvenir au syndicat un télégramme l'enjoignant de laisser les employés revenir au travail. Le syndicat refuse[15] et, le 18 avril, le gérant du personnel de la Fashion-Craft adresse à chacun des employés une lettre rappelant les faits et concluant :

> (...) parce que leur défaut et leur refus de travailler constituent une insubordination grave et causent des dommages considérables, votre employeur, Fashion-Craft Mfrs. Limited, n'a d'autre alternative que de

terminer ses opérations à sa manufacture de Victoriaville et en conséquence se voit forcé de vous
remercier définitivement de vos services.

Le patron et président de la compagnie, Louis
Lévesque, avait fait savoir à qui de droit qu'il ne
consentirait jamais à céder à l'anarchie et que, si
l'on persistait à refuser la décision de la cour en
poursuivant une grève illégale, il devrait fermer
l'usine. Il se retrouva donc, bien contrairement à ce
qu'il aurait souhaité, dans un dilemme des plus
déchirants : ou bien il consentait à revenir sur sa
parole et ses principes démocratiques, ou bien il
prenait la décision, fort impopulaire et qui allait
inévitablement être jugée inhumaine, de fermer
l'usine. Il ferma l'usine.

Vente de Valeurs Trans-Canada à Paul Desmarais

L'achat de la maison L. G. Beaubien avait amorcé
un tournant majeur dans la carrière de Louis
Lévesque. La rapidité et l'importance de l'expansion
que connurent les maisons issues de cette transaction retinrent dès lors une part de plus en plus
grande du temps et des énergies du financier. L'idée
germa alors chez lui de vendre les compagnies qu'il
contrôlait sous le chapeau de la corporation de
Valeurs Trans-Canada. Il y avait bien un acheteur en
vue mais il manquait à cette époque de liquidité.
L'acheteur intéressé s'appelait Paul Desmarais dont
on a vu plus haut l'émergence remarquée dans le
monde financier du pays, plus précisément sa
remarquable prise de contrôle des Entreprises
Gelco Limitée.

La solidarité entre les financiers francophones
avait déjà établi ses ponts. La maison J.-L. Lévesque
et L. G. Beaubien Ltée mit en place une formule de
financement qui permit aux Entreprises Gelco
Limitée d'acheter Valeurs Trans-Canada. L'opération
s'appelle la technique d'acquisition par endettement

(« leverage buy out » ou LBO) et fut l'une des premières, sinon la première, du genre à se faire au Canada. Comment cela se fait-il ? C'est bien simple quand on a la confiance des banques. Et voici : Paul Desmarais souhaite acheter Valeurs Trans-Canada via Les Entreprises Gelco Limitée, mais il ne dispose pas de fonds suffisants. Il convient donc avec Louis Lévesque d'acheter Valeurs Trans-Canada qui, devenue sa propriété, fera une émission d'obligations entraînant une entrée de fonds suffisante pour payer la note.

L'opération est possible en autant qu'une maison de courtage accepte d'acheter l'émission d'obligations projetée. Or la maison J.-L. Lévesque et L. G. Beaubien Ltée dont le propriétaire, Louis Lévesque, est aussi le vendeur de Valeurs Trans-Canada, convient d'acheter l'émission et elle ira ainsi chercher, parmi la nombreuse clientèle qu'elle connaît à fond, les millions qu'il faut à Paul Desmarais pour acheter Valeurs Trans-Canada. La crédibilité de la maison de courtage de Louis Lévesque autorise la Banque Royale à supporter la transaction sans hésitation. Bien sûr, la maison de courtage aura droit à son pourcentage sur cette nouvelle vente d'obligations. Cette technique de l'acquisition par endettement, une opération tout à fait légale, s'est répétée souvent par la suite dans le monde de la finance au Canada et surtout aux États-Unis.

Peter C. Newman décrit de la façon suivante l'importante transaction : « En 1965, Desmarais (Gelco) intègre Imperial Life et Transport Provincial dans la Corporation des valeurs Trans-Canada, un conglomérat de quinze compagnies de taille moyenne regroupées par Jean-Louis Lévesque. La transaction est de 32 millions $ (dont 14 millions $ pour la compagnie d'autobus), et Desmarais en sort avec 56 % des parts de Valeurs Trans-Canada, lui donnant le contrôle sur des actifs de 60 millions $

incluant Imperial Life et Transport Provincial, qui lui reviennent en tant que nouveau propriétaire de Valeurs Trans-Canada[16]. »

À ce sujet, *La Presse* du 18 mai 1965 écrit :

(...) on se souvient que la Corporation de Valeurs Trans-Canada s'était engagée, si l'offre de Gelco se réalisait, à acheter des Entreprises Gelco Ltée 3 300 000 actions ordinaires, soit 100 % des actions émises des Entreprises de Transport Provincial Ltée, société qui détient le contrôle de la Compagnie de Transport Provincial, et 51 245 actions ordinaires, soit 51,2 % des actions émises de l'Impériale, compagnie d'assurance-vie. Ces ventes ont déjà été approuvées, il y a deux semaines, par les actionnaires des Entreprises Gelco Ltée. À la suite de cette importante transaction, Gelco prend donc le contrôle de la Corporation de Valeurs Trans-Canada, en y détenant près de 55 % des actions ordinaires émises.

Le lendemain, un éditorialiste du même journal se dit d'avis que « la fusion en voie de réalisation permettra aux deux puissants groupes, réunis sous une même administration, de pénétrer définitivement dans les ligues majeures de la haute finance et d'envisager une action qui correspondra davantage au degré de maturité déjà atteint par l'économie de notre province ». Et il poursuit en affirmant :

Il est essentiel que nous groupions nos forces de façon à affronter la concurrence anglo-saxonne et américaine. C'est parce qu'ils ont compris cette vérité élémentaire et qu'ils en ont vécu pour ainsi dire les exigences que la direction des deux groupes concernés a accepté une fusion qui permettra finalement à la direction de Gelco d'administrer des actifs de plus de 700 millions $ et surtout d'envisager des programmes d'expansion beaucoup plus considérables à cause de l'élargissement des possibilités de financement[17].

Pour sa part un journal anglophone spécialisé en finance se livre à quelques pronostics, à la suite

de la transaction. « Quelles sont les prochaines grandes transactions à venir ? » écrit-il. « Aucun des deux fonds n'en dit mot, évidemment. Mais voici quelques possibilités :

Lévesque se retirera graduellement de l'organisation mais se réservera les deux pistes de courses, Blue Bonnets et Richelieu. Leur valeur aux livres le 29 février 1964 était approximativement de 12 millions $.

Le Gaspésien s'est taillé, parmi les grands financiers, une place confortable. Dans l'ordre habituel: le vicomte Carol Hardinge, Gill Darlington, J.-Louis Lévesque, E. P. Taylor et Herb O'Connell.

Imperial Life ne sera pas « mutualisée » immédiatement mais peut-être bien dans cinq ou dix ans. Un représentant de Valeurs Trans-Canada a dit à notre journal qu'il y a encore un montant considérable d'appréciation de capital (*a considerable amount of capital appreciation in Imperial*) et que le fonds va probablement demeurer tel quel jusqu'à ce qu'une grande partie de cela se soit matérialisée. L'offre pour les actions de Valeurs Trans-Canada prendra fin le 14 mai[18].

Le biographe de Paul Desmarais, quant à lui, résume de la façon suivante cette historique transaction autour de Valeurs Trans-Canada :

> Ce qui, au début de 1965, avait semblé n'être qu'une série de ventes et d'achats s'avérait être en fait une opération complexe qui devait se terminer un an et demi plus tard. Tous ces remaniements avaient eu pour but d'attribuer à Lévesque et à Desmarais les sociétés que chacun souhaitait précisément conserver depuis le début. En 1968, il ne restait plus dans le portefeuille de Trans-Canada que deux des placements initiaux, à savoir une des pistes de courses de chevaux et un des grands magasins. Desmarais avait ses capitaux et Lévesque, ses compagnies et ses capitaux. Tout le monde gagnait sur toute la ligne[19] !

Il s'agit donc d'une vente réciproque, oui, mais surtout, comme l'écrit ce journaliste de *La Presse*, d'une « union Gelco et Trans-Canada ». Ainsi, n'est-il pas permis de voir là une suite logique dans les idées du financier Louis Lévesque ? Il avait projeté, en 1964, la création d'une banque de l'Est afin « qu'il y ait un minimum d'équilibre entre les institutions financières des diverses régions du pays ». Or, son projet ne s'étant pas concrétisé, voici qu'il réalise, un an plus tard, une union dont les conséquences pourraient fort bien avoir sur l'économie de l'Est du pays autant d'impact positif qu'en aurait eu une nouvelle banque à charte. N'est-ce pas ce qu'en a compris l'auteur de la rubrique « Économie

J.-Louis Lévesque siégeant au bureau de direction de Air Canada, en 1964.

et finance » de *La Presse* pour affirmer : « Dans le contexte de l'économie canadienne, où quelques sociétés de gestion, aux ressources presque illimitées, exercent une influence prédominante sur plusieurs secteurs de notre vie économique, il est essentiel que nous développions aussi des instruments de cette nature[20]. »

Fonds F-I-C inc.

Même si Louis Lévesque a vendu à Paul Desmarais le contrôle de la corporation de Valeurs Trans-Canada, il va continuer à faire des affaires. Il avait créé, le 15 octobre 1962, une compagnie de placement appelée Fonds F-I-C inc. (finance industrie et commerce). Or, peu après avoir vendu à Desmarais le contrôle de Valeurs Trans-Canada, il obtenait, le 8 février 1966, des lettres patentes supplémentaires qui donnaient à la compagnie Fonds F-I-C inc. des pouvoirs additionnnels en lui conférant ceux d'une compagnie de gestion (holding)[21]. Au moment où Lévesque s'apprête à inscrire à la Bourse de Montréal sa compagnie ainsi modifiée, un journal écrit que le financier « s'ennuie de brasser des affaires et que, dans une nouvelle transaction aussi complexe que la première, FIC rachètera probablement environ la moitié des entreprises actuellement sous le contrôle de Trans-Canada[22] ».

Le journal disait vrai et il est intéressant, surtout pour les profanes en la matière, de voir comment, avec de l'expérience et de la crédibilité, un financier peut faire de l'argent. Louis Lévesque en donnera ici une autre brillante démonstration avec sa nouvelle compagnie devenue « holding ». Le Fonds F-I-C inc. décide de racheter de Gelco (Paul Desmarais) les trois compagnies suivantes : La Prévoyance, compagnie d'assurances, Alfred Lambert Inc. et C. Durand Ltée. Pour payer la note, F-I-C emprunte 5 770 000 $ et, en juillet 1966, lance une émission de 900 000 actions à 10 $. Or, comme les compagnies filiales de F-I-C sont prospères, le Fonds F-I-C l'est également. Au 31 mars 1966, il fait état d'une augmentation de 82,11 % de ses revenus. On peut donc prévoir que les 900 000 actions émises se vendront facilement et c'est pourquoi une certaine maison de courtage n'hésite pas à les acheter toutes immédiatement. Voici donc 9 millions $ de plus dans les tiroirs de F-I-C dont 5,7 millions $ épongeront la dette mentionnée. La maison de courtage qui achète les 900 000 actions avec l'assurance tranquille de les revendre rapidement avec un profit de 225 000 $ n'est nulle autre que celle de Louis Lévesque, la maison J.L. Lévesque & L.G. Beaubien Ltée.

Un nom qui s'avère bon vendeur

Au cours des années 1970, alors que le mouvement souverainiste prenait au Québec l'ampleur que l'on sait, de nombreux observateurs se demandaient

Une rencontre des vendeurs de la maison Lévesque Beaubien.

comment il était possible pour la maison québécoise de Louis Lévesque de continuer de faire des
affaires, et de plus en plus grosses, non seulement au
Québec et dans les Maritimes mais aussi dans
l'Ouest du Canada. Eh bien, c'était en bonne partie
à cause du nom de Louis Lévesque, à cause de la
haute crédibilité qu'il s'était construite, au fil des
ans et de ses coups de génie, à travers ses relations
avec les autres financiers du pays et de l'extérieur.

C'était aussi, en partie, à cause de la popularité
extraordinaire dont jouissait son homonyme, René
Lévesque. Les financiers de l'extérieur du Québec,
comme d'ailleurs le grand nombre de ceux du
Québec, n'appuyaient pas le projet politique de
l'ex-vedette de télévision, devenue fondateur et
chef d'un mouvement souverainiste, ensuite du
Parti québécois pour accéder, en 1976, au poste de
premier ministre du Québec. Cependant, ils
aimaient cet homme qui, par sa simplicité, sa sin-
cérité, son intelligence, sa culture et son fort élégant
bilinguisme, exerçait sur eux un réel magnétisme.
Cette popularité ajoutait, comme par un heureux
hasard, à celle du financier. Certains journalistes ont
même conclu à un lien de parenté entre ces deux
fils de la même Gaspésie. « Le Lévesque dont la

plupart des Canadiens ont entendu parler est le volubile orateur, René, le ministre des Ressources naturelles du Québec. Le riche, c'est Jean-Louis, un lointain cousin qui contrôle le plus grand empire financier du Québec[23]. »

Notes

1. La reconstitution suivante de cette rencontre est fidèle à ce que Monsieur Paul Desmarais a confié à l'auteur en interview, le 15 septembre 1996. Les propos attribués à Monsieur Desmarais sont textuels.

2. Dave Greber, *Paul Desmarais, un homme et son empire*, Les Éditions de l'homme, Montréal, 1987, traduit de l'anglais par Normand Paiement, p. 99.

3. Interview du 15 septembre 1996.

4. *Ibid.*

5. Peter C. Newman, *The Canadian Establishment*, McClelland and Stewart Limited, Toronto, 1975, volume I, p. 73-74, traduction par l'auteur.

Les informations qui suivent, relativement à la Maison Beaubien, émanent, pour une part, de «Lévesque, Beaubien et compagnie Inc.», Rapport annuel pour l'exercice financier terminé le 31 mai 1987. Celles qui concernent l'évolution de la maison, de 1972 à 1996, ont été fournies, en grande partie, par Pierre Brunet, président du Conseil, président et chef de la direction de Lévesque Beaubien Geoffrion Inc.

7. Toujours fidèle au poste, il est, en 1996, vice-président et administrateur de Lévesque Beaubien Geoffrion inc. à Chicoutimi. Les détails relatifs à cette acquisition de la maison Beaubien émanent d'interviews qu'il a accordées à l'auteur les 20 avril et 16 mai 1996.

8. Au cours d'une interview, le 30 août 1995.

9. Interview accordée à l'auteur le 29 août 1996.

10. Les détails suivants, relatifs à Gustave Boudreault, émanent d'une interview qu'il a accordée à l'auteur le 16 mai 1996.

11. Au cours d'une interview, le 16 mai 1996.

12. « La Banque Trans-Canada » « J.-L. Lévesque Plans New Chartered Bank », *The Star*, 11 mars 1964.

13. Ray Magladry, Assistant Financial Editor, « French-Irish entry in bank... », *Toronto Daily Star*, 12 mars 1964.

14. « L'éblouissante carrière de J.-L. Lévesque », *Le Petit Journal*, semaine du 7 juin 1964.

15. Les détails précédents relatifs à ce conflit ont été puisés dans « Requête en injonction à l'un des honorables juges

de la cour supérieure siégeant dans et pour les districts de Québec et d'Arthabaska », document n° 19089, signé par Pierre Dansereau, procureur de la requérante, le 19 mai 1964.

16. *The Canadian Establishment*, Toronto, McClelland and Stewart Limited, 1975, volume I, p. 72-74.

17. Laurent Lauzier, « Que signifie l'union Gelco et Trans-Canada ? », *La Presse*, 19 mai 1965.

18. *The Financial Post*, 17 avril 1965.

19. Dave Greber, *op. cit.*, p. 123.

20. Lauzier, *ibid.*, 19 mai 1965.

21. Le conseil d'administration de F-I-C inc. se compose, à la fin de l'exercice de 1966, de Gilbert Ayers, Benoit Benoit, Lucien Benoit, Marc Bourgie, Stanley E. Brock★, André Charron★, Étienne Crevier, Paul Desmarais, Gérard Favreau★, Vianney Favreau★, Lucien Lachapelle, André Latreille, J.-Louis Lévesque★, J.-René Ouimet★, Jean-Paul tardif, René Thomas et Joseph Vachon.

(★ = Membres du Comité exécutif.)

22. Coupure de journal sans référence ni date.

23. « L'autre Lévesque », *Time*, 29 mai 1964, p. 9.

Chapitre cinq

J.-Louis Lévesque et l'Acadie

Nous avons déjà vu que Louis Lévesque nourrissait une indéfectible et profonde amitié envers l'Acadie. C'est là une autre facette de sa fidélité aux siens. D'abord, sa généalogie, particulièrement sa branche paternelle, plonge de profondes racines dans les grandes familles acadiennes émigrées en Gaspésie par suite de la tristement célèbre déportation de 1755. Ensuite, le jeune Gaspésien avait choisi d'aller terminer ses études classiques à Charlottetown où, au contact d'un certain nombre d'étudiants acadiens, il découvrit de plus près l'histoire des Acadiens, leur réalité quotidienne, leurs légitimes aspirations et leurs besoins comme peuple, particulièrement en termes d'accessibilité aux études universitaires. De plus, c'est précisément à Moncton, au foyer même de l'exemplaire affirmation acadienne, que Louis Lévesque trouva son premier emploi, dès l'été de

1934, au service de la Banque Provinciale du Canada.

Comment trouva-t-il ce premier emploi à Moncton ? Pour répondre à cette question, il convient de noter que Edmond Frenette, concitoyen de Nouvelle et frère de l'ami d'enfance Louis, travaillait déjà à Moncton. Licencié en sciences commerciales de l'École des hautes études commerciales de Montréal en 1932, il avait débuté comme comptable à la Société l'Assomption en 1933 et il était spécialisé dans les placements et le financement des entreprises[1].

On se souviendra que Louis Lévesque, ayant quitté Moncton en janvier 1935, devint vendeur d'obligations en 1937 et qu'il obtint sa première émission, en décembre de la même année, précisément à Moncton. Une émission de 500 000 $ pour l'Hôtel-Dieu de l'Assomption dirigé par les Sœurs de la Providence. Et ce n'était là que le début d'une longue et importante série des transactions effectuées en Acadie par Louis Lévesque. Nous avons déjà vu aussi que le financier a su se gagner la confiance totale de nombreuses communautés religieuses du Québec. Cela est également vrai en Acadie. Le 7 juillet 1939, il visite les Sœurs Hospitalières de Saint-Joseph à Campbellton qui projettent un agrandissement de leur hôpital et il leur offre un plan de financement dont l'analyste de la communauté écrit : « Offre avantageuse. Notre Mère envoie le courtier M. Louis Lévesque voir Mgr P.-A. Chiasson à ce sujet[2]. »

La rencontre avec Mgr Chiasson, qui était alors évêque de Bathurst, porta fruit. Le financier obtint l'émission recherchée auprès des religieuses de Campbellton qui, par la suite, firent de nouveau appel à lui.

Un premier grand ami en Acadie : le Juge Adrien J. Cormier

Le financier trouva en Acadie une clientèle intéressante mais il y trouva aussi des amis dont la fidélité ne se démentit jamais. Parmi eux figure, de façon très spéciale, l'avocat Adrien J. Cormier. Cet Acadien revient de la guerre en 1946, après avoir servi dans l'armée canadienne, et il ouvre un bureau d'avocat à Moncton. Il siège parmi les administrateurs de la Société de l'Assomption, la principale institution financière d'Acadie dont Edmond Frenette occupe maintenant le haut poste de trésorier. À cette époque, la formule des obligations prend de plus en plus de vogue en Acadie. Un jour de 1947, Frenette invite Cormier à venir chez lui rencontrer son concitoyen de Nouvelle, venu à

J.-Louis et Jeanne Lévesque avec Adrien J. Cormier au cours d'un voyage en Inde, en octobre 1961. (Photo: Coll. privée)

Moncton négocier une transaction avec une communauté religieuse. Au cours de la rencontre, Louis Lévesque confie à l'avocat Cormier son agacement devant les lenteurs des procédures légales nécessaires à la conclusion d'actes de fiducie en Acadie et il lui demande s'il pense pouvoir agir avec plus de célérité dans un dossier en cours. L'avocat relève le défi et complète les procédures en quelques jours. La confiance et l'amitié en sont scellées pour la vie. Cormier devient l'avocat de Lévesque dans les Maritimes.

Or les choses tombent pile pour Louis Lévesque. En juillet 1950, l'avocat Cormier succède au Sénateur Antoine J. Léger (décédé en avril 1950) au poste d'avocat-conseil de la Société l'Assomption. Par ailleurs, la cheville ouvrière de l'Assomption, Calixte P. Savoie, siège, comme par hasard, avec Louis Lévesque au bureau de Central Trust à Montréal et Edmond Frenette, le trésorier de la Société, est, à ce titre, responsable des placements de son employeur. Il y a donc, à la direction de la Société l'Assomption, un triumvirat on ne peut mieux disposé à l'égard de notre jeune financier.

Une succursale du Crédit Interprovincial à Moncton

Le Crédit Interprovincial peut faire des affaires en Acadie à partir de Montréal mais le volume s'accroît de façon fort intéressante et la maison ouvrira une succursale au cœur des Maritimes, à Moncton, en février 1954. Dollard Savoie, fils de Calixte, en sera le gérant jusqu'en avril 1959. Louis Lévesque mandate alors l'avocat Cormier pour lui chercher un nouveau gérant. L'avocat avait remarqué les talents de vendeur d'Armand Cormier dont il parle à Lévesque. Le candidat est convoqué à Montréal et immédiatement engagé comme gérant de la succursale du Crédit Interprovincial de Moncton. Il entre en fonction le 1er mai 1959.

L'ouverture de cette succursale à Moncton intensifiera sensiblement les transactions du Crédit Interprovincial en Acadie et la décennie de 1950 y sera des plus profitables. Sur recommandation de Calixte Savoie et Adrien Cormier, les communautés religieuses émettent des obligations ; les diocèses de Moncton et de Bathurst, dont les fidèles sont très majoritairement acadiens, procèdent au refinancement des propriétés diocésaines ; les paroisses qui ont des économies sont encouragées à acheter des obligations. De plus, Armand Cormier cultive avec grand succès les relations d'affaires avec les Caisses populaires d'Acadie. Par ailleurs, le gouvernement du Nouveau-Brunswick lance résolument un programme de modernisation scolaire et les commissions des districts francophones, toujours sur recommandation d'Adrien Cormier et de Calixte Savoie, se financent au moyen d'émissions d'obligations. La maison de courtage hautement recommandée est toujours celle que l'on sait.

Plus tard, le 1er août 1972, on inaugurera à Moncton les nouveaux bureaux de Lévesque, Beaubien Inc. et Normand Landry, successeur de Armand H. Cormier, y entrera en fonction le 28 juin 1976.

Le ministre de la Santé du Nouveau-Brunswick, Monsieur McInerney, confie à l'avocat Cormier que le gouvernement provincial va bientôt assumer la responsabilité des services de santé et d'hospitalisation. En prévision de la mise en œuvre de ce mouvement de socialisation, Adrien Cormier juge que les communautés de religieuses hospitalières devraient se protéger en émettant des obligations pour rembourser les maisons-mères des sommes qu'elles avaient investies dans les hôpitaux. Il sait que le gouvernement va assumer le fardeau de la dette, c'est-à-dire le remboursement des obligations flottant sur le marché. Les trois communautés francophones impliquées sont les Hospitalières de Saint-Joseph, qui possèdent plusieurs hôpitaux, les

À Athènes, en octobre 1961, Adrien J. Cormier, son épouse Élisabeth, Jeanne et J.-Louis Lévesque. (Photo: Coll. privée)

Sœurs de la Providence, propriétaires de l'Hôtel-Dieu à Moncton et les Filles de Jésus qui ont un hôpital à Dalhousie. Le total des émissions d'obligations à émettre se chiffre à environ 12 millions de dollars. Voilà donc une clientèle des plus intéressantes pour tout vendeur d'obligations. Grâce aux circonstances que l'on sait, elle deviendra elle aussi, on peut le prévoir, le champ privilégié du Crédit Interprovincial.

L'avocat Cormier est nommé juge en 1955 et, par conséquent, ses relations avec Louis Lévesque ne seront plus désormais que celles de l'amitié mais elles iront néanmoins toujours s'intensifiant. Les deux amis se fréquentent régulièrement et ils voyagent souvent ensemble. Aussi bien lorsque l'heure de la retraite aura sonné que pendant leur vie active, les deux amis et confidents partageront régulièrement leurs loisirs et leurs vacances. Cette amitié sans faille, on le verra plus loin, bénéficiera largement à la cause acadienne.

Un deuxième grand ami : le Père Clément Cormier, c.s.c.

Parmi les chefs de file à qui le peuple acadien doit le prodigieux essor qu'il a connu au cours des récentes décennies, une figure émerge, comme un phare, un géant, un monument. Il s'agit de l'éminent éducateur que fut le Père Clément Cormier, de la Congrégation de Sainte-Croix. L'œuvre d'éducation et de promotion acadienne que poursuivait cet éducateur était tout à fait de nature à plaire à Louis Lévesque dont on connaît les convictions au sujet de l'éducation et de son rôle primordial dans l'affirmation et le rayonnement d'un peuple. Le premier geste qui mit les deux hommes en relation l'un avec l'autre en fut un de générosité de la part du financier. C'était en juin 1951 et la chorale des étudiants de l'Université Saint-Joseph de Memremcook avait reçu de lui une aide substantielle pour participer à un festival des chorales en Angleterre. Le Père Clément Cormier était alors supérieur de l'Université Saint-Joseph et il adressa des remerciements officiels au donateur qui lui répondit tout simplement qu'il était heureux de pouvoir le faire. Une amitié venait de naître qui allait avoir pour la cause de l'éducation en Acadie des suites dont le Père Cormier, même dans son inaltérable optimisme, ne pouvait pas prévoir toute la portée.

Le 28 mai 1952, l'Université Saint-Joseph de Memremcook décerne à J.-Louis Lévesque un doctorat « honoris causa » en Sciences commerciales.

Cette nouvelle amitié va nourrir chez les deux hommes une conviction et un désir qui les habitent depuis toujours. L'un et l'autre, chacun à sa façon, ils rêvent de voir surgir en Acadie les possibilités pour la jeunesse de se donner sur place une formation universitaire complète et de confirmer ainsi non seulement la survie du peuple acadien mais son épanouissement et son affirmation véritable dans le concert des nations. Le Père Cormier utilise les moyens dont il dispose pour remercier et faire mieux connaître cet ami et bienfaiteur des Acadiens qu'est Louis Lévesque. Au cours de la collation des diplômes du 28 mai 1952, l'Université Saint-Joseph lui décerne un doctorat honoris causa en sciences commerciales en reconnaissance des nombreux services rendus aux institutions religieuses de l'archidiocèse de Moncton et des deux autres diocèses acadiens de Bathurst et Edmunston. Le récipiendaire profite de l'occasion pour proclamer, devant la jeunesse acadienne et les autres élites rassemblées en ces lieux, sa ferveur acadienne et sa foi en l'éducation. Fort de ses origines acadiennes, il utilise la première personne du pluriel et, avec la conviction que son expérience en affaires a déjà fermement confirmée, il déclare :

> Si nous voulons, comme peuple, consolider nos positions, nous mettre en état de réaliser pleinement notre vocation nationale, donc de porter à leur plus haut degré d'épanouissement les valeurs de culture et de civilisation dont nous sommes les dépositaires, il va falloir améliorer notre situation économique, parvenir à une autonomie assez large pour nous soustraire (...) à la dépendance de l'étranger. (...) Il nous faut donc des hommes d'affaires, commerçants, industriels et financiers plus nombreux et plus puissants. Et ce sera notre œuvre à nous, Acadiens de 1952[3].

Expansion de l'Université Saint-Joseph

L'Université Saint-Joseph doit élargir ses services et, pour ce faire, on décide de transférer une partie de ses effectifs, de Memremcook à Moncton. Les religieuses du Bon-Pasteur offrent leur propriété de Moncton, comprenant un vaste édifice et une cinquantaine d'arpents de terrain. Le prix en est élevé mais le conseil de l'université est favorable à l'achat. Cependant, il faut obtenir l'autorisation du conseil général de la Congrégation de Sainte-Croix. Évidemment, l'aspect financier va être la pierre d'achoppement. En mars 1952, le Père Cormier, voulant rassurer son supérieur général sur le bien-fondé du projet, lui écrit, à Rome :

> Reconnaissant notre inexpérience dans le domaine financier, nous avons consulté plusieurs hommes du

métier qui tous nous ont encouragés à procéder. À Moncton, le président directeur-général d'une société d'assurances, M. Calixte Savoie, qui non seulement a fait un grand succès de l'entreprise qu'il dirige, mais est devenu le conseiller financier d'à peu près toutes les institutions religieuses ; Me Adrien Cormier, l'un de nos jeunes avocats les plus brillants et les plus consciencieux et qui est l'aviseur légal de nos institutions les plus en vue ; M. Edmond Frenette, comptable licencié qui s'est spécialisé dans les placements et dans le financement des entreprises. À Montréal, M. Louis Lévesque, gérant du Crédit Interprovincial et M. Jules Brillant, un de nos anciens élèves qui est propriétaire ou gérant de multiples entreprises industrielles et commerciales. Or, tous nous encouragent sans hésitation à accepter la proposition du Bon-Pasteur. On pourrait résumer le sentiment de tous en cette parole que nous disait l'un d'eux : « Vous aurez à travailler, mais vous n'avez pas à craindre l'insuccès[4]. »

Le 10 octobre 1953, le Conseil d'administration de l'Université Saint-Joseph étudie un projet de financement proposé par le Crédit Interprovincial pour consolider les dettes de l'Université Saint-Joseph, tant à Memremcook qu'à Moncton. Il s'agit d'une émission d'obligations de 700 000 $.

La fête nationale des Acadiens a lieu le 15 août et l'année 1955 marque le deuxième centenaire de la tristement célèbre déportation dont le centre névralgique fut Grand-Pré. Or à cette date et en ce lieu les Acadiens célèbrent de façon grandiose leur survivance et leur détermination de s'affirmer comme peuple. Dans cette foule en fête se trouve à Grand-Pré, comme en un pieux pèlerinage, la famille de Louis Lévesque en compagnie d'Adrien Cormier et de son épouse. En ce haut lieu acadien, le groupe de pèlerins rencontre l'ami Clément Cormier. On s'entretient, évidemment, de l'Université Saint-Joseph et le financier suggère à l'éducateur de procéder à une émission d'obligations qui consoliderait les dettes de l'institution.

La suggestion eut des suites : sur un feuillet publicitaire faisant état d'un certain nombre des activités du Crédit Interprovincial au Nouveau-Brunswick pendant l'année 1955, on mentionne une émission d'obligations de l'Université Saint-Joseph. On y fait mention aussi d'émissions d'obligations et d'actions de la ville de Dieppe, des districts scolaires d'Allardville, de Caraquet, et de Richibouctou, de la province du Nouveau-Brunswick et de l'archevêque catholique romain de Moncton.

Première élection d'un premier ministre acadien

Événement politique de première importance en Acadie. En juin 1960, une première dans l'histoire du peuple acadien : un de ses fils, Louis Robichaud, est élu premier ministre du Nouveau-Brunswick. Le nouveau premier ministre connaît déjà les dispositions et les actions concrètes de Louis Lévesque envers ses cousins d'Acadie. Il fera tout pour que cette relation se poursuive et s'intensifie. Peu après son élection, il obtient l'admission du Crédit Interprovincial au syndicat des maisons de courtage accréditées auprès de son gouvernement. Jusqu'à ce moment il y avait cinq ou six maisons dans ce syndicat et toutes étaient anglophones. À compter de ce jour, différents ministères et compagnies de la Couronne firent affaire avec la maison de courtage de Louis Lévesque. Il en fut ainsi, par exemple, de l'Hydro, de diverses municipalités et du ministère de l'Éducation.

Les deux Acadiens firent ensemble de nombreuses, importantes et bonnes affaires et ils devinrent de bons amis. Un jour que le gouvernement du Nouveau-Brunswick lançait une nouvelle émission d'obligations, on avait relié les bureaux des deux Louis en une conférence téléphonique et, dans le bureau du président du Crédit Interprovincial, un vendeur suggéra un prix à Louis Lévesque

Au bureau du premier Acadien élu premier ministre. Les deux Louis devinrent de bons amis.

qui objecta : « C'est cher ! ». Aussitôt, l'on entendit l'autre Louis, le premier ministre, de son bureau de Fredericton, faire une amicale et très efficace mise en garde : « Louis, arrange-toi pas pour perdre de l'argent ! » Ce fut la fin de la négociation. Louis Lévesque déclara : « Ça va, je le prends[5]. »

Louis le financier raffolait du homard. C'était là son mets préféré parmi les plus recherchés et très probablement son péché mignon. Quant à Louis le premier ministre, il vivait au royaume du homard, comme d'ailleurs l'avocat Adrien Cormier. Or, chaque année à la saison du nouveau homard, et souvent plus d'une fois, pour célébrer quelque heureux événement ou tout simplement pour revoir ses amis d'Acadie, le financier décidait de s'envoler de Montréal vers le Nouveau-Brunswick, avec quelques invités, afin d'y déguster un souper au homard et revenir à Montréal le même jour. La fête avait généralement lieu chez Adrien Cormier où se retrouvait volontiers le premier ministre Robichaud, jovial convive et lui aussi bon amateur de party au homard.

À la présidence du Bureau des régents de l'Université Saint-Joseph

Un courant nouveau monte rapidement à travers le Nouveau-Brunswick comme à travers le Québec qui va réformer de fond en comble les systèmes d'éducation. L'Université Saint-Joseph se prépare à la transition qui s'imposera bientôt à elle aussi, vers la laïcisation de ses structures. Le 4 mars 1961, son recteur, le Père Clément Cormier, invite Louis Lévesque à faire partie du Bureau des régents, un nouvel organisme en voie de création «pour nous assurer les avis de judicieuses personnes de l'extérieur dans la poursuite de nos objectifs[6]». Louis Lévesque accepte l'invitation. Le Bureau des régents tient sa réunion de fondation le 21 juillet 1961, toutefois sa première réunion de travail n'aura lieu que le 24 juin 1963 alors que, fait significatif et combien prometteur, on y retrouvera le trio d'amis et bâtisseurs aux postes suivants : Louis Lévesque à la présidence, Adrien Cormier à la vice-présidence et Clément Cormier à la présidence du comité exécutif.

La Commission Deutsch

Au Québec, la Commission Parent va bientôt transformer profondément le système scolaire en recommandant, entre autres nouveautés, la création du ministère de l'Éducation et celle de l'Université du Québec. Au Nouveau-Brunswick, à peu près en même temps, une autre commission va modifier les structures scolaires et c'est la Commission Deutsch. Le 9 mai 1961, le premier ministre Louis Robichaud institue cette Commission chargée d'enquêter sur l'enseignement supérieur au Nouveau-Brunswick. Deux personnalités avantageusement connues font partie de la Commission, en plus de celui dont elle tient son nom, le Dr Deutsch, président du Conseil économique du Canada. Ce sont le docteur Maxwell, éducateur de Woodstock, et le juge Adrien J. Cormier qui devient, en quelque sorte, la cheville ouvrière de l'organisme d'enquête. Le rapport de la Commission paraît en 1962 et il recommande la fusion des trois collèges francophones du Nouveau-Brunswick qui portent officiellement le nom d'Université, soit l'Université Saint-Joseph de Moncton, l'Université du Sacré-Cœur de Bathurst et l'Université Saint-Louis d'Edmunston. Le premier ministre Robichaud est d'accord avec cette recommandation et il confie au juge Cormier la tâche de convaincre les autorités de ces trois institutions d'accepter la fusion proposée.

Le juge Cormier, comme tous les autres ardents promoteurs de la cause acadienne, voit en ce projet dont l'inspirateur n'est nul autre que son homonyme le Père Clément Cormier, une ouverture sans précédent du gouvernement envers le peuple acadien. C'est enfin la porte ouverte vers l'avenir. Le gouvernement du Nouveau-Brunswick accepterait de financer une université acadienne au même titre que les autres universités de la province, toutes anglophones, qui bénéficient depuis toujours des deniers publics dont ceux des Acadiens. C'est une aubaine à ne pas manquer mais il y faut mettre des gros sous. Ne reculant devant aucun obstacle, le juge Cormier, en excellent stratège, s'emploiera à paver la voie à l'avènement de la première véritable université des Acadiens.

> J'étais bon ami à la fois du Père Cormier, recteur de l'Université Saint-Joseph, et du Père provincial de la communauté des Pères Eudistes qui dirigeait les deux autres institutions de Bathurst et Edmunston. Je les rencontre, j'étudie avec eux la recommandation et ses effets prévisibles et je les amène à signer l'acceptation de la fusion. Mais il y avait devant nous un autre problème majeur: il fallait 4 millions $ au départ et le soutien gouvernemental se limiterait à une subvention statutaire annuelle.

J'expose la difficile situation à Louis Lévesque qui me dit : « Les Pères de la Congrégation de Sainte-Croix ont une bonne réputation, ils devraient émettre des obligations, mais je sais qu'il leur faut pour cela la permission de leur supérieur général de Rome. Nous irons à Rome voir ce supérieur général[7]. »

Et c'est ainsi qu'en avril 1963, Adrien Cormier et Louis Lévesque se retrouvent à Rome en mission spéciale. Ils y rencontrent le Père Germain Lalande, supérieur général de la Congrégation de Sainte-Croix, et lui exposent toute la problématique incluant la suggestion formulée par Louis Lévesque qui, on le sait déjà, a toujours eu la main heureuse avec les religieux et religieuses. Au cours de cette rencontre, on en arrive à un habile compromis : le supérieur général autorisera des membres de la Province acadienne de la Congrégation de Sainte-Croix à faire la demande officielle de la charte de la nouvelle université qui pourra émettre des obligations que le Crédit Interprovincial vendra sans difficulté. Ladite congrégation deviendra donc la principale caution légale de la nouvelle université, sur une base intérimaire, en attendant que les laïcs puissent prendre la relève. L'opinion du supérieur général se résume comme suit : « Si le gouvernement du Nouveau-Brunswick verse désormais à l'université des deniers publics, ce n'est pas à nous, ici à Rome, qu'il appartient de contrôler la façon dont ces subventions vont être utilisées. Le plus tôt possible, il faut instituer une corporation de citoyens responsables au gouvernement[8]. »

Le président du Crédit Interprovincial a donc la main heureuse avec les religieux, c'est un fait, mais ce n'est pas fortuit. Nous avons déjà eu l'occasion de le noter, le financier sait fort bien entretenir avec eux les relations les plus avantageuses. Ainsi, au cours de ce voyage à Rome, une occasion en or se présenta de cultiver et de confirmer son excellente réputation et il l'utilisa de main de maître. Cette visite dans la Ville éternelle coïncidait avec la tenue du Concile Vatican II. Il y avait donc là, parmi les dignitaires ecclésiastiques venus du monde entier, des dizaines d'évêques du Québec et de l'Acadie. Rassemblement idéal en un lieu idéal pour qui veut faire plaisir à une clientèle aimée! Louis Lévesque nolise un autocar de luxe et il offre à ces évêques une très sélecte excursion guidée de deux jours sur la pittoresque route d'Amalfi.

La naissance de la première université des Acadiens

Date mémorable, c'est le 19 juin 1963 que le gouvernement du Nouveau-Brunswick fait siennes les recommandations de la Commission Deutsch. Son Honneur le lieutenant-gouverneur, J. Léonard O'Brien, accorde l'assentiment royal à la loi d'incorporation donnant l'existence légale à la nouvelle université que, dans un très logique souci d'uni-

Assistaient à l'inauguration de l'édifice des sciences et de la bibliothèque de l'Université de Moncton, en 1965, plusieurs des personnalités que J.-Louis Lévesque avait mobilisées en faveur de la cause. Dans l'ordre habituel: Leonard C. Jones, maire de Moncton, Mgr* Léonard Léger, Louis J. Robichaud, premier ministre, Clément Cormier, Jules Brillant, J.-Louis Lévesque, Paul Desmarais et Adrien J. Cormier. (Photo: archives du CUM)*

versalité et de non-discrimination, on nommera Université de Moncton.

> À toutes fins utiles, écrira le premier recteur de cette université, c'était comme s'il (le gouvernement du Nouveau-Brunswick) disait aux Acadiens : « Réorganisez vos effectifs de façon rationnelle ; acceptez un judicieux régime de collaboration et la province vous dotera d'une université. » Jamais auparavant avions-nous pu jouir d'une pareille aubaine. Une attitude d'équité compatible avec les principes des droits de l'homme l'emportait enfin sur la pratique décadente de l'oubli des minorités[9].

Enthousiaste et dynamique, la machine acadienne se met en marche. Il y a beaucoup à faire mais le projet est emballant : jamais l'avenir de l'Acadie n'a paru plus prometteur. Le 24 juin 1963, avons-nous déjà dit, se tient la première réunion du Bureau des régents. Le président Louis Lévesque a choisi sur le volet, parmi ses amis et connaissances, quelques renforts qu'il avait jugés plus qu'intéressants. Ainsi retrouve-t-on, parmi les personnalités attablées à cette première réunion du Bureau des régents, l'Honorable Jules A. Brillant de Rimouski, qui présidera le comité de finance, et Paul Desmarais de Montréal, qui allait bientôt contrôler l'empire Power Corporation. Il y avait beaucoup de pain sur la planche. Il fallait prendre d'importantes décisions dont celles concernant le programme de construction, les émissions d'obligations, les emprunts, la campagne de souscription.

Le comité des finances du Bureau des régents

Le président Louis Lévesque avait eu l'œil juste encore une fois en confiant le comité des finances du Bureau des régents à son ami, le prestigieux financier Jules A. Brillant, lui-même ancien étudiant de l'Université Saint-Joseph. Quand fut venu le moment jugé approprié, une campagne de levée de fonds se mit en branle et remporta un éclatant

En 1969, le nouveau chancelier de l'Université de Moncton présente un doctorat honorifique au premier ministre du Canada, Pierre Elliot Trudeau. (Photo: archives du CUM)

succès. Le président du Bureau des régents se fit fort de rappeler aux organismes et individus sollicités à l'extérieur de l'Acadie combien il importait de répondre à l'appel. Il leur rappelait systématiquement que leur appui financier à l'Université de Moncton constituait tout simplement un geste d'équité de même qu'un juste retour des choses. Pour ce faire, il avait fait inscrire le texte suivant, en exergue, sur son papier personnalisé de président du Bureau des régents de l'Université de Moncton:

> Les Provinces Maritimes ont largement contribué au développement des universités des autres provinces et au progrès économique du Canada. En effet, ce sont des hommes formés par les collèges et universités des Maritimes, tels que les Beaverbrook, Brillant, Henry Borden, Dunn, Bennett, Hunter,

Pitfield, Mackay et autres, qui ont dirigé et dirigent encore un grand nombre de nos banques, aciéries, maisons de courtage, papeteries, services publics, etc. L'économie des Provinces Maritimes ne leur a pas permis d'y demeurer et ce sont les autres provinces qui bénéficient de leurs talents et de leurs énergies.

Le président du Bureau des régents s'implique de très près dans la campagne de souscription et il adresse des remerciements officiels à chacun des souscripteurs. Au début de 1967, il est heureux de leur signaler que le rapport de la campagne au 31 décembre précédent fait état de l'encourageante somme de 2 892 000 $.

J.-Louis Lévesque, chancelier de l'Université de Moncton

Le 29 octobre 1967, Louis Lévesque devient le deuxième chancelier de l'Université de Moncton. Premier laïc à accéder à ce poste, il y remplace Mgr Norbert Robichaud, archevêque de Moncton. L'investiture solennelle lui est conférée par le président du Conseil des gouverneurs, créé le 29 décembre précédent en remplacement du Bureau des régents[10], nul autre que Son Honneur le juge Adrien Cormier.

> Quelque 600 personnes dont le corps professoral de l'Université, le sénat académique, le conseil des gouverneurs de l'Université, des représentants d'universités à travers le Canada et les États-Unis ainsi que plusieurs personnalités politiques assistaient à cette cérémonie historique. (...) L'Université de Moncton a profité de cette occasion pour honorer cinq éminents Canadiens. L'Honorable Jules A. Brillant, industriel de Rimouski, a reçu un doctorat en Sciences commerciales ; S.E. Mgr Norbert Robichaud, archevêque de Moncton et ex-chancelier de l'Université, un doctorat ès Lettres ; M. John W. Fisher, ancien président de la Commission du Centenaire, un doctorat en Sciences sociales ; M. le juge Vincent Pottier, de la cour supérieure de la

Nouvelle-Écosse, un doctorat en Droit et Mgr Louis-Albert Vachon, recteur de l'Université Laval, un doctorat ès Lettres[11].

Parmi les amis et collaborateurs du nouveau chancelier présents à la cérémonie, on remarque aussi le premier ministre Louis Robichaud, Roger Paquet, Paul Desmarais et Roland Giroux. Le Père Clément Cormier est retenu à l'Université de Sudbury où il reçoit, à son tour, un doctorat honorifique.

Le nouveau chancelier prononce alors un discours de circonstances dans lequel, après avoir remercié le nouveau Conseil des gouverneurs et son président, le juge Cormier, de la confiance dont ils ont voulu témoigner à son égard, il se réjouit de

Le nouveau chancelier pose avec trois jeunes nouveaux diplômés. « La collaboration intime du monde des affaires avec le monde universitaire a toujours été mon premier souci. »

voir en ce titre de Chancelier qui lui est conféré un honneur rejaillissant non seulement sur toute sa famille mais aussi sur le monde des affaires qu'il représente et dont la collaboration intime avec le monde universitaire a toujours été son premier souci.

Il se dit heureux aussi de ce qu'en plus de ce titre honorifique on lui confère aussi une part de responsabilité. «Je crois en la nécessité de l'Université de Moncton; j'ai confiance en son avenir, en son développement, en son rayonnement sur toute l'Acadie et en son influence bénéfique sur tout le pays. Je considère donc comme un grand privilège d'être associé à cette belle et noble entreprise et de participer de près à son épanouissement.»

Ensuite, le chancelier-financier aborde le domaine des chiffres qui lui est particulièrement familier. L'enseignement universitaire coûte très cher et exige des sacrifices, rappelle-t-il, en précisant qu'au cours de la dernière décennie la dépense totale pour l'enseignement au Canada est passée de 781 millions$ à 3 milliards$ et, qu'au Québec, le coût par étudiant universitaire est passé de 1681$ à 2906$ en six ans. Il fait appel à la générosité de tous. Même si les gouvernements assument la majeure partie de ces frais, il reste beaucoup à faire, insiste-t-il, et l'entreprise privée comme les individus doit contribuer généreusement à la campagne de souscription qui a déjà rapporté 3, 6 millions$ de son objectif de 5 millions$. «Sous peu, nous allons relancer notre campagne avec plus de vigueur et plus d'enthousiasme que jamais[12].»

La même cérémonie d'investiture du nouveau chancelier comportait aussi l'investiture, par le nouveau chancelier lui-même cette fois, du nouveau recteur de l'Université, en la personne de Me Adélard Savoie, qui succédait ainsi au premier recteur, le Père Clément Cormier. Le nouveau recteur prononça à son tour un discours dont la teneur et la vision d'avenir furent certes bien douces à l'oreille du nouveau chancelier. C'est dans les termes suivants que Me Savoie présenta à son très distingué auditoire sa façon de concevoir la mission de la jeune université dont il devient le recteur:

L'Université de Moncton (...) marque la conquête d'un sommet vers lequel notre peuple se dirigeait plus ou moins consciemment depuis plus de cent ans.

Centre de haut savoir, l'Université de Moncton doit être d'abord un foyer rayonnant de vie intellectuelle. Elle doit constituer un carrefour où des penseurs, des hommes de science, des spécialistes dans toutes les disciplines de l'esprit doivent se rencontrer et collaborer afin de former une communauté universitaire visant à promouvoir la science sous toutes ses formes et à développer les valeurs de l'intelligence et de l'esprit.

L'Université française du Nouveau-Brunswick, notre université, d'inspiration et de culture françaises, veut affirmer et proclamer qu'il est terminé le stade folklorique de la langue et de la culture. Il est maintenant vital pour nous d'agrandir nos horizons et c'est un devoir de nous intégrer dans le grand mouvement de la communauté française mondiale. Nous n'en sommes plus au stade statique de conservation mais bien à celui de développement et d'enrichissement de toute notre population en une culture vivante, dynamique et rayonnante[13].

« Il est maintenant vital pour nous d'agrandir nos horizons et c'est un devoir de nous intégrer dans le grand mouvement de la communauté française mondiale. » (Me Adélard Savoie, recteur de l'Université de Moncton) (Photo: archives du CUM)

« Nous allons relancer notre campagne avec plus de vigueur et plus d'enthousiasme que jamais »,

avait donc promis le nouveau chancelier de l'Université de Moncton. Ce qui fut dit fut fait. Comme volet particulier de cette relance, les trois financiers québécois Louis Lévesque, Jules Brillant et Paul Desmarais se partagèrent la liste d'une centaine de compagnies et institutions financières faisant affaires au Québec et ils se mirent à l'œuvre de sollicitation. Au 6 décembre 1967, leur cueillette parmi cette clientèle totalisait 536 700 $. La somme recueillie était considérable et les financiers avaient tiré de façon habile et convaincante les ficelles de leur prestige, de leur expérience et de leurs amitiés. Louis Lévesque pouvait en être heureux mais, selon lui, il fallait davantage d'argent pour assurer à l'Université de Moncton un départ sûr. Aussi, il ouvrit large ses goussets personnels. La contribution financière qu'il a apportée lui-même à son université, en plus des services qu'il lui a prodigués à ses divers titres d'ami, de conseiller ou de chancelier, fut plus que généreuse, elle fut gigantesque.

Pendant qu'il présidait encore le Bureau des régents, le sportsman voulut hâter le moment où la nouvelle université pourrait se doter d'un centre sportif convenable. Il s'engagea à verser à la cause un montant tel que l'on put procéder à la construction de l'édifice qui fut inauguré le 4 octobre 1966 sous le nom de Aréna J.-Louis Lévesque. Le mécène, qui présidait à la cérémonie, profita de l'occasion pour dire encore une fois l'importance qu'il accorde à la pratique des sports dans la formation d'hommes et de femmes dont la société a si grand besoin. « L'un de mes plus chers désirs est enfin réalisé, avoua-t-il, et j'espère que les jeunes qui utiliseront la nouvelle aréna de l'Université de Moncton auront toujours à cœur le désir de la perfection et viseront toujours à se classer premiers. »

Deux mois plus tard, il adressait à son ami le Père Clément Cormier, recteur de l'Université, un

L'aréna J.-Louis Lévesque de l'Université de Moncton. «J'espère que les jeunes viseront toujours à se classer premiers» (J.-Louis Lévesque). (Photo: archives du CUM)

chèque de 300 000 $ en lui mentionnant qu'il s'agissait du deuxième versement d'une souscription de 500 000 $ promise au fonds de construction de l'Université[14]. Un an plus tard, des travaux supplémentaires s'étant avérés nécessaires au nouveau centre sportif, il versa un nouveau don de 125 000 $ pour en couvrir les frais. Le recteur Adélard Savoie lui adressa une lettre de remerciement précisant que « cela porte votre souscription à 625 000 $[15] ».

Le Père Clément Cormier présente à son ami J.-Louis Lévesque une plaque-souvenir de l'aréna... du même nom. (Photo: archives du CUM)

Ce fut une croissance rapide que connut l'Université de Moncton. Et les efforts de ses bâtisseurs, à tout point de vue, furent admirables. Un remarquable esprit de collaboration ajouta grandement à leur efficacité. Un simple coup d'œil sur les dépenses globales que l'Université naissante nécessita au cours de ses douze premières années nous en donne une approximation impressionnante. Ainsi, de 4 257 820 $ en 1963-64, ces dépenses allaient totaliser les 18 472 272 $ en 1974-75[16].

Selon le Père Clément Cormier, cette réussite fut un coup de force et on le doit d'abord aux membres du comité des finances du Bureau des régents. En retraçant l'histoire de cette fondation qui fut éminemment la sienne, le Père Cormier, tenant à rendre à César ce qui appartient à César, attribue à Louis Lévesque une large part du succès remporté. «Ce qui a le plus contribué à assurer la rapide expansion de l'Université de Moncton, ce fut la géniale suggestion de Louis Lévesque d'utiliser les subventions du gouvernement pour

L'Université de Moncton.
« Le Père Cormier attribue à
J.-Louis Lévesque une large
part du succès remporté. »
(Photo: archives du CUM)

emprunter et payer les intérêts au lieu de dépenser l'argent directement pour la construction des édifices[17]. » Il fut, écrit l'historien de l'Université des Acadiens :

> un collaborateur assidu et un conseiller à la fois sage et audacieux. En toute circonstance, quelle que fût l'ampleur d'un projet, son attitude était invariablement la même : « Allez-y ! On trouvera le moyen ! » Et par quelques appels téléphoniques, il aplanissait les voies donnant accès aux bureaux les plus inaccessibles[18].

Quant au juge Adrien Cormier, l'ami dont on a vu quel rôle clé il a joué dans l'émergence de cette essentielle institution acadienne, il affirme, comme en oubliant son propre mérite : « Sans ces hommes : les Louis Robichaud, Clément Cormier et Louis Lévesque, l'Université de Moncton ne serait pas sortie de terre avant un autre 20 ou 25 ans[19]. »

Hommage de reconnaissance

L'Université de Moncton et tout le peuple acadien doivent donc beaucoup à ce financier québécois aux profondes racines acadiennes et l'institution voulut témoigner sa reconnaissance de la façon la plus pertinente et solennelle qui soit en décernant à son bienfaiteur et ex-chancelier un doctorat « honoris causa » en droit civil. La cérémonie eut lieu le 27 octobre 1973. On célébrait alors le dixième anniversaire de la fondation de la première Université des Acadiens.

Dix ans plus tard, le 17 mai 1983, l'Université rendait un hommage bien mérité à ses quatre fondateurs, les deux Cormier et les deux Louis : le Père Clément Cormier, c.s.c., le juge Adrien J. Cormier, l'ex-premier ministre Louis Robichaud et le bienfaiteur et ex-chancelier Louis Lévesque. Consciente de l'histoire de ses origines et justement reconnaissante, l'institution souligna ce même jour

L'Université de Moncton décerne à son premier chancelier un doctorat honorifique en droit civil.

Piscine Jeanne-Lévesque au Centre d'éducation physique et de sport de l'Université de Moncton. (Photo: archives du CUM)

l'œuvre de pionniers, fondamentale et éminemment féconde, qu'ont réalisée en Acadie, pour la cause de l'éducation, la Congrégation de Sainte-Croix, les Pères Eudistes, les Pères Rédemptoristes, le clergé séculier, la congrégation des Sœurs de Sainte-Croix, les Sœurs de Notre-Dame du Sacré-Cœur, les Religieuses Hospitalières de Saint-Joseph, les Religieuses de Jésus-Marie et les Filles de Marie-de-l'Assomption.

Au lendemain du décès de Louis Lévesque, le quotidien *L'Acadie nouvelle* titrait: «L'Acadie perd un ami fidèle». On y lit: «Le recteur de l'Université de Moncton, Jean-Bernard Robichaud, rappelle la dette de reconnaissance que les Acadiens et Acadiennes ont envers celui qui a été un véritable ami et un généreux bienfaiteur... Médard Collette, vice-recteur à l'administration, affirme: "Non seulement c'était un ami des Acadiens, mais il nous a aidés, il a cru en nous!"[20]»

Notes

1. Edmond Frenette deviendra président de la Société l'Assomption. En 1942, il se joint à l'aviation canadienne, comme officier d'administration. De 1942 à 1944, il est professeur de finance à l'Université Saint-Joseph qui inaugure en 1942 son cours universitaire de commerce. Après la guerre, il revient à La Société l'Assomption comme trésorier-général. En 1951, à l'invitation de Louis Lévesque, il quitte Moncton pour Montréal où il sera contrôleur, gérant-général et vice-président de la compagnie Slater Shoe, puis gérant-général, vice-président de la librairie Beauchemin. De 1961 à 1965, il sera vice-président éxécutif de Dupuis Frères Limitée.

2. Annales des religieuses Hospitalières de Saint-Joseph, Administration Provinciale, Bathurst, 24 juillet 1939.

3. Extrait du discours prononcé par Louis Lévesque à l'Université Saint-Joseph, le 28 mai 1952, alors que l'institution venait de lui décerner un doctorat *honoris causa* en Sciences commerciales.

4. Extrait des notes rédigées par le Père Cormier sur ses relations avec Louis Lévesque et l'histoire de l'Université de Moncton, conservées au Centre d'études acadiennes de la même université, à Moncton, dans le fonds «Clément Cormier», boîtes 28 et 54.

(Ce fonds d'archives a fourni une large part de la documentation du présent chapitre.)

5. Extrait d'une interview accordée à l'auteur le 9 juin 1996 par Marcel Mathieu qui, comme vendeur pour le Crédit Interprovincial, avait été témoin de l'échange amical.

6. Lettre datée du 4 mars 1961. Elle donne la liste suivante des personnes convoquées à la réunion de fondation qui aura lieu le 15 avril suivant : Son Excellence Mgr Norbert Robichaud, R.P. Hector Léger, c.s.c., Mgr Léonard-J. Léger, P.A., T.R.P. Georges-Henri Lévesque, o.p., M. J.-Louis Lévesque, Son Honneur le Juge Adrien-J. Cormier, Me Charles-Édouard Léger, Me Adélard Savoie, M. Camille Lang, M. Alexandre J.Boudreau, R.P. Clément Cormier, c.s.c., R.P. Louis-Marcel Daigle, c.s.c., R.P. Robert Lavoie, c.s.c., R.P. Oneil Ferguson, c.s.c.

7. Interview accordée à l'auteur par le juge Adrien Cormier, à Moncton, le 19 janvier 1996.

8. Notes du Père Clément Cormier, *ibid.*

9. Clément Cormier, «L'Université de Moncton (Historique)», Centre d'études acadiennes, 1975, 388 p., p. 60.

10. À ce conseil siégeront pendant dix ans : Dr Claude Gauvreau, Me Adélard Savoie et M. Laurier Thibault. Trois autres pendant 9 ans : Juge Adrien-J. Cormier, Paul Desmarais et J.-Louis Lévesque.

11. Claude Bourque, *L'Évangéline*, 30 octobre 1967.

12. Discours prononcé par Louis Lévesque à l'occasion de son investiture comme chancelier de l'Université de Moncton, le 29 octobre 1967, Archives de la Fondation J.-Louis Lévesque.

13. Extraits du discours de Me Savoie, tels que rapportés par Claude Bourque dans *L'Évangéline* du 30 octobre 1967.

14. Lettre du 2 décembre 1966, notes du Père Clément Cormier, *ibid*.

15. Lettre du 6 décembre 1967, *ibid*.

16. Clément Cormier, « L'Université de Moncton (Historique) », p. 355.

17. Lettre du 21 mai 1978 à S. L., notes de Clément Cormier, *ibid*.

18. *Ibid.*, p. 348.

19. Extrait d'une interview accordée à l'auteur le 19 janvier 1996.

20. Article de Robert Gaudreau, 30 décembre 1994.

Chapitre six

Le sportsman et grand turfiste

C'est là une constante à peu près universelle dans le monde de la haute finance : les financiers aiment se retrouver dans les hippodromes. Ils aiment la compétition à laquelle s'y livrent leurs chevaux et cela devient pour eux une passion exaltante que de chercher à acquérir ou, mieux encore, à élever le champion qui triomphera demain du héros aujourd'hui applaudi. Certains financiers ont su transposer dans ce sport les talents et expériences qu'ils avaient développés en affaires. Lire rapidement des bilans de compagnies, en saisir les subtiles interrelations des points forts et des faiblesses et les retenir pour supputer leur avenir, voilà des habiletés qui les ont bien servis et qu'ils adorent appliquer à l'histoire des chevaux qu'ils observent, à leurs pedigrees, à leurs performances. Mais là ne s'arrête pas l'intérêt des financiers pour les hippodromes : ils se retrouvent aux pistes de course comme dans leurs clubs privés, ils y parlent d'affaires et y prennent souvent d'importantes décisions.

Parmi les financiers qui ont joué un rôle de premier plan dans le monde des courses de chevaux, on reconnaît E.P. Taylor comme l'architecte et le bâtisseur de l'industrie des courses en Ontario. Au Québec, c'est à Louis Lévesque, devenu bon ami du précédent, que revient incontestablement ce titre et on le lui a très souvent reconnu.

Pour la suite de Blue Bonnets

Depuis un demi-siècle déjà Blue Bonnets faisait partie du monde social et sportif de Montréal. La métropole avait bénéficié de cet hippodrome parmi les plus célèbres du Canada, grâce à l'initiative d'un journaliste sportif canadien du nom de John F. Ryan. Il avait travaillé à New York pour les journaux de la famille Hearst où il s'était spécialisé dans les courses de chevaux et s'était acquis ainsi l'amitié de nombreux amateurs de ce sport. Un jour donc il avait amené quelques-uns de ses fortunés amis à investir dans son projet. On acheta le terrain des frères Lapierre pour 46 000 $ et on y construisit la piste, les écuries, les quartiers des jockeys, le « Clubhouse » et le grand stand, le tout au coût de 249 000 $.

En 1907, les propriétaires de New York envoient leurs meilleurs chevaux courir à Montréal et ils en sont ravis. William Northey assume la direction de l'hippodrome, assisté de Louis Angevine. Blue Bonnets devient rapidement un centre social huppé. Le tout Montréal s'amène aux courses. On y retrouve d'importants financiers tant de Montréal que de New York ; entre autres, Sir H. Montague Allen, James Carruthers, les Ogilvie et Bartlett McLennan. Le prestige de Blue Bonnets va grandissant pour atteindre son apogée dans les années 1920 sous le leadership du commandant J.K.L. Ross, propriétaire de Sir Barton, le premier gagnant de la triple couronne aux États-Unis : « The Kentucky Derby, The Preakness and the Belmont stakes ».

Par la suite, en 1954, le président Eugène Lajoie décide d'abandonner les courses de plat devant le refus des hommes de chevaux de participer à des courses sous les réflecteurs. Louis Lévesque s'intéresse aux courses depuis longtemps. Il possède deux bons coursiers depuis maintenant deux ans. Comme on l'a vu déjà, en décembre 1957, avec un groupe d'amis, il obtient de la succession de M. Jos. Cattarinich le contrôle de Blue Bonnets au coût de 6 500 000 $. La nouvelle fait sensation dans le monde du sport et elle suscite les commentaires et espoirs les plus enthousiastes. Pour justifier les rêves les plus grandioses, on rappelle les nombreuses réalisations de Louis Lévesque. Ainsi peut-on lire parmi tous ces propos de journalistes heureux :

> Il y a quelques années, la Palestre Nationale était dans une position financière fort embarrassante. Et c'est à ce moment-là que les dirigeants de la Palestre ont réussi à convaincre M. Lévesque d'accepter la présidence générale. En continuant le travail déjà commencé par le Dr Albert Surprenant, M. Lévesque a accompli une besogne si admirable durant son mandat de trois ans que la Palestre est aujourd'hui l'orgueil des Canadiens français dans le domaine des centres sportifs pour la jeunesse. On peut donc imaginer que ce financier ne se reposera pas sur ses lauriers à Blue Bonnets. Au contraire, il redoublera d'ardeur afin de populariser davantage la piste du boulevard Décarie[1].

Immédiatement débute la construction d'un club-house moderne et spacieux (3,5 millions $), d'une tribune populaire, fermée et chauffée, dotée d'un pan de mur vitré donnant à tous les spectateurs une vue sans entrave sur la piste. On modernise le parc des écuries : elles seront à l'épreuve du feu et pourront loger jusqu'à 1000 chevaux. On aménage une piste d'entraînement, on transforme les voies d'accès et aires de stationnement et on fait installer les appareils électroniques devant assister les juges dans leur tâche délicate. Blue Bonnets est l'un des premiers hippodromes au Canada à se doter de la nouvelle technique du «photo-finish». Débutés en 1966, ces travaux seront parachevés pour l'ouverture de l'exposition universelle de 1967.

Ayant été nommé à la Commission Borden quelques mois auparavant, Louis Lévesque n'a que peu de temps à consacrer à Blue Bonnets et il persuade Paul Dansereau de consacrer ses temps et énergies à la réalisation des plans de développement de Blue Bonnets. «Il fut la pierre de base de l'entreprise considérable qu'est devenue Blue Bonnets», affirmera le sportsman en 1968. Il en coûtera 13 millions$ pour réaliser l'ensemble de ces travaux qui en feront une des plus belles pistes d'Amérique, selon certains commentateurs sportifs.

La saison de courses de 1958 offrira donc beaucoup de nouveau et l'enthousiaste propriétaire ne ménage pas la publicité que cela mérite. Pour souligner dignement cette ouverture prochaine, il reçoit trois cents personnes à dîner dans son restaurant Le Lutin qui bouffe. Parmi eux figurent le maire de Montréal, les membres du comité exécutif et les conseillers du district numéro 4 de la Ville de Montréal. Dans la salle à manger trône un arrangement floral représentant Kahla Key (cheval, voiture et conducteur), de l'écurie Maplewood, qui avait couru un mémorable 2:01.1. On profite de l'événement pour annoncer que le meeting de 100 jours débutant le 18 avril va offrir des bourses de plus d'un million de dollars et que l'on y verra évoluer les meilleurs chevaux jamais vus à Blue Bonnets.

Or aux promesses allait succéder la réalité. Au cours de ce premier meeting du nouveau Blue Bonnets, qui se termina le 27 juillet, en dépit d'un temps pluvieux et froid qui avait fait annuler trois programmes de courses et nui à plusieurs autres, la piste connut de nouveaux records d'assistance, de paris et de bourses offertes.

Un deuxième hippodrome et un seul gérant...

Grand amateur de courses de chevaux, Louis Lévesque ne se contentait pas des activités de Blue Bonnets, ni avant, ni après en être devenu le président. Il fréquentait aussi, au moins depuis 1956, la piste du parc Richelieu, où on le connaissait comme un parieur assidu et astucieux. Les courses sous harnais avaient débuté, au parc Richelieu, en 1930, plutôt modestement, mais elles avaient évolué pour devenir un sport majeur à Montréal. Le trésorier et directeur-général de la piste Richelieu était alors Raymond Lemay. C'était lui qui dirigeait le spectacle puisque les propriétaires, Donat Simard et Maurice Michaud de Québec, ne venaient aux courses que le dimanche après-midi. Se rencontrant souvent donc, Lévesque et Lemay commencèrent à fraterniser. L'amateur de courses avait décidé en 1955 que le temps était venu pour lui de réaliser un vieux rêve. «Je m'étais toujours dit que je m'achèterais un cheval lorsque j'en aurais les moyens», confia-t-il un jour à Phil Pikelny, directeur de la publicité de l'Association des trotteurs des États-Unis. Pour ses deux premiers achats, il avait porté son choix sur Khala Key et Worthy Melody, un ambleur et une trotteuse. Ni l'un ni l'autre n'était champion mais tous deux étaient des gagnants et ce fut en quelque sorte le coup de foudre. «Je rentrais d'une fin de semaine à la campagne et je reçus de New York un appel de mon entraîneur m'annonçant que mes deux chevaux avaient gagné... C'est probablement à ce moment-là que j'ai été accroché», rappelle-t-il. Et qui oserait prétendre que cette expérience n'y fut pas pour beaucoup dans sa décision d'acquérir Blue Bonnets?

En 1959, Maurice Michaud décède. La piste Richelieu était louée de Georges Soucie. Un problème de succession se pose alors et Louis Lévesque décide d'acheter de Soucie le bail qui expire deux ans plus tard. C'est la corporation des Valeurs Trans-

J.-Louis Lévesque achète la piste de courses Richelieu. Dans l'ordre habituel: Armand Delisle, Paul Dansereau, J.-Louis Lévesque, André Charron, Raymond Lemay et Georges Giguère.

Canada qui effectuera la transaction, en 1960, au coût de deux millions. Raymond Lemay en est à la fois surpris et heureux. Il y avait compétition entre les deux pistes. Et querelle sur le partage du calendrier des courses. Le premier ministre Duplessis, qui contrôlait alors beaucoup de choses, avait décidé d'arbitrer le conflit: une année, Richelieu fonctionnerait à l'automne et Blue Bonnets au printemps; l'année suivante, ce serait l'inverse. Or l'achat par Louis Lévesque arrange tout le monde. Le même homme exerçant le contrôle total sur les courses à Montréal, on pourra facilement harmoniser les calendriers des deux hippodromes.

Pour en arriver à cette harmonie, rien de mieux qu'un seul et même chef d'orchestre. Louis Lévesque avait vu Raymond Lemay à l'œuvre au parc Richelieu et avait jugé qu'il était l'homme tout désigné à qui confier aussi la gérance de Blue Bonnets. «Si vous pouvez diriger une piste de courses, vous pouvez en diriger deux», lui avait-il dit, en lui offrant un salaire qu'il ne pouvait pas refuser. Et Raymond Lemay, qui s'était retrouvé avec deux hippodromes à diriger, est catégorique sur la droiture de son patron. « Il n'aurait admis aucune irrégularité dans le fonctionnement des courses ; il était non seulement très honnête mais même pointilleux là-dessus », affirme-t-il. « Il m'avait ordonné, dès le départ : "Assurez-vous d'avoir le contrôle total sur toute l'organisation pour éviter autant que possible les courses discutables. Et vous avez tout mon support, quelle que soit votre décision." J'avais carte blanche, conclut Lemay. Blue Bonnets était la piste de courses reconnue en Amérique du Nord pour affecter à la sécurité le plus gros budget per capita. Monsieur Lévesque était d'une grande probité. »

Malgré toutes ces précautions, il se trouva des mécontents pour tenir des propos désobligeants et même calomnieux contre le financier possédant les deux hippodromes de Montréal. Ces insinuations et accusations pouvaient sembler le laisser indifférent mais il souffrait sûrement en son for intérieur de ce que l'on puisse mettre en doute cette honnêteté à laquelle il tenait mordicus, tant dans le domaine des courses que dans toutes ses transactions financières. Un jour d'avril 1969, alors qu'il était en dehors du pays, un individu téléphona à une employée de la Ville de Montréal, se fit passer pour le président de Blue Bonnets, et lui dit gentiment qu'il y aurait peut-être moyen de faire quelque chose pour elle. L'employée bernée, évoquant cet appel téléphonique, écrivit à Louis Lévesque pour lui exprimer le souhait suivant : « Je ne puis pas me permettre de gager des sommes fabuleuses, mais quand même, avec des bons conseils, je suis certaine que je pourrais être chanceuse. M'aiderez-vous à l'être ? Je le souhaite. »

Il y avait là matière à indigner Louis Lévesque. De retour au pays, il s'empressa de répondre à la lettre de cette employée de la Ville de Montréal qui avait naïvement cru en la corruptibilité du président de Blue Bonnets. Il lui demanda de bien vouloir lui fournir quelques informations ou indices susceptibles de lui permettre d'identifier la personne qui s'était ainsi servi de son nom. Et il ajouta, avec clarté et la calme fermeté qu'on lui connaissait : « Quant aux paris que vous voudriez faire à Blue Bonnets, personne ne connaît à l'avance le résultat des courses et il est absolument impossible de savoir qui va gagner. Dans le cas contraire, soyez assurée que les courses n'auraient pas lieu sous ma présidence. »

Le retour à Montréal des courses au galop

L'activité à Blue Bonnets s'est rapidement intensifiée sous la dynamique impulsion du nouveau propriétaire et de son expérimenté gérant Raymond Lemay qui allait plus tard succéder à Louis Lévesque en assumant la présidence de l'hippodrome, de 1970 à 1973. Jusqu'à leur arrivée, l'hippodrome ne connaissait que la courte saison d'avril à novembre. On n'y voyait que des courses sous harnais, les courses de plat ayant pris fin en 1953. Quand Louis Lévesque a acheté Blue Bonnets, la moyenne des paris tournait autour des 200 000 $ par programme. Dès l'année suivante, on avait atteint le quart de million. Sa nouvelle acquisition avait vraiment développé chez Louis Lévesque son amour des chevaux et il voulut posséder des bêtes de plus en plus performantes. D'un achat à un autre, il en vint à acquérir, au prix de 18 000 $, en 1968 à Harrisburg, le poulain Shreik, un champion qui décrocha une bourse de 100 000 $.

En faisant l'acquisition de Blue Bonnets et tout en continuant de s'intéresser aux courses sous harnais, Louis Lévesque avait derrière la tête le projet de ramener à Montréal les courses de pur-sang. Ainsi, dès qu'il eut acquis l'hippodrome il entreprit de convaincre ses directeurs de la nécessité d'offrir

En 1962, l'Association des pistes de courses du Canada rend hommage à J.-Louis Lévesque. Dans l'ordre habituel: Michel David, John Moony, J.-Louis Lévesque, Lucien Bombardier, André Charron et Jacques Goulet.

des spectacles plus variés et une saison plus longue en y ramenant les courses de plat. Avec ses avocats, il finit par découvrir et acheter des chartes inopérantes pour ces courses qui avaient attiré beaucoup d'amateurs à Blue Bonnets de 1907 à 1954.

Pendant que l'on procède aux travaux d'aménagement de la piste, Louis Lévesque organise le «Mt-Royal Jockey Club» avec un conseil d'administration composé de 21 personnalités de Montréal et Toronto sous la présidence de Sydney Jim Langill. En 1961 enfin, Blue Bonnets saluera le retour des courses de pur-sang. Voilà que la clientèle va s'élargir considérablement. Blue Bonnets avait droit à 42 jours de courses sous harnais et on lui ajoute ainsi un autre 42 jours de courses de plat. C'est un nouveau spectacle. Le président de Blue Bonnets encourage ses collègues à s'acheter des pur-sang et, prêchant lui-même par l'exemple, il achète son premier en 1961, au prix de 4000 $. Il l'obtient de Dorothy Moony, épouse du fameux entraîneur de courses sous harnais John Moony. Ce premier achat marque pour le sportsman le début de la participation majeure qu'il va apporter dans le monde canadien des courses de plat. L'année suivante, il se rend à la vente de poulains de la ferme Windfields de E. P. Taylor et paye 20 000 $ pour une pouliche. C'est Ciboulette, qui va devenir l'une de ses meilleures juments poulinières. Accouplée au très célèbre Northern Dancer, elle va produire Fanfreluche, qui sera choisie le cheval canadien de l'année en 1970. À son tour, Fanfreluche et le célèbre étalon Buckpasser donneront L'Enjoleur qui procurera à Louis Lévesque ses plus intenses émotions dans le monde hippique.

En 1965, on prolongera la piste de Blue Bonnets de 1/2 à 5/8 de mille avec une chute (rallonge pour le départ des chevaux), on la recouvrira d'un bon coussin pour la protection des chevaux et on construira l'estrade populaire. En quelques années, Blue Bonnets connaîtra une croissance extraordinaire de ses activités et clientèles. Le Prix d'au-

Le conducteur Frank Ervin, vainqueur avec Bret Hanover en 1:59, lors du Prix d'automne couru à Blue Bonnets le 17 octobre 1966, reçoit un tableau des mains de J.-Louis Lévesque, président de Blue Bonnets. Dans l'ordre habituel : Richard Downing, propriétaire de Bret Hanover, Aimé Desrosiers, Frank Ervin, Paul Desmarais, J.-Louis Lévesque, Paul Dansereau, Thruman Downing et Raymond Lemay.

tomne de 1966 où triomphe le célèbre Bret
Hanover (1:59) devient le prestigieux Prix d'été, la
plus riche épreuve de l'amble au Canada. En cette
même année 1966, le meeting de courses de plat de
51 jours attire l'excellente moyenne de 10 320
spectateurs par programme, total jamais égalé par la
suite. L'année 1967 connaîtra une saison de 56 jours
de courses de pur-sang avec des bourses totalisant 905 000 $ couronnées par celle de 25 000 $
pour le «Derby du Québec». Blue Bonnets verra
se multiplier les courses importantes dont «L'amble
du printemps». En 1967, on inaugurera «L'amble
du centenaire» avec une bourse de 100 000 $, ce
qui sera une première. C'était 50 % au premier
cheval. Blue Bonnets attire 41 578 spectateurs
lors d'une Soirée du bon vieux temps, le 1er juillet
1970.

En 1968, Louis Lévesque, avec sa modestie
habituelle, évoquant le retour à Montréal des coursiers pur-sang, en attribue le mérite à d'autres que
lui-même :

En 1961, Sydney Jim Langill, qui est actuellement
président du «Mt-Royal Jockey Club», fut le principal agent du retour à Blue Bonnets de ces courses,
envers et contre toutes les oppositions. Il y a bien
peu de choses que Jim ne connaît pas dans les
courses de chevaux, y ayant été impliqué depuis son
enfance alors qu'il était «hot walker» au parc Con-
naught. Des chevaux élevés sur sa ferme de Senne-
ville ont porté ses couleurs à travers le Canada et les
États-Unis. Son cheval le plus célèbre, «Langcrest»,
a eu une seule malchance : celle de naître la même
année que «Northern Dancer» de Monsieur Taylor
et de finir ainsi deuxième au Queen's Plate de 1964.

Alors que nous commencions à planifier nos travaux
en vue du retour des pur-sang, Jim Langill tomba
malade et fut immobilisé pendant une longue
période. Ce fut alors que Monsieur Taylor, en un
geste désintéressé, nous gratifia de son expérience et
de celle de ses associés du club jockey d'Ontario,

plus spécialement de celle de Monsieur John
Mooney, spécialiste des courses comme il ne s'en
trouve guère aujourd'hui dans toute l'Amérique du
Nord.

Sans cesse, depuis le début, cette assistance désin-
téressée nous fut acquise et je suis assuré qu'ils me
pardonneront de m'enorgueillir en mentionnant
que l'an dernier la moyenne d'assistance quotidienne à Blue Bonnets fut supérieure à celle du
Club de jockey d'Ontario.

Quant aux courses sous harnais, notre organisation
est comparable à tout ce qui se fait en Amérique du
Nord. Les chevaux qui courent à Montréal sont de
qualité à courir n'importe où. Nous avons eu la
chance dans le passé d'avoir les chevaux Adios
Butler, Bret Hanover et Romulus Hanover, tous
champions en leurs jours et nous continuerons... Les
courses de chevaux constituent l'un des sports les
plus populaires au monde[2].

Le modeste artisan d'un grand succès

Louis Lévesque attribue à d'autres que lui le mérite
du retour et des succès de la course de plat à Blue
Bonnets, mais son engagement personnel et financier, son flair exceptionnel et sa détermination
farouche furent déterminants dans ce renouveau de
l'histoire des courses à Montréal et dans tout le
Canada. Il faut entendre là-dessus ce gérant à qui il
avait confié la bonne marche de ses deux hippodromes. Pour Raymond Lemay, Louis Lévesque fut
un patron extraordinaire et c'est lui qui, à Montréal,
a fait des courses la réussite immense qu'elles sont
devenues. «Par ses talents et son travail, il a aidé de
nombreuses personnes à faire de l'argent dans cette
industrie des courses. Il leur a donné les moyens de
faire ce qu'il y avait là à faire. Il a toujours voulu
que la piste soit la plus belle. Il réinvestissait ses
profits dans des améliorations de la piste. C'était
son sport.» À son apogée, en 1972-73, Blue

Bonnets employait quelque 900 personnes (permanents et temporaires) n'incluant pas les hommes de chevaux.

À Richelieu, au début on gageait quelque 30 000 $ par soir et quand Lemay en est parti, en 1973, on gageait 700 000 $ par soir. À Blue Bonnets, l'assistance moyenne quotidienne était de 10 à 12 000 personnes. Certaines années, les hippodromes ont versé au gouvernement du Québec jusqu'à 35 à 37 millions en taxes directes (taxes sur les paris et admissions). Blue Bonnets, avec ses remarquables installations dont une salle à manger de 600 places, avait alors des revenus annuels de 7 millions de dollars.

> Au club-house de Blue Bonnets, Monsieur Lévesque occupait toujours la même table. Souvent seul. Il y faisait ses calculs. Il ne fallait pas le déranger. C'était un grand monsieur, plutôt discret. Moi, j'avais la visibilité. Une conférence de presse devait-elle avoir lieu, il me disait: «Vous y allez, M. Lemay.» J'ai aimé ce patron. Il m'a permis de me réaliser, de me mettre en valeur. Plus tard, il m'a offert d'aller diriger la piste de Windsor. J'ai refusé l'offre mais si je l'avais acceptée, il m'offrait de quoi devenir millionnaire. Il avait confiance en moi et il ne se mêlait pas de mes affaires. Quand je faisais une erreur, je l'appelais afin qu'il fût le premier à le savoir. S'il n'était pas trop tard, je l'appelais le soir chez lui et il me disait de passer à la maison. Sinon, j'allais déjeuner avec lui le matin à 8 heures, rue Maplewood. Dans le monde des courses, nous nous couchions souvent très tard, vers 2 ou 3 heures le matin[3].

Au moment d'engager Lemay pour diriger Blue Bonnets, il le convoqua à prendre un sandwich au comptoir d'une cantine où il lui dit: «Je ne connais pas votre salaire, mais je vous propose 15 000 $. Est-ce que cela vous conviendrait?» Lemay se souvient d'être presque tombé de son tabouret. De retour à la maison, heureux comme

Des trophées aux propriétaires de chevaux gagnants: au centre, Raymond Lemay, président de Blue Bonnets, en compagnie de Duncan McDonald, propriétaire de Fresh Yankee, cheval de l'année 1970 au domaine du trot et amble et J.-Louis Lévesque, propriétaire de Fanfreluche, pur-sang de l'année 1970 au Canada.

un prince, il dit à son épouse: «On vient de tripler mon salaire...» Plus tard, évoquant ce souvenir, il suggéra à son patron qu'il aurait probablement économisé quelque peu s'il s'était d'abord informé. «Ah... vous le méritiez bien», justifia le président de Blue Bonnets. À chaque année, vers la même date, il arrivait au bureau de Lemay, prenait un petit papier, sortait sa plume à encre verte et demandait: «Combien gagnez-vous, Monsieur Lemay, cette année?» Je gagne tant, répondait le gérant qui, l'œil tout attendri, décrit ainsi la suite: «Alors, il inscrivait un chiffre sur son bout de papier, me regardait dans les yeux et tournait vers moi le papier. Toujours très correct et généreux. J'ai beaucoup d'admiration pour Monsieur Lévesque. Il m'a profondément marqué. »

Sur la piste du meilleur cheval

Encouragé par les succès de ses premiers chevaux, le sportsman poursuit son analyse des pedigrees où sa mémoire fabuleuse le guide à merveille, tout comme dans les bilans des compagnies à partir desquels il sait si bien établir diagnostics et prévisions. En 1964, il paye pour une pouliche la rondelette somme de 100 000 $, ce qui, à l'époque est un record et, selon certains observateurs, une folle dépense. La pouliche, nommée Arctic Dancer, est une sœur de Northern Dancer ; elle a eu une carrière de course limitée mais elle produisit La

Une visite à l'écurie auprès de sa championne La Prévoyante.

Prévoyante, une pouliche qui fut imbattable en douze départs et fut nommée championne des pouliches de deux ans des États-Unis et Cheval de l'année du Canada en 1972. De plus, elle fut en 1974 la championne des Juments âgées.

Avec ces achats la fortune et la chance de Lévesque dans ce sport grimpèrent régulièrement et en certains moments il fut le propriétaire de chevaux aussi extraordinaires que Feuille d'érable, Pierlou, Courant d'air, Rouletabille, Fanfaron, Fanfreluche, Barachois et, particulièrement remarquable parmi tous, La Prévoyante.

Mais aucun de ces chevaux ne fut capable de lui permettre d'atteindre le but qu'il poursuivait avec le plus d'ardeur, le Prix de la Reine. Ce triomphe, si ardemment recherché par tout turfiste canadien, faisait encore et toujours partie des rêves d'avenir de Louis Lévesque. Y parvenir avec un cheval élevé par lui-même aurait été le comble du succès. Et il poursuivait passionnément sa quête du meilleur cheval. L'habile sportsman y parvint si bien qu'il faut ici consacrer un espace spécial à au moins quatre des plus célèbres chevaux qui ont fait sa fierté, son bonheur et sa gloire.

La Prévoyante

Elle fut élevée par Louis Lévesque lui-même, répétons-le, issue de Buckpasser et de Arctic Dancer, qu'il avait achetée à l'âge d'un an au prix de 100 000 $ de E.P. Taylor et qui était sœur de Northern Dancer, lui-même gagnant du Derby du Kentucky en 1964. Petite-fille donc de l'incomparable Native Dancer, La Prévoyante devint une remarquable championne. En gagnant les douze courses dans lesquelles elle avait pris le départ en 1972, elle établit un record parfait qui égalait le record mondial déjà établi pour un cheval de deux ans.

Aussi, de vigoureuses protestations s'élevèrent contre le fait qu'on lui ait refusé, en faveur de Secrétariat, la couronne du cheval de l'année. Selon certains commentateurs ahuris, La Prévoyante n'a pas eu le titre parce qu'elle n'était pas un mâle... Au jugement, les écrivains du turf national ont choisi La Prévoyante, mais les secrétaires et les écrivains du Racing Form ont choisi Secrétariat. Alors, le trophée Éclipse, pour le cheval de l'année, fut décerné au jeune mâle.

La douzième victoire consécutive de l'année, le 11 novembre 1972, à la piste Garden State Park, à Baltimore, a rapporté 189 000 $. Cette victoire superbe pour l'imbattable pur-sang couronne cette phénoménale série de douze triomphes consécutifs, un exploit qu'aucune autre pouliche de deux ans n'a jamais accompli depuis 1912. La Prévoyante a cumulé des gains de 417 000 $ dans sa première saison de course, ce qui constitue probablement un autre record canadien dans sa catégorie.

Son entraîneur, John « Yonnie » Starr, a dit : « C'est effrayant de voir comment elle fait les choses. Elle semble courir avec une telle facilité qu'on s'émerveille à imaginer ce qu'elle peut faire réellement. » Quant à son jockey, John Leblanc, qui l'a conduite dans toutes ses courses, il déclare qu'elle est la meilleure bête qu'il ait jamais chevauchée et, maintenant âgé de 33 ans, il en a connu d'excellentes.

Après que La Prévoyante eut gagné le « Matron Stakes » à Belmont par sept longueurs et demi, l'heureux propriétaire Louis Lévesque invita à dîner un groupe de journalistes et commentateurs ontariens qui avaient assisté à la course, à la piste de New York. L'invitation à dîner incluait un vol dans son jet privé vers Moncton, chez un ami, pour un excellent souper au homard. Le groupe fut de retour à Toronto vers 5 heures le lendemain de la course...

Le 2 août 1972, La Prévoyante l'emporte à Saratoga en 1:10.4.
Bourse: 50 000 $. Jockey: John Leblanc.

Sur 39 départs, La Prévoyante en gagne 25 et finit 33 fois dans les places payantes. Les gains de sa carrière de course totalisent 572 417 $. Elle est choisie cheval canadien de l'année en 1972. Une rupture du poumon la terrasse, à la piste Calder à Miami, le 28 décembre 1974.

Secrétariat

Il est né en 1970. On parle du cheval-miracle. Le roi du sport des rois. Le plus fameux cheval de notre temps et peut-être de tous les temps. Sur 21 départs, il gagne 16 fois, arrive deuxième trois fois. Le cheval le plus près de la perfection. Il a une carrière de 16 mois seulement comme coursier. Son jockey est Ron Turcotte, son entraîneur Lucien Laurin. Il court d'abord à New York, en 1972. C'est un phénomène national. Il gagne la triple couronne par 31 longueurs. C'est un record incroyable. Suite à ses extraordinaires succès de 1972, La Prévoyante a fait l'objet d'un projet d'union... avec Secrétariat.

Secrétariat à deux ans.

Lévesque et Madame John Tweedy, propriétaire de «Secrétariat», avaient convenu de l'accouplement lorsque le temps de courir serait terminé. Depuis lors, Lévesque a acheté une des parts de 190 000 $ du syndicat d'élevage de 6 millions formé pour Secrétariat, «le plus coûteux bureau matrimonial dans l'histoire de l'amour...[4]». Lévesque avait acheté ladite part pour son fils Pierre-Louis qui débutait alors dans le courtage des chevaux. On avait convenu que le jeune courtier compterait son père parmi les clients intéressés à acheter, à 100 000 $ la saillie, les services du cheval-vedette incomparable qui avait nom Secrétariat.

Ron Turcotte et Secrétariat.

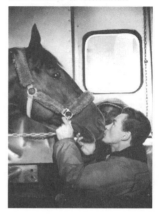

Secrétariat est le cheval le plus photographié au monde. On doit mettre fin à ses jours le 4 octobre 1989. Aucun champion n'a eu autant d'impact dans

Le 24 août 1969, Fanfreluche remporte la course « Fleur de lys » à Blue Bonnets en 1:13.1. Un autre trophée pour son propriétaire et beaucoup de satisfaction pour le jockey Ron Turcotte et l'entraîneur Jacques Dumas. (Photo: Coll. privée)

le monde du sport. En 1973, époque de Nixon, du Watergate, de la guerre du Vietnam, on a besoin d'un héros aux États-Unis et ce sera Secrétariat. Un monument de bronze lui est érigé dans le parc Belmont à New York. Secrétariat appartient à l'histoire.

Fanfreluche

Fanfreluche encore gagnante.

Elle est fille de Northern Dancer. Le 25 juillet 1977 au crépuscule, John Sosby, le gérant de la ferme Claiborne, près de Lexington au Kentucky, reçoit un appel de son chef de la sécurité de nuit: Fanfreluche, jument appartenant à Louis Lévesque, enceinte du champion Secrétariat, est disparue de l'écurie. On l'a enlevée. Louis Lévesque et la ferme Clairbone offrent une prime de 25 000 $ à qui aidera à la retrouver. On la retrouve le 8 décembre sur une petite ferme à Tompkinsville, près de la frontière du Tennessee. Ramenée à la ferme Clairborne, elle donne naissance à son poulain. Normalement le poulain, que Louis Lévesque nomma Sain et Sauf[5] serait né au Canada puisque

Fanfreluche devait y revenir en septembre, mais on n'a pas voulu lui imposer le voyage en décembre. Sain et Sauf ne put courir à deux ans à cause d'un problème à la cheville mais à trois ans il gagna trois courses pour un total de 34 836 $. En 1978, on accoupla de nouveau Fanfreluche avec Secrétariat et elle donna D'accord.

Par la suite, Louis Lévesque refuse une offre de 1,2 million $ pour Fanfreluche. « Sentimentalement, je suis d'accord avec cela, admet Pierre-Louis, dont la North American Bloodstock Agency gère les transactions hippiques de son père, mais sous l'angle des affaires, j'espérais qu'il acceptât. Peut-être le demandeur offrira-t-il plus, je ne sais pas comment mon père réagirait. Toute la famille, spécialement mon père, est attachée à Fanfreluche.

« Ayant été enfin retrouvée, elle est, d'une certaine façon, comme un cadeau, explique Pierre, et cela sera un facteur aussi, si quelqu'un tente encore de l'acheter. De toutes façons, depuis que je suis dans le commerce des chevaux, j'ai appris combien il peut être frustrant de faire affaire avec des hommes comme mon père. L'argent n'est pas leur principale préoccupation. Ils sont d'abord préoccupés par la qualité d'un bon cheval[6]. » La raison l'emportant enfin sur la passion, le père se résignera plus tard à vendre sa chère Fanfreluche pour 1,2 million $.

Six ans plus tard, le 2 juin 1983, William Michael McCandless est arrêté au Kentucky, accusé d'avoir volé Fanfreluche et condamné à une peine de quatre ans d'emprisonnement. Un journal américain titre alors : « Le jury déclare un homme coupable d'avoir volé une pouliche de 500 000 $[7] ».

Une autre pouliche, petite-fille de Fanfreluche, brise un autre record : le 20 juillet 1984, au cours d'une vente de poulains d'un an à Lexington, C.N. Ray, un constructeur de bateaux de Phoenix, accompagné de Lucien Laurin, l'entraîneur de Secrétariat avec qui il possède des chevaux en partenariat, achète au prix record de 650 000 $ une pouliche issue de

Enlevée et retrouvée, Fanfreluche et son poulain Sain et Sauf dont le géniteur est le très célèbre Secrétariat (Peinture de Fred Stone).

Secrétariat et de L'Extravagante, elle-même fille de la grande productrice Fanfreluche.

L'Enjoleur et le Prix de la Reine

De même que tout éleveur ou propriétaire britannique aspire à gagner le Derby ou la coupe d'or du Royal Ascot, de même que tout propriétaire ou éleveur américain aspire à gagner le Derby du Kentucky, ainsi tout homme de cheval canadien rêve de gagner le Prix de la Reine au moins une fois.

Louis Lévesque ne faisait pas exception. Il caressait deux grandes ambitions avant 1975 : la première, évidemment, était de gagner le Prix de la Reine. L'autre concernait le Derby du Kentucky. En 1972, lorsque La Prévoyante gagna douze courses consécutives comme pouliche de deux ans, il se mit à rêver qu'elle deviendrait la première pouliche à gagner le Derby du Kentucky. En n'importe quelle autre année, entretenir un tel espoir eût été compréhensible, mais, en août de cette année 1972, un cheval nommé Secrétariat disposa du rêve de Louis Lévesque au sujet du Derby du Kentucky, au moins pour 1973 : au Garden State, le cheval-miracle abaissa de quatre secondes le record pour une même distance établi par La Prévoyante.

Toutefois, le mois de juin 1975 allait être celui de Louis Lévesque. Après la fermeture de Blue Bonnets, le 1ᵉʳ juin, le derby du Québec est transféré en nul autre lieu que Toronto et, comme par une heureuse coïncidence, le Gaspésien Louis Lévesque remporte le prix avec son bien nommé L'Enjoleur. Peu après, la semaine royale des courses fut, en définitive, celle de Louis Lévesque. Le jeudi 26 juin, dans la quinzième édition du « Stake » Fleur-de-lys pour poulains de deux ans, ses deux chevaux, Parc Forillon et Le Gaspésien, se classent premier et deuxième...

Quant au prestigieux et très convoité Prix de la Reine, plusieurs chevaux de Louis Lévesque s'en étaient, à plusieurs reprises, remarquablement approchés mais ce n'était pas encore la victoire. Ainsi, Rouletabille arrive troisième en 1968, Fanfaron deuxième en 1969, Fanfreluche deuxième en 1970, Barachois deuxième en 1972, La Prévoyante termine hors de l'argent avec une cote de 7 contre 5 en 1973. Or, voici venu le jour de gloire pour Louis Lévesque : samedi le 28 juin, son pur-sang de trois ans L'Enjoleur cheval de l'année du Canada en 1974, dont l'entraîneur est Yonnie Starr, gagne la plus importante course de sa vie, le fameux Prix de la Reine, à Woodbine, en présence du duc et de la duchesse de Kent et plus de 35 000 turfistes enthousiastes. Le Prix qui commande une bourse de 146 695 $ est le plus riche au Canada pour des chevaux canadiens. La part qui en revient à L'Enjoleur, soit 95 351,75 $ (de la bourse totale de 146 695 $) lui donne un total de 546 078 $ comme gain en carrière avec 15 victoires sur 30 courses dont 21 payantes.

L'Enjoleur devient le quatrième grand gagnant (en argent) de l'histoire des pur-sang canadiens, derrière Nijinsky II (677 163 $), Northern Dancer (580 806 $) et La Prévoyante (572 417 $).

Ce jour parmi les plus mémorables pour le financier-turfiste, son gagnant L'Enjoleur a couru le mille en 2 : 02.3. Les annales des courses montrent que seuls Victoria Park (2 minutes) et Northern Dancer (2 :02.1) ont fait mieux que l'Enjoleur dans cette célèbre course du Prix de la Reine. Louis Lévesque a une raison de plus que tout autre turfiste pour se réjouir de sa victoire. En l'emportant par une avance de sept longueurs, L'Enjoleur est devenu le premier pur-sang du Québec à gagner le Prix de la Reine.

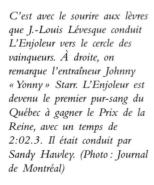

C'est avec le sourire aux lèvres que J.-Louis Lévesque conduit L'Enjoleur vers le cercle des vainqueurs. À droite, on remarque l'entraîneur Johnny « Yonny » Starr. L'Enjoleur est devenu le premier pur-sang du Québec à gagner le Prix de la Reine, avec un temps de 2:02.3. Il était conduit par Sandy Hawley. (Photo : Journal de Montréal)

Pour mieux comprendre quel sentiment de fierté anime le francophone de Gaspésie en ce jour de la victoire de L'Enjoleur, il faut se souvenir qu'il a toujours tenu à ce que ses chevaux portent des noms français dont le choix était devenu l'agréable tâche que la secrétaire du turfiste, Mademoiselle Thérèse Benoît, accomplissait avec brio. C'est ainsi que dans les divers hippodromes d'Amérique du Nord, lieux où l'on n'avait, jusqu'à l'avènement de Louis Lévesque, à peu près jamais entendu parler d'un cheval au nom français, retentirent régulièrement les noms des champions Ciboulette, Pierlou, Rouletabille, Fanfreluche, La Prévoyante, L'Enjoleur, Giboulée, L'Alezane, Le Grand Seigneur, Laissez-Passer, Le Point de Mire, Sain et Sauf, La Voyageuse, Médaille d'or, Le Danseur et aussi — fantaisistes et sonores — ceux de Hurluberlu, Cerf-Volant, Le Promeneur, D'Abord, Don du ciel, la Bourrasque, Poil de carotte, Tête de linotte, Quat'Sous, Chou Croute, Coco La Terreur, Plumauvent, Chou Fleur, Patte de velours, Dame de Pique, Cerf Volant et Dame de fer, nom que le propriétaire prononçait avec un petit sourire amusé.

De façon plus patriotique encore, Louis Lévesque voulut que plusieurs de ses chevaux évoluant en ces hauts lieux du sport des rois portent les noms si souvent pittoresques de sa Gaspésie natale. Ces coursiers s'appelaient Gaspésie, Le Gaspésien, Baie-des-Chaleurs, Matapédia, Escuminac, Nouvelle, Miguasha, Paspébiac, Rocher Percé, Coin du Banc, Barachois, Fort Prével, Parc Forillon, L'Anse-au-Griffon, Pointe Jaune, Cloridorme, Pointe Frégate, L'Anse-Pleureuse, Manche d'Épée, Cap-Chat.

Le 4 juillet 1981, Le Point de Mire gagne son premier départ.

Cette expression de sa fierté francophone ne fut pas sans causer des embêtements à Louis Lévesque, dans une Amérique où l'on n'est que 2 % à parler sa langue. En 1974, le Club de Jockey de New York lui a réclamé une traduction des noms qu'à l'avenir il voudrait donner à ses chevaux. La très digne organisation de Manhattan a la responsabilité d'approuver tout nom que l'on donne à un pur-sang en Amérique du Nord. De façon évidente, écrit un journaliste torontois, elle craignait que le millionnaire de Montréal ne glisse quelque chose d'indécent dans tout ce français qu'il utilisait. Même des linguistes accomplis ont eu de la difficulté avec certains des noms choisis par Lévesque et tirés du «joual» québécois ou de l'argot parisien. «Ne soyons pas naïfs : ils pensent que nous pourrions cacher sous ces noms quelque chose de grossier ou quelque message politique, de dire, le sourire en coin, Pierre-Louis Lévesque, qui gère les immenses opérations de courses et d'élevage de son père. Je leur ai posté un chèque de 6 $ pour s'acheter un bon dictionnaire français-anglais[8]. »

C'est bien cette dimension québécoise et si nouvelle de la victoire remportée par Louis Lévesque, le 28 juin 1975 à Toronto, qui a retenu l'attention du journaliste Jack Ludwig :

> À plus d'un point de vue, le Prix de la Reine de 1975 tourna autour de Jean-Louis Lévesque, car le voici finalement, dans le cercle des vainqueurs, tenant en main le trophée du Prix de la Reine, serrant la main de la duchesse, du duc, de l'entraîneur Yonnie Starr et les deux mains habiles du jockey Sandy Hawley. [...] Voici en ce haut lieu le vainqueur heureux qui fut jadis un garçon pauvre de Gaspésie, le voici en haut-de-forme gris et queue-de-pie à rayures grises à la Toronto. Voici celui dont on peut entendre le seul accent canadien-français dans le Salon des directeurs. L'Enjoleur avait accompli ce dont plus d'un l'avait jugé incapable. Il avait gagné la longue course.

La foule qui applaudissait le cheval déambulant tout drapé de fleurs se tenait debout contre la clôture et dans la grande estrade aussi bien que dans le «Clubhouse» et sur «The Turf Club Terraces». Ces voix qui acclamaient L'Enjoleur étaient italiennes et portugaises, françaises et espagnoles, ukrainiennes et polonaises. Le spectacle comportait cette autre dimension, beaucoup plus plébéienne que patricienne.

On acclama le duc et la duchesse qui tirèrent leur révérence. Jean-Louis Lévesque et son heureuse famille quittèrent le cercle du vainqueur... Les hauts-de-forme disparurent aussi et avec eux les tapis fleuris et les chapeaux pittoresques. Le grand spectacle de course canadien venait de prendre fin pour une autre année. Et Louis Lévesque, sans aucun doute, rêvait de Séraphic, de Parc Forillon et du Gaspésien[9]...

L'Enjoleur sera choisi le cheval de l'année au pays pour une deuxième année consécutive en 1975. Ce sera une première dans les 25 ans du prix. Ce sera aussi la quatrième fois en six ans (1970-76) qu'un cheval de Lévesque, issu de sa propre ferme d'élevage, gagne le prix. L'Enjoleur sera retiré à la fin de l'année 1975 après avoir gagné 15 de ses 30 départs pour un gain total de 546 079 $. Quant au rêve que la victoire de L'Enjoleur inspire à son propriétaire, il n'est pas que le fruit d'un désir insatiable de victoires et de gloire. Il a des fondements dans la sagacité du sportsman et talentueux turfiste, comme l'écrit un connaisseur en la matière, commentant la victoire de L'Enjoleur :

Louis a commencé à s'intéresser sérieusement aux courses sur le plat il y a quinze ans. C'était la dixième fois que son écurie était représentée dans le Prix de la Reine... l'Enjoleur est devenu le premier poulain du Québec à gagner le Prix de la Reine et il ne sera pas le dernier. L'an prochain, ce sera probablement Parc Forillon, Le Gaspésien, La Jalouse ou Seraphic qui l'emportera. Ils appartiennent tous à Louis… Seraphic est une pouliche qu'il a achetée au coût de 200 000 $ la semaine dernière.

Pour le perspicace ami du Sud qu'est Louis Lévesque, le triomphe de l'Enjôleur survient comme le couronnement après une longue série de coûteuses et cruelles frustrations. Il mérite la plus grande admiration pour son infléchissable détermination et sa perspicacité à la fois comme turfiste et comme brillant éleveur.

Il a commencé cette quête de la gloire… il y a six ans. Cela devait être écrit dans le grand livre du turf qu'un jour Dame Fortune, reconnaissant l'invincible ténacité de ce grand sportif et admirable compagnon entre tous, l'appellerait à ses côtés[10]…

Un de ces gentlemen dans les écuries

Les experts ne tarissent pas d'éloges envers le sporstman. Parmi eux, Georges Frostad, propriétaire et éleveur, ex-président de la Société canadienne des éleveurs de pur-sang et membre du Club jockey d'Ontario, est catégorique : « Lévesque est un astucieux homme de cheval. Bien des observateurs l'ont regardé de travers lorsqu'il a payé 100 000 $ pour la pouliche sœur de Northern Dancer en 1964, mais la suite des événements lui a donné raison. Il a trop souvent pris la bonne décision pour qu'on en attribue le mérite à la chance. » Or, comme pour confirmer encore une fois ces propos d'un expert en la matière, en 1975, Lévesque acheta, du même Frostad, au prix de 200 000 $, la pouliche de deux ans Seraphic que Frostad avait lui-même élevée et fait courir. Eh bien, Seraphic fut imbattable au cours de la saison suivante, gagnant toutes ses cinq courses et 72 305 $.

Astucieux homme de cheval, a-t-on dit, mais Louis Lévesque était aussi, dans le monde des courses comme dans celui de la finance, un parfait gentleman. Toujours bien mis, de caractère affable et plutôt discret, il avait le port noble et respirait une rassurante distinction. Parmi les propriétaires et éleveurs de pur-sang, cet homme au naturel plutôt timide devenait tout à fait à l'aise. Il avait le don d'établir les contacts et d'inspirer confiance comme s'il eût toujours été des leurs. Aux pistes de courses et dans les fermes d'élevage, il se retrouvait comme en terrain naturel. Là, il ranimait avec grand plaisir les souvenirs de sa jeunesse à Nouvelle où les chevaux, ceux de son père et de ses voisins, ceux de son oncle Narcisse et les autres, avaient tant d'importance. Il caressait ses chevaux, leur parlait doucement et leur donnait des pommes et du sucre.

Il allait souvent voir ses chevaux, les caressait, leur parlait...

L'homme savait se faire apprécier parmi ses collègues du monde des chevaux et négocier avec eux d'excellentes affaires. N'obtient pas qui veut de pouvoir faire croiser sa jument avec tel étalon champion. Il y faut les manières. Il faut établir des contacts et obtenir des participations dans les syndicats qui possèdent les droits de saillie de tel ou tel étalon. Là aussi, Louis Lévesque excellait: d'abord, il pouvait identifier avec une perspicacité étonnante l'étalon prometteur et ensuite il savait se faire inviter au bon syndicat. Pour cela il faut beaucoup de gentillesse, de diplomatie, de courtoisie, de disposition à payer le prix.

Il a eu en sa possession jusqu'à 90 chevaux en même temps. Contrairement à la plupart des autres éleveurs, il ne possédait pas de ferme mais louait des espaces et des services en plusieurs écuries et il pouvait ainsi se déplacer davantage et connaître mieux l'ensemble des activités et de la situation de l'élevage. Gilbert Gravel, qui possédait lui aussi des chevaux, accompagna son patron Louis Lévesque pendant trois jours au Derby du Kentucky, en 1972. Il en garde un souvenir des plus vivants :

> Nous étions sur la route le matin vers 8 heures pour visiter les fermes d'élevage, établir des contacts et prendre des participations dans les syndicats de chevaux. Au souper, nous rencontrions des jockeys et des entraîneurs, nous cueillions des informations. Monsieur Lévesque enregistrait tout dans sa mémoire. Il avait un don spécial pour jauger tant les personnes que les chevaux. Il était d'une clairvoyance étonnante. Les cérémonies entourant le Derby commencent à 9 heures. À l'aéroport, c'est par centaines que s'alignent sur les aires de stationnement les avions de tous calibres en provenance de tous les coins du monde. On gage mais c'est secondaire. Il s'était vraiment fait une place confortable dans ces milieux où il avait plaisir à rencontrer de manière tout à fait décontractée des financiers parmi les plus grands. D'importantes transactions s'arrangeaient en ces rencontres[11].

Le rouge et le noir dans le sport hippique

Le Prix de la Reine remporté par L'Enjoleur couronnait une belle carrière, nous l'avons vu, mais le nombre et la qualité des victoires précédentes avaient déjà quelque chose d'un triomphe. Louis Lévesque a eu la main tellement heureuse à l'élevage que, de 1963 à 1983, 37 des chevaux qu'il avait élevés ont remporté 124 courses sur le difficile circuit de l'Ontario. Durant les années 1970, il remporta à peu près tous les prix offerts au Canada dans le monde des courses. Même en 1981, les affaires allaient rondement et les commentateurs du sport hippique rapportaient que le sportsman avait été le meilleur boursier chez les propriétaires

Encore une victoire à Blue Bonnets. Raymond Lemay félicite le prtopriétaire et son jockey Ron Turcotte qui reçoivent leurs trophées.

Il faut féliciter aussi la gagnante. On l'a donc décorée du triomphal tapis de fleurs.

Sous l'œil quelque peu nostalgique de J.-Louis Lévesque, l'ancien jockey Johnny Longden cause avec le héros de la fête, Ron Turcotte, qu'une malheureuse chute de cheval a contraint au fauteuil roulant. Ce jockey, né à Grand-Falls (N.-B.), conduisit le légendaire Secrétariat lors de sa victoire de la Triple Couronne américaine en 1973. Pendant vingt ans, il conduisit 3033 chevaux gagnants qui rapportèrent 28 millions $ en bourses. Son accident, survenu en 1978, mit une fin tragique à une carrière record.

canadiens, alors que ses chevaux avaient amassé 448 898 $ dans 127 courses. On y précisait que Le Danseur, poulain de deux ans, en 1981, l'un des candidats à la triple couronne du turf canadien en 1982, avait largement contribué à ces succès en remportant quatre victoires et en terminant quatre fois deuxième en onze courses, totalisant ainsi des gains de 187 096 $[12]. De façon plus globale, en trente ans, de 1961 à 1991, les chevaux de Louis Lévesque ont effectué 5423 départs pour arriver premiers 827 fois, deuxièmes 721 fois et troisièmes 708 fois. Les bourses qu'ils ont ainsi remportées ont totalisé 10 158 020 $[13].

Mais de moins beaux jours allaient survenir et le sportsman, heureux gagnant pendant plusieurs années, allait subir momentanément d'importantes pertes qui l'incitèrent à se départir d'une partie de son écurie.

Si les courses de chevaux sont votre hobby, avouait-il un jour, ça ne prend pas longtemps à perdre quelques millions. J'étais probablement plusieurs millions dans le rouge quand j'ai commencé à vendre quelques-unes de mes juments et mes parts dans les syndicats d'étalons, incluant Northern Dancer, L'Enjoleur et Secrétariat. Maintenant, nous sommes de retour dans le noir... bien dans le noir, ajouta-t-il[14].

Encore un projet d'hippodrome en 1976

Louis Lévesque fut président de Blue Bonnets jusqu'en 1970, moment de sa démission suite à l'acquisition du contrôle de Blue Bonnets, d'abord par Power Corporation et ensuite par Campeau Corporation. Avec le succès grandissant des courses sous harnais à Blue Bonnets, les courses de plat prirent fin, encore une fois, en 1973. Les hommes de chevaux du Québec s'opposaient aux courses de plat parce que, du fait qu'il y avait peu de propriétaires de pur-sang au Québec, l'argent de ces courses s'en allait hors du Québec. Par contre, si la variété du spectacle fait défaut, la clientèle se désintéresse. Aussi, dès que Blue Bonnets a abandonné les courses de pur-sang, les assistances ont chuté progressivement, au point que les gouvernements, provincial et municipal, se sont vus dans l'obligation d'acquérir l'hippodrome.

Inlassable innovateur, Louis Lévesque se remet à la tâche de faire revivre, en 1976, l'intérêt des Montréalais pour les courses de pur-sang. Il projette un nouvel hippodrome à Montréal. Il prévoit acheter un terrain à quelque vingt milles de Montréal. Ce sera au moins une piste ovale d'un mille pour les courses sous harnais et les courses sur le plat. La réalisation du projet coûtera probablement 25 millions. Le tout devrait être prêt en 1978. Il veut ramener les pur-sang à Montréal et au Québec afin d'élargir la base et renforcer le réseau des pistes de courses canadiennes. «Monsieur Lévesque est l'un des hommes clés dans le domaine des courses au Canada, tant dans les courses de pur-sang que dans les courses sous harnais, tant en Ontario qu'au Québec. Il est un formidable pilier du monde des courses» (Jack Kenney, président du Club de jockey d'Ontario).

La survie du trot et amble

«La survie du trot et amble», tel fut le thème du congrès qui s'est tenu à Montréal du 30 novembre au 2 décembre 1980 sous la présidence de Louis Lévesque. Le sport hippique avait alors besoin d'une relance à Montréal et c'est pourquoi le sportsman accepta volontiers d'apporter sa collaboration à cette initiative regroupant à l'hôtel Champlain les quatre organismes que sont l'Association des éleveurs, les hippodromes, Sodic Québec Inc. et l'Association des hommes de chevaux unis du Québec.

Dans son allocution d'ouverture du congrès et dans la conférence de presse qui a suivi, le président avoua que le sport des rois était devenu pour lui, au fil des ans, une raison de vivre et qu'il avait toujours conservé un excellent souvenir de la piste Blue Bonnets qui est, à son avis, la deuxième plus belle piste en Amérique.

> Mon association au monde passionnant des chevaux, à quelque titre que ce soit, m'a toujours procuré de profondes satisfactions, de grandes émotions et de précieux souvenirs.
>
> Dans ma lointaine patrie de Nouvelle, en Gaspésie, mon père, mon grand-père et mes oncles étaient des propriétaires de coursiers. J'avais de qui tenir. Certes, c'est dans le monde de la finance que j'ai fait ma vie, mais ma passion — si un financier peut utiliser ce mot — pour les courses de chevaux remonte à ma première jeunesse.

Derby du Manitoba en 1970. La reine Élisabeth II vient de remettre à J.-Louis Lévesque, sous les yeux de Jeanne Lévesque, le trophée du gagnant. Derrière le récipiendaire, son fils Pierre-Louis.

C'est un monde exceptionnellement séduisant, fait de vitesse et de suspense, mais c'est aussi un monde autour duquel gravitent des milliers de travailleurs pour qui l'avenir dépend considérablement des décisions qui doivent se prendre aujourd'hui.

L'idée de voir les responsables et les artisans des différents secteurs de l'industrie se rencontrer autour d'un même objectif pour discuter ensemble des solutions d'avenir m'a grandement enthousiasmé, et c'est pourquoi j'ai accepté la présidence de ce premier congrès. Le Trot et Amble québécois sera sans doute le grand bénéficiaire de cette heureuse initiative.

Le président termina son allocution d'ouverture en suggérant au gouvernement du Québec et aux hippodromes de mettre sur pied un Temple de la Renommée du Trot et Amble, tout comme l'Ontario l'avait fait. « Il suffirait d'un petit bout de terrain, précisa-t-il, que Blue Bonnets pourrait peut-être mettre à la disposition des intéressés. »

Un turfiste hautement apprécié

Le sportsman ne cesse d'apporter son appui et sa collaboration à divers organismes où on réclame sa présence, son expérience et sa contribution monétaire. À l'invitation de E. P. Taylor, il accepte, en 1973, d'être l'un des trente membres-fondateurs du Club Jockey du Canada.

Évoquant les heureuses connivences et l'amitié qui avaient rapproché les deux célèbres turfistes canadiens que furent Louis Lévesque et E.P. Taylor, le fils de ce dernier témoigne des sentiments de son père envers Louis Lévesque :

Mon père se sentait une affinité bien particulière avec monsieur Lévesque. Mis à part le fait que les deux hommes semblaient partager une certaine jovialité, mon père a grandement apprécié la collaboration de Monsieur Lévesque au conseil d'administration du Jockey Club d'Ontario de même que sa loyale clientèle à la ferme Windfields.

Mais surtout, je sais que mon père considérait Monsieur Lévesque comme l'un des plus remarquables et importants individus parmi le groupe restreint de propriétaires-éleveurs relativement jeunes qui émergent dans son sillage. Il considérait l'engagement de Monsieur Lévesque dans le développement d'une écurie de juments poulinières et de pur-sang de première classe comme étant d'une importance capitale dans la croissance du sport des courses de pur-sang au Canada. Il eut toujours grand plaisir à applaudir les nombreux et extraordinaires succès de Monsieur Lévesque[15].

Sa réputation comme éleveur de pur-sang a depuis plusieurs années largement dépassé les frontières d'Amérique pour atteindre des dimensions internationales. Personne ne s'étonne en 1983 de ce qu'il soit choisi l'homme de l'année de l'industrie des courses de chevaux.

Il fut cinq fois lauréat d'un « Sovereign Award », prestigieuse récompense qui couronnait, à compter de 1976, des chefs de file en reconnaissance de leurs succès dans le sport des courses de pur-sang et dans l'élevage des chevaux de courses au Canada. En 1976 également, il eut l'honneur d'être intronisé au Temple de la Renommée des courses au Canada, dans la catégorie « entrepreneurs », en raison de sa contribution pour faire de l'industrie des courses de chevaux le sport qui attire le plus de spectateurs au Canada.

Les courses oui, mais les autres sports aussi

Le sportsman a beaucoup donné au sport hippique mais là ne s'est pas limité son intérêt pour les sports. Sportif lui-même depuis sa jeunesse, comme hockeyeur et tennisman au Séminaire de Gaspé, promoteur de hockey à Joliette, il s'intéressa continuellement aux sports et, lorsqu'il en eut les moyens, il consentit des sommes considérables afin de favoriser au maximum la pratique du sport, cette discipline de vie dont les Grecs, nos ancêtres culturels, faisaient une obligation à tous et en laquelle il croyait lui-même fermement comme en un important facteur de formation de la jeunesse et d'avenir pour un peuple. À maintes reprises, il profita de l'occasion qui lui était offerte pour affirmer cette conviction. C'est ainsi que, nous l'avons déjà vu au chapitre sur l'Acadie, le 4 octobre 1966, lors de l'inauguration du centre sportif de l'Université de

Il accepte, en 1973, d'être l'un des trente membres-fondateurs du Club Jockey du Canada.

Hiver 1934. J.-Louis Lévesque, finissant à St.Dunstan's, fait partie de l'équipe de hockey de l'institution. « D » pour Dunstan. Debout, deuxième de la droite.

Moncton à la construction duquel il avait si largement et généreusement contribué qu'on donna son nom à l'édifice, il déclarait : « L'un de mes plus chers désirs est enfin réalisé et j'espère que les jeunes qui utiliseront la nouvelle aréna de l'Université de Moncton auront toujours à cœur le désir de la perfection et viseront toujours à se classer premiers. »

Le parrainage de la championne golfeuse Jocelyne Bourassa

Une jeune athlète de Shawinigan, Jocelyne Bourassa, faisait depuis quelque temps grand honneur au Québec dans les tournois de golf les plus remarqués. Louis Lévesque, lui-même amateur de golf à ses heures, mais surtout fier Québécois, en était fort

Le trophée de cet autre sport qu'il pratiquait :
une belle « brochée » de truites.

heureux. Au cours du mois de mars 1972, la championne québécoise, qui avait déjà raflé tous les
honneurs dans les rangs amateurs, faisait ses débuts
dans le circuit de la Ligue professionnelle de golf
américain (LPGA) à l'Orange Blossom Classic, à
St. Petersburg en Floride. Le sportsman a accepté de
la parrainer dans le circuit féminin et il se rend à
St. Petersburg pour la voir jouer. Jocelyne se mérite
la 16e place parmi 84 concurrentes et sa performance inspire au parrain l'idée d'organiser un
tournoi de golf professionnel féminin au Québec.
« Pourquoi pas un tournoi du genre au Québec ?
Telle a été ma première réaction, en mars 1972,
quand j'ai eu l'occasion d'assister au tournoi féminin de St. Petersburg. Si nous ne le faisons pas,

m'étais-je dit à l'époque, d'autres en prendront l'initiative[15]. »

L'inlassable promoteur

Le dynamique organisateur enclenche les démarches nécessaires auprès de Bud Erickson, directeur général de la LPGA, et l'on voit naître l'Association professionnelle des golfeuses du Canada (APGC)

Juin 1973. Jocelyne Bourassa remporte une magistrale victoire au championnat de golf «La Canadienne». Son «parrain» lui offre la coupe de la victoire.

qui obtient le droit d'organiser un tournoi au Québec (ou ailleurs au Canada), en juin, pour une période de trois ans. Le premier tournoi a lieu en juin 1973 au club de golf de Montréal. C'est le championnat de golf « La Canadienne » et l'événement attire plus de 40 000 personnes qui acclament Jocelyne Bourassa remportant une magistrale victoire au troisième trou supplémentaire. Jocelyne se mérite ainsi le titre de l'athlète féminine canadienne de l'année et sera l'une des soixante invitées au « Women's Masters », le tournoi de 154 000 $ « Colgate-Dinah Shore Winners Circle » à Palm Springs, Californie, du 10 au 15 avril.

Au cours de cette même année, l'APGC conclut une entente avec une compagnie de tabac et « La Canadienne » devient la Classique Peter Jackson. Le premier nom plaisait beaucoup à Louis Lévesque mais ce qui importe, dit-il, ce sont les buts fixés au départ : « aider au développement du golf féminin au pays, lancer, si possible, une autre Jocelyne Bourassa sur le circuit américain et, enfin, verser les profits à des œuvres de charité s'occupant de l'enfance handicapée, sans distinction de race ou de religion[16] ».

Il ouvre la voie au premier contrat de John McHale

Louis Lévesque avait à cœur de favoriser autant que possible toute initiative sportive qui, en plus des avantages propres à la pratique du sport, était susceptible d'apporter croissance et santé à l'économie de Montréal. Lorsqu'en 1968 le maire Drapeau s'engagea dans le projet d'une équipe de base-ball professionnel à Montréal, il y vit une autre possibilité de développement. Jerry Snyder, qui travaillait alors à cette relance du base-ball, était allé voir Louis Lévesque et lui avait dit : « Vous devriez y mettre un million, et vous êtes capable de trouver neuf autres investisseurs du même montant. Vous seriez les propriétaires de l'équipe. » Réponse : « On va y voir, l'idée a du bons sens. » Et le sportsman approcha son collègue Marc Bourgie et quelques autres hommes d'affaires. Peu après, Raymond Lemay, le directeur-gérant de Blue Bonnets, en est au 18ᵉ trou du golf d'Elsmere lorsqu'on le demande au téléphone, vers 15 heures. « Y a-t-il quelque chose qui ne va pas aux courses ? » se demande-t-il, et il continue à jouer. Le messager revient : « C'est Louis Lévesque qui vous attend au bout du fil. » Lemay va prendre l'appel.

— Où êtes-vous ?

— Au golf.

— Pouvez-vous venir à l'hôtel Windsor ?

— Tout de suite ?

— Oui, tout de suite.

— D'accord, j'y vais.

En arrivant à l'hôtel Windsor, Lemay remarque un attroupement de gens de Radio-Canada. Il demande où se trouve Louis Lévesque. On lui indique la suite royale, en haut. « Je monte, j'entre et je vois toute une grappe de journalistes face à Louis Lévesque qui tient un microphone en main. Les applaudissements fusent et mon patron annonce : "Je vous présente le gérant-général du prochain club de base-ball de Montréal[17]." »

Évoquant ce souvenir avec un sourire ému, Lemay poursuit : « Ce cher Monsieur Lévesque, il avait une telle confiance en moi qu'il venait de me parachuter dans le base-ball alors que je n'y connaissais rien. Je suis allé voir les journalistes et leur ai dit qu'on en reparlerait. Suite à mes échanges avec eux et certains amis, je revis Monsieur Lévesque le lendemain et je lui dis : "Je suis heureux aux courses et je ne connais pas le base-ball." Il me répondit, insistant : "Ah, vous êtes capable !" » La suite des événements tira Lemay de l'embarras car du groupe des douze millionnaires qui devaient déposer chacun trois millions quand la Ligue nationale a accordé une concession à Montréal, seulement trois dont Louis Lévesque et Monsieur Bronfman étaient encore disposés à avancer les fonds. Louis Lévesque se retira donc de la partie mais non sans avoir participé à plusieurs rencontres avec les représentants de la Ligue nationale et de la Ville de Montréal.

Mais l'initiative spontanée du sportsman dont l'un des effets fut de faire de Lemay un très éphémère gérant de base-ball eut aussi un effet médiatique excellent pour le club de base-ball de Montréal qui avait grand besoin de financement. Il avait créé un très important intérêt. Il avait lancé la boule et, dans les cercles sportifs, on se félicitait de ce que Lévesque s'intéressait au base-ball. Les connaisseurs savent que Louis Lévesque a déclenché le processus qui a abouti au premier contrat de John McHale comme président des Expos.

À cheval... sur sa moto

Nous avons déjà vu que la passion de Louis Lévesque pour les chevaux remonte bien loin, au temps de sa jeunesse, en son village natal de Nouvelle, en Gaspésie. Il faudrait se souvenir aussi que l'enfant de douze ans avait grandement goûté le bonheur, la liberté et l'autonomie que lui avait procurés sa première bicyclette. Ni la carrière trépidante du financier, ni son vif intérêt pour les chevaux ne lui firent oublier ce plaisir qu'il avait éprouvé de chevaucher cette mécanique qui permet enfin à l'enfant de voler presque, de fendre l'air tel un oiseau et de jouer bravement avec les lois de la gravité.

En 1982, le plaisir de fendre l'air tel un oiseau...

À sa maison d'été de Saint-Gabriel-de-Brandon, il avait eu, au cours des années 1950, quelques motos et l'hiver il aimait beaucoup le sport de la moto-neige. Beaucoup plus tard, à plus de 75 ans, Louis Lévesque se procure une puissante moto-cyclette, avec le costume, les gants et le casque protecteur appropriés. L'initiative en amuse plusieurs mais elle étonne et inquiète certains de ses proches. Après quelque temps, pour calmer leurs alarmes et en finir avec leurs supplications de ne pas circuler avec ce bolide dans les rues achalandées de Montréal, il concède de garer la machine à la campagne, à la ferme d'un ami. Un beau samedi d'automne qu'il se livre à son sport retrouvé, il s'engage, seul et en paix, sur l'autoroute 13, en direction de Mont-Laurier. Un groupe de jeunes motocyclistes le dépassent soudain et le saluent. Il accélère sa course, se sentant bien à l'aise et en sécurité derrière ces nouveaux collègues. Le groupe s'arrête à une halte routière. On stationne les bolides, on enlève les casques protecteurs et il fait de même. L'un des jeunes s'approche et, tout étonné, comme devant un phénomène, lui demande : « Mais où allez-vous donc, à votre âge ? » Ce fut la fin de la carrière du motocycliste. « Je suis revenu à Montréal, raconta-t-il par la suite, avec un sourire résigné, et j'ai vendu ma moto. »

Au Panthéon des sports du Canada

« Au nom du conseil d'administration du Temple de la renommée des sports du Canada, j'ai le plaisir de vous informer que vous avez été choisi pour être intronisé au Temple de la renommée en 1986. » Voilà ce que J.G. Gaudaur, président de l'organisme, écrivait à Louis Lévesque le 5 mars 1986. L'intronisation allait avoir lieu à Toronto le 26 juin suivant en même temps que celle de quatre autres grands sportsmen, soit Bill Durnan, Ken Red, Graham Smith et « Red » Storey.

L'honneur lui était agréable et il le méritait amplement pour sa longue et généreuse implication dans le monde des sports. Sans doute, les performances répétées de ses chevaux avait aidé à le faire connaître au pays et outre frontières mais c'était d'abord l'éleveur clairvoyant, astucieux et persévérant qui était responsable de leurs remarquables succès.

Hommage de la Commission des courses de l'Ontario

Comme si cette intronisation au Panthéon national des sports n'avait pas suffisamment insisté sur l'exceptionnelle participation de Louis Lévesque au sport hippique, la Commission des courses de l'Ontario, au moment de clore ses audiences de 1989 sur les courses sous harnais, voulut rendre un hommage spécial à la fois au célèbre sportsman et à son fils Pierre-Louis. Le président des audiences

Pierre-Louis Lévesque. « Tous deux, le père et le fils, ont beaucoup apporté au monde des courses. »

demanda que soit inscrite au procès-verbal une motion de félicitations et de remerciements de la part de l'ensemble du monde des courses à l'endroit de Louis et de son fils Pierre pour leur contribution à ce sport en tant que propriétaires tant en Ontario qu'au Québec.

Sans Monsieur Lévesque, il pourrait bien ne pas y avoir de courses au Québec. Il a conduit Blue Bonnets au succès à travers des moments difficiles et, à Windsor, les Lévesque ont relevé le défi de façon extraordinaire alors que la piste n'était pas ce qu'elle est aujourd'hui.

Tous deux, le père et le fils, ont beaucoup apporté au monde des courses. Ils ont investi dans ce sport en tant que propriétaires, éleveurs et participants. Tous deux ont été de vivants exemples d'honnêteté, d'intégrité et de dévouement autant que d'habileté en affaires. Ils ont largement contribué à faire des courses sous harnais en Ontario un sport d'envergure mondiale[18].

Notes

1. Jacques Beauchamp, «La fin d'une ère pittoresque», *Montréal Matin*, décembre 1957.

2. Allocution prononcée le 16 mai 1968, au cours d'un dîner offert par la «Montreal Sports Lodge of B'nai B'rith», qui l'avait choisi comme son sportif de l'année pour son implication dans les courses de chevaux.

3. Extrait d'une interview accordée à l'auteur par Raymond Lemay le 19 avril 1996.

4. Red Smith, *The New York Times*, 12 mars 1973.

5. Ce nom fut choisi à travers un concours public lancé par le propriétaire qui offrit 2000 $ au gagnant.

6. «J.L. Levesque turns down $ 1.2 million for horse», *Transcript*, Toronto, 23 novembre 1978.

7. *Lexington Herald-Leader*, 3 juin 1983.

8. «Levesque asked to translate horse's names», Jim Proudfoot, *The Toronto Star*, 6 septembre 1974.

9. «Pomp and pari-mutuels - The Queen's Plate does not live by thoroughbred alone», *The Gazette*, 30 août 1975.

10. *The Canadian Military Journal*, printemps 1975, p. 28.

11. Extrait d'une interview accordée à l'auteur le 20 avril 1996.

12. Propos du «Daily Racing Form» repris par *La Presse* du 14 avril 1982.

13. Gary Loschke, gérant du Club Jockey du Canada, «J.L. Lévesque Racing Statistics» in *American Racing Manual*, 1992.

14. «Jean-Louis Lévesque: In the running», Paul Delean, *The Gazette*, 13 juin 1987.

15. Programme officiel du Championnat de golf «La Canadienne», 12-17 juin 1973, Club de golf de Montréal. Charles Taylor, président de Winfields Farm et fils de feu E. P. Taylor, lettre à l'A., le 24 septembre 1996.

16. *Ibid.*

17. Extrait de l'interview accordée par Raymond Lemay le 19 avril 1996.

18. Ontario Racing Commission-Standardbred Hearing, 28 mars 1989, Procès-verbal, p. 2.

Chapitre sept

❦

VERS LA RETRAITE
ET LES HONNEURS
1967 À 1994

UNE NOUVELLE ÉTAPE S'AMORCE dans la carrière de Louis Lévesque. Depuis maintenant un quart de siècle, il a mené une vie intense, voire trépidante d'activités, de transactions, la vie du financier continuellement sur la brèche, à l'affût de la bonne affaire à conclure. Il a été couronné de succès. Sa notoriété, son prestige et son image en ont largement profité. Il est devenu une personnalité hautement respectée et recherchée tant dans les milieux financiers que sociaux du Québec et du Canada. Diverses circonstances majeures vont maintenant contribuer à ralentir l'allure étonnante de son cheminement.

Peu après Expo 67, l'exposition internationale et universelle dont Montréal fut le site, un journaliste montréalais voulut connaître l'évaluation de Louis Lévesque, de même que celle de Paul Desmarais, quant à l'impact de cet événement majeur sur l'économie de la métropole. Il intitula son texte «Deux géants de la finance[1]» et il y rapporte les propos suivants de Louis Lévesque:

> L'Expo a été pour Montréal une source d'enrichissement incomparable. Il est impossible d'évaluer tous les avantages que nous en avons retirés et que nous continuerons d'en retirer pendant des années, non seulement sur le plan économique, mais surtout dans le domaine de la culture, des contacts humains, d'une connaissance plus approfondie de l'étranger, d'une prise de conscience de nos possibilités, etc.

Avril 1974, en Floride.

Résumant la carrière de l'un et de l'autre, le journaliste écrit : « MM. Lévesque et Desmarais, les "deux Grands" du monde financier au Canada français, ont un rôle important à jouer dans la réalisation de ces possibilités et la progression vers ces nouveaux sommets. Chacun a fait de Montréal sa ville d'adoption et sa base d'opérations commerciales étendues. »

Peut-être alors contre l'attente de son interlocuteur enthousiaste, Louis Lévesque lui confia : « Comme tout le monde, je vieillis, j'ai donc l'intention de réduire mon activité ; je crois que, dorénavant, je me bornerai au courtage et aux compagnies d'assurance. »

La liste des corporations dont Louis Lévesque est alors administrateur est impressionnante. Il est intéressant de la parcourir et de retrouver, dans tous ces noms, autant de moments qui jalonnent une carrière éminemment brillante et fructueuse. La voici donc :

Fonds F-I-C inc.
L.G. Beaubien & J.-L. Lévesque inc.
Maison L.G. Beaubien (1959) incorporée
Blue Bonnets Raceway inc.
Blue Bonnets Turf Association
Quincaillerie Durand Limitée
C. Durand Ltée
Fashion-Craft MFRS. Ltd
Fashion-Craft Limitée
Fashion-Craft Shops Limited
Lechasseur Limitée
Le Crédit interprovincial incorporée
J.L. Lévesque Inc.
Domaine Algonquin inc.
Club De Courses Sous Harnais De Montréal inc.
J.L. Lévesque & L.G. Beaubien Ltée
L'industrielle Compagnie d'assurance sur la vie
Max Beauvais limitée
Bureau des Régents de l'Université de Moncton

Alfred Lambert inc.
The Acton Shoe Company Limited
Les Ameublements Princeville inc.
Les Meubles Lafontaine (1962) inc.
L.B. Furniture inc.
Fred A. Lallemand & Cie ltée
The Eagle Shoe Company Limited
Canadien National
Air Canada
Trust Général du Canada
La Prévoyance Compagnie d'assurances
Corporation de valeurs Trans-Canada
Les Immeubles Trans-Canada Cie ltée
L.G. Beaubien & J.L. Lévesque inc. (France)
L.G. Beaubien & Cie limitée
Natural Ressources Growth Fund
The Montreal Jockey Club inc.
Mt-Royal Jockey Club inc.
The Jockey Club Limited (Ont.)
The King Edward Park And Amusement Company
Hilton-Dorval Limited
O'Connell Mont Gabriel Lodge Inc.
Librairie Beauchemin limitée
Belding-Corticelli Ltd
Hotel Brunswick Ltd., Moncton, N.-B.
Henderson Furniture Limited
The Acton Rubber Limited
Daoust Lalonde inc.
Trans-Canada Shoe Ltd
Mont Tremblant Lodge (1965) Inc.
Payette Radio

L'homme a bien le droit de ralentir le rythme de ses activités, comme il en exprime l'intention, mais cela ne lui sera pas toujours facile. Nombreuses sont les institutions, financières, humanitaires et autres, qui sollicitent sa participation, l'apport de son expérience et du prestige de sa personne. Ainsi, par exemple, en cette même fin d'année 1967, alors qu'il venait de compléter un

Réunion du bureau de direction du Canadien national. Au bout de la table, le président Donald Gordon; à sa droite, J.-Louis Lévesque.

mandat de trois ans au conseil d'administration de l'Université St.Dunstan, où il avait terminé ses études classiques en 1934, il accepte de devenir, le 27 octobre, chancelier de la nouvelle Université de Moncton et, quelques semaines plus tard, il accepte de devenir gouverneur à vie de l'Hôpital Sainte-Justine, à Montréal.

De l'inquiétude dans l'air : les financiers sont pris à partie

L'évolution de la conjoncture politique du Québec, particulièrement au cours des années 1960, avait suscité chez Louis Lévesque, comme chez un grand nombre d'autres hommes d'affaires, de vives inquié-tudes qui ont pu contribuer à la décision qu'il a prise de modifier l'allure de sa carrière.

Le renversement du régime de l'Union nationale en 1960, après un règne de 14 ans, et même la défaite des libéraux fédéraux en 1957, après 22 ans de pouvoir, brisent les vieilles certitudes et stimulent la prolifération des idées sur le plan politique. Les bouleversements de la Révolution tranquille et des années suivantes suscitent une foule de réactions, positives et négatives, qui font un vif contraste avec feue l'unanimité.

Pendant les années 1960, l'adhésion des masses du peuple québécois à l'idéologie nationaliste demeure un rêve non réalisé. [...] De leur côté, beaucoup d'hommes d'affaires craignent que la vague nationaliste ne compromette la stabilité économique[2].

L'année de l'Exposition universelle de Montréal avait été marquée, à tous les niveaux de la société québécoise, par une recrudescence d'écrits, de discours et d'événements axés autour de ces questions du nationalisme québécois et de la constitution canadienne. Le mois de juillet de cette année-là avait connu le célèbre passage du général de Gaulle au balcon de l'hôtel de ville de Montréal. Dans cette atmosphère qui s'échauffait graduellement, les hommes d'affaires voyaient donc un réel danger pour l'économie du pays et ils s'en inquiétaient sérieusement. La question étant fort délicate et les échanges qui l'entouraient facilement passionnés, le plus souvent, ils choisissaient de ne pas l'aborder publiquement ou, s'ils le faisaient, d'y aller avec grande circonspection.

Le financier Louis Lévesque entretenait d'excellentes relations, tant professionnelles que sociales et amicales, avec la prestigieuse Banque Royale du Canada. Au cours de l'assemblée annuelle de la Banque tenue le 11 janvier 1968, il eut l'honneur et le plaisir de prononcer le traditionnel discours présentant la motion de remerciements des actionnaires à leurs administrateurs. Or, dans son discours, il toucha la délicate question et il le fit de façon particulièrement prudente, habile et remarquée.

Il félicita d'abord les administrateurs de la Banque pour la démonstration qu'ils avaient faite,

au cours du dernier exercice financier, de leur capacité d'innovation et d'imagination. Il souligna
ensuite la générosité des dividendes versés aux
actionnaires et celle des contributions dans le
domaine de l'éducation. «À ma connaissance,
précisa-t-il, vous figurez en tête de liste parmi les
donateurs aux deux campagnes de levée de fonds,
tant de l'Université Laval que de la nouvelle
Université de Moncton[3]. » Et il salua, le sourire en
coin, la générosité de la Banque qui verse aux gouvernements 31 millions en impôts, soit une augmentation de 20% par rapport à l'année précédente. «Avec tout cela, remarque le pince-sans-rire,
on pourrait acheter beaucoup de chevaux et de
foin. Si vous continuez à ce rythme-là, vous allez
bientôt rejoindre Blue Bonnets de Montréal et le
Club de jockey de Toronto et payer autant qu'eux
deux à vous seuls. » À ce moment de son discours,
il aborda ainsi le sujet délicat :

> La lecture des journaux au cours des derniers mois
> a certainement incité plusieurs d'entre nous à
> supposer que cette assemblée serait tenue dans une
> autre ville, une autre province, ou même un autre
> pays. Fort heureusement, Montréal, Québec, est
> encore la ville où de nombreuses institutions de
> caractère international ont gardé leur siège social, la
> Banque Royale figurant parmi les plus importantes.
> (...) J'ai donc la ferme conviction que la province de
> Québec retrouvera la saine atmosphère que nous lui
> connaissions et qui est indispensable pour assurer
> non seulement son propre développement écono-
> mique mais celui du pays tout entier.

Pour cette dernière portion de son discours il
avait préparé son texte dans les deux langues et ce
fut le même contenu dans l'une et l'autre à un seul
détail près : dans son texte français, il choisit
d'omettre les quelques mots suivants : «En ces jours
où l'on parle beaucoup de changement constitu-
tionnel... »

Le discours fut grandement apprécié. Le lendemain, le président de la Banque Royale, W. Earle
McLaughlin, tient à lui exprimer officiellement ses
sentiments afin que les archives en conservent la
mémoire. Il lui écrit :

Cher Louis,

Même si je t'ai remercié oralement hier, j'ai été
tellement impressionné par la façon extrêmement
compétente et humoristique que tu as eue de présenter la motion de remerciements de notre assemblée que je veux tout simplement que mon appréciation soit consignée aux documents officiels. Tu as
fait une intervention excellente et je t'en suis reconnaissant. Sincèrement, Earle, « Chairman » et président.

Le même jour, autres félicitations de la part du
vicomte Hardinge, « Chairman » de Greenshields
Incorporated : « Cher Louis, même si, aujourd'hui,
au lunch, je t'ai déjà félicité pour ton discours, je
veux te redire tout simplement que je pense que tu
as fait un maudit bon discours et te transmettre mes
chaleureuses félicitations. »

Une année éprouvante pour Louis Lévesque : 1970

Les tensions créées par la conjoncture politique
s'enveniment graduellement et atteignent leur
paroxysme au cours de l'année 1970 pendant
laquelle se manifeste au Québec le mouvement
felquiste qui passe des menaces aux actes de vio-
lence : bombes, enlèvements, assassinat. Le groupe
révolutionnaire accuse les grands de la finance
d'être de connivence avec les politiciens pour mal-
mener le peuple québécois. Cette année mouve-
mentée, inquiétante et éprouvante pour les leaders
du monde de la finance, le sera particulièrement
pour Louis Lévesque. En juin, une bombe explose
à l'extérieur de sa résidence d'Outremont, ne causant heureusement que des dégâts matériels. C'était

le douzième attentat dans la région de Montréal en quelques mois. À l'automne, pendant la crise d'octobre, les felquistes obtiennent qu'on donne sur les ondes de Radio-Canada lecture d'un manifeste dans lequel, distribuant les torts, il mentionnent les noms d'une brochette de financiers qu'ils accusent vertement. Parmi eux, un seul francophone : Louis Lévesque. Le financier a le cœur meurtri. Il se sent injustement accusé, lui qui a réussi à ouvrir à ses concitoyens francophones les portes du monde de la haute finance, jusqu'à son avènement à peu près hermétiquement fermées pour eux.

Conséquence de cette dure épreuve ou simple coïncidence, la santé de Louis Lévesque se détériore. L'un de ses malaises le mine probablement depuis un certain temps : il se plaint de maux de tête et on lui demande en vain de réduire sa consommation quotidienne de cigarettes. Son conseiller de toujours, André Charron, l'a vainement incité, à plusieurs reprises, à voir des spécialistes. Peu avant 1970, dans des circonstances particulières que nous rappellerons plus loin, un dîner intime avait réuni le financier et le docteur Paul David, de l'Institut de cardiologie de Montréal. Lévesque s'intéressa alors vivement aux travaux du docteur David et lui offrit, dès ce soir-là, une aide financière des plus généreuses. Mais, semble-t-il, on n'avait parlé, au cours de cette rencontre, que des problèmes de santé des autres.

En mai 1972, les signes de malaise persistent et vont s'aggravant. Charron insiste : « Vous connaissez bien Paul David, vous avez été généreux pour lui, pourquoi ne le consultez-vous pas pour savoir s'il connaît quelqu'un qui pourrait vous aider ? » Il consent enfin à être hospitalisé à l'Institut de cardiologie et à être visité par des amis et des collègues du docteur David qui diagnostiquent une tumeur à un rein nécessitant l'ablation. Le patient est opéré à la clinique Mayo de Rochester, le

Le jet privé de J.-Louis Lévesque, un De Haviland 25. Il chevauche les espaces, habillé des mêmes couleurs de blanc et de vert que les jockeys du célèbre turfiste. (Photo : Coll. privée)

26 mai 1972. Remis sur pied après une longue convalescence, il gardera à jamais une immense reconnaissance envers le docteur David.

Graduellement et sagement, vers la retraite

Depuis plusieurs années déjà, Louis Lévesque passe une bonne partie de l'année en Floride où il a acquis une résidence privée, à Bal Harbour. De là, il dirige les affaires qu'il s'est réservées au pays et, surtout, il gère avec beaucoup de plaisir et de succès les investissements qu'il a faits dans son sport chéri, les courses de chevaux et l'élevage des pur-sang. À bord de son jet privé, il se déplace régulièrement vers les hippodromes des États-Unis et du Canada où se mesurent les plus célèbres coursiers dont plusieurs, issus de ses écuries, portent fort élégamment ses couleurs.

Vente de La Prévoyance à La Laurentienne

Au moment de vendre un grand nombre de ses compagnies, en 1965, il avait exprimé, avons-nous vu, son intention de continuer à s'occuper de ses compagnies d'assurances. Mais celles là aussi, il allait se résoudre un jour à les vendre, une à une. Vint d'abord le temps de se départir de La Prévoyance. Il s'agissait d'une transaction de quelque 15 millions. Il avait acheté cette compagnie en 1956 de la famille Alphonse Raymond, conseiller législatif, ami de Duplessis. Il l'avait développée, faisant beaucoup d'affaires avec le gouvernement du Québec.

Or La Laurentienne, présidée par Jean-Marie Poitras depuis 1965, souhaitait acheter La Prévoyance. Poitras avait connu Louis Lévesque alors qu'il siégeait avec lui au Trust général du Canada. Lévesque y était le bras droit du patron à qui il confiait de nombreux et intéressants contrats. Un deuxième administrateur de taille à la table du Trust général du Canada était alors Arthur Simard, de Sorel. Le sénateur Poitras se souvient de l'image projetée par Lévesque siégeant à cette auguste table. « Il paraissait quelque peu timide, parlait peu et, attentivement, il écoutait tout. Les écritures n'étaient pas son fort, précise le confrère au Trust. On le voyait parfois inscrire brièvement une note sur son paquet de cigarettes... et quand il s'exprimait, son propos était simple et clair et il avait beaucoup de poids[4]. » En 1975, les deux hommes se rencontrent et négocient une entente dont Jean-Marie Poitras aime relater les circonstances qui démontrent de façon éloquente, précise-t-il, la droiture de Louis Lévesque.

En janvier les deux négociateurs conviennent verbalement d'une transaction : Poitras achètera La Prévoyance. Or Poitras a besoin que le groupe Suez, groupe français dont il fait partie, investisse dans cet achat, mais un décideur de ce groupe refuse d'investir au Canada parce qu'il a peur de voyager en avion. Toutefois, l'administrateur allergique au transport aérien doit prendre sa retraite bientôt. C'est ainsi que Poitras se voit contraint de retarder la conclusion de la transaction avec Lévesque, de janvier à décembre. Pendant ce temps, le commerce de l'assurance générale, qui était en déprime, effectue une rapide remontée qui augmente automatiquement de deux millions le prix convenu entre Lévesque et Poitras. Des actionnaires minoritaires de La Prévoyance offrent alors à Lévesque le même prix que Poitras est disposé à payer. Lévesque leur répond, imperturbable : « Vous étiez là, lorsque nous avons convenu d'une entente. J'ai donné ma parole à Poitras et c'est ça qui tient toujours. » Évoquant ce souvenir, Poitras déclare : « Louis était un homme droit. Il était pour nous, les hommes d'affaires francophones, un précurseur. Il a élargi l'horizon, il a ouvert la voie à bien d'autres. Quant à moi, il m'a donné confiance et support[5]. »

Honoré par les grands de ce monde

Le monde des sports, avons-nous déjà vu, particulièrement celui du turf, a reconnu plusieurs fois la participation, les réalisations et les mérites de Louis Lévesque en lui rendant de nombreux hommages les plus mérités. Parallèlement, d'autres instances de la société, parmi les plus élevées, ont tenu à reconnaître et à souligner les succès de la carrière de Louis Lévesque. L'année 1976 lui apporta d'insignes honneurs. Ce fut d'abord, en janvier, l'État d'Israël qui lui décerna, ainsi qu'à son épouse Jeanne, le très distingué prix Eleanor Roosevelt Humanities dont il sera question plus loin. En décembre de la même année, il est nommé membre de l'Ordre du Canada. L'Ordre du Canada avait été créé en 1967 dans le but d'assurer la reconnaissance d'actes et de services éminents rendus au Canada ou à l'humanité en général.

Faillite de Dupuis & Frères

Le sort que connaîtra le magasin Dupuis & Frères portera un coup dur au sentiment de satisfaction du devoir accompli que le financier avait éprouvé dans ce dossier important. Le bilan du grand magasin se détériore : en 1974 il accuse des pertes de 2 millions. Cette inquiétante situation financière provoque un changement de propriétaires qui, le 14 août 1975, ramène Dupuis & Frères dans les mains de l'ancien propriétaire Louis Lévesque par l'intermédiaire de la maison Lévesque, Beaubien Inc. Le magasin devait lancer une nouvelle émission d'obligations de 3,5 millions $ pour rembourser des titres de 3,3 millions $ arrivant à échéance le 1er juin 1975 et les prêteurs avaient suggéré un changement de direction de la compagnie. La maison de courtage présidée par Louis Lévesque est entrée en scène dans ce dossier pour tenter d'éviter le pire au grand magasin, en négociant un refinancement de 4,5 millions $ grâce auquel, selon l'ancien et à la fois nouveau propriétaire : « Dupuis est maintenant sauvé pour cinq ans[6]. C'est la Banque Royale qui m'a contacté et qui s'inquiétait. La menace de fermeture était claire. Je ne pouvais pas rester là sans rien faire pour Dupuis. Ce n'est pas la première entreprise que nous prenons au bord de la faillite et que nous renflouons, vous savez[7]. »

À la présidence de Dupuis & Frères, le financier nomme Edmond Frenette, ce concitoyen de Nouvelle qu'il avait jadis rapatrié de Moncton pour lui confier la présidence de Slater Shoe et qui était devenu en 1966 président et propriétaire de la Librairie Beauchemin. Frenette avait déjà été vice-président du grand magasin, de 1961 à 1963, « à l'époque où la corporation de Valeurs Trans-Canada contrôlait la firme et pendant laquelle la valeur des actions de Dupuis & Frères avait fait un bond de 6,00 $ à 14,00 $[8]. » « Tel un père qui, à l'âge de la retraite, accepte de donner un dernier coup de pouce à l'un de ses garçons, M. Lévesque a multiplié ses efforts pour empêcher la disparition de cette entreprise qui a été une de ses réussites financières[9]. »

Malheureusement pour le sauveteur, un certain nombre de circonstances imprévisibles vinrent ajouter à la détérioration de la conjoncture et la faillite devint inévitable. Il y eut une grève qui empêcha, en octobre 1977, la parution, de *La Presse*, le principal véhicule de la publicité du magasin. Il y eut aussi, tout juste avant la période des Fêtes, la paralysie des transports en commun à Montréal qui, à elle seule, entraîna une perte estimée à un million de dollars. Tout cela alors que les banquiers s'inquiétaient déjà.

La compagnie est mise en état de faillite par requête le 25 janvier 1978 et la faillite est prononcée par jugement le 7 février 1978. Une poursuite de 469 800 15 $ est intentée par les employés contre les administrateurs. L'action est introduite devant la Cour supérieure du Québec le 3 janvier 1979 et référée à la Cour du Québec le 14 mai 1986. Une action est inscrite pour enquête et audition le 27 mai 1981. En son jugement rendu le 21 novembre 1989, le juge Claude Pothier de la Cour du Québec accorde la majorité des montants réclamés, soit un total de 638 915 56 $.

Vente de F.I.C. à La Laurentienne

Le président de La Laurentienne, Jean-Marie Poitras, qui a déjà, dans les circonstances que nous avons vues, acquis La Prévoyance compagnie d'assurance, a maintenant les yeux sur F.I.C. parce que La Laurentienne a commencé à acquérir des parts dans la Banque d'épargne de Montréal (qui va devenir la Banque La Laurentienne) et parce que F.I.C. possède justement 10 % de cette banque. En acquérant F.I.C., La Laurentienne accélérerait sa marche vers le contrôle convoité. F.I.C. comprend, en plus de commerces de chaussures, de patins, de caoutchouc, de quincaillerie, la piste de course Windsor de Toronto qui n'intéresse pas La Laurentienne. Poitras dit alors à Lévesque : «Je ne veux

pas de cette piste, je ne connais rien aux chevaux. »
À quoi Lévesque répond : « Mais c'est le plus
payant[10] ! » Poitras achète donc F.I.C. et vend les
commerces de chaussures à Gagné et Bourgie, deux
administrateurs de F.I.C. qui sont aussi amis de
Lévesque et possèdent des parts dans la Banque
d'épargne de Montréal. Intéressant échange en
perspective pour le président de La Laurentienne
poursuivant son projet de prise de contrôle de la
Banque d'épargne de Montréal.

Or cette transaction importante fut conclue sur
la base d'une poignée de main. Poitras, se souvenant, affirme, admiratif et catégorique : « La poignée
de main de Louis Lévesque vaut n'importe quel
papier de notaire. » Les deux financiers conviennent
donc d'un prix et Lévesque dit à l'acheteur : « Il faut
faire une offre aux actionnaires minoritaires. »
Poitras s'amène devant le directeur du Trust général,
Monsieur Jussaume, pour déposer une offre. Celui-
ci lui demande : « Êtes-vous certain que Lévesque va
vendre ? Avez-vous de bons papiers ? — Oui, de
répondre Poitras. — En êtes-vous bien certain ? »
d'insister Jussaume. Poitras observe que le directeur
du Trust général semble être au courant d'une
autre entente dont il serait dans l'obligation de
garder le secret. Qu'à cela ne tienne ! Poitras n'a en
guise de contrat que la poignée de main de
Lévesque mais la transaction s'effectuera comme il
en a été convenu[11]. À 20 $ l'unité, la vente des
actions de F.I.C. Inc. rapportera la jolie somme de
16 100 000 $.

Allégement graduel de responsabilités

Le financier Lévesque continue d'alléger ses responsabilités. Le 14 septembre de cette même année
1979, il ratifie, avec quelques collègues coproprié-
taires, la vente à la Fédération des Caisses d'entraide
économique du Québec de la compagnie Mont-
Tremblant Lodge (1965) Inc. À l'occasion de cette

négociation, il fait montre encore une fois de sa très utile perspicacité. La Fédération cherchant de meilleures conditions de crédit, certains conseillers opinent en sa faveur en alléguant qu'elle est solvable. «Alors, si elle est solvable, tranche Lévesque, qu'elle paye!» Clairvoyance, comme on le vit bien par la suite. L'homme voyait ce que les autres ne voyaient pas, tout comme le poète dont Victor Hugo vante ainsi les charismes :

> Dans votre nuit, sans lui complète,
> Lui seul a le front éclairé.
> Des temps futurs perçant les ombres,
> Lui seul distingue en leurs flancs sombres
> Le germe qui n'est pas éclos[12].

À la fin de l'année, la veille de Noël, il offre à Arthur Simard, président du conseil d'administration du Trust général du Canada, sa démission comme administrateur à cette table. Il fera de même, le 28 octobre 1981, auprès de ses collègues administrateurs de L'Industrielle Compagnie d'assurance sur la Vie. Ce ne fut vraisemblablement pas de gaieté de cœur qu'il leur présenta sa lettre de démission comme président du conseil d'administration de cette compagnie dont l'acquisition, en 1950, avait été, selon ses propres paroles, «le plus beau coup de ma vie».

Au Temple de la renommée de l'entreprise canadienne

Liquidation de nombreux intérêts, démissions à divers conseils d'administration, le financier à la carrière si intensément active procédait graduellement et sagement à ces gestes que lui recommandaient son âge et, très probablement aussi, ses médecins. Si cet éloignement graduel d'une activité trépidante, dans laquelle il avait semblé tout à fait à l'aise et heureux, pouvait lui causer quelque pincement au cœur, il y avait cependant, pour rappeler ce passé et raviver son bonheur, l'immense reconnaissance dont on lui multipliait les témoignages. Quelques mois avant cette démission à sa précieuse Industrielle Compagnie d'assurances sur la vie, on couronne la carrière du financier en le nommant au Temple de la renommée de l'entreprise canadienne. Ce panthéon avait été créé par Les jeunes Entreprises du Canada pour rendre hommage aux Canadiens s'étant distingués dans le monde des affaires[13]. La cérémonie a lieu à Calgary, le 2 avril 1981.

Au cours du banquet célébrant cette nomination, le président de l'organisme conclut de la façon suivante la présentation qu'il a faite de la carrière de Louis Lévesque :

> Oui, ce fut là une vie fructueuse et gratifiante pour Louis Lévesque. Depuis le temps de sa jeunesse enthousiaste en Gaspésie, en passant par les années intenses qu'il a vécues dans le monde de la haute finance, jusqu'à ce jour, il a grandement contribué à la qualité de vie canadienne. Et nous saluons en vous, Monsieur Lévesque, un personnage qui intègre le vrai esprit d'entrepreneur, un homme qui a largement donné à ses concitoyens de son temps, de ses talents et de ses richesses, un remarquable sportsman, un Canadien.

Le nouveau membre de ce Temple de la renommée éprouve en ce jour une réelle satisfaction dont il s'ouvre dans son discours en réponse à l'hommage qu'on lui rend :

> Je considère un grand privilège de participer à cette troisième initiation au Temple de la renommée de l'entreprise canadienne.

> Voici un prix que je chérirai. Alors que chacun de nous s'implique, d'une façon ou d'une autre dans différentes activités, chacun a cependant sa spécialité, c'est-à-dire sa façon de gagner sa vie. Dans mon cas, je dois admettre que ce fut de faire des affaires.

> Je peux vous assurer que je considère la présente cérémonie comme un point culminant inespéré

En 1981, Les jeunes entreprises du Canada ont enrichi d'un troisième portrait la galerie de leur panthéon.

dans ma carrière, un couronnement qui m'apporte une grande satisfaction.

On me permettra de féliciter votre organisme pour avoir pris l'initiative d'instituer ce Temple de la renommée. Une telle formule de distinction se retrouve de plus en plus dans le monde des sports, au hockey, au base-ball, aux courses... Il me semble tout à fait approprié qu'une égale attention soit apportée au leadership en des carrières relatives aux banques, aux finances ou au marketing, carrières qui constituent l'épine dorsale de notre économie nationale.

Le pédagogue prépare sa relève

Oui, pense et affirme Louis Lévesque, il faut que les organismes officiels, telle «L'entreprise canadienne», s'emploient à valoriser les carrières de la finance et de l'économie autant qu'on le fait des activités sportives. C'est là une nécessité vitale pour l'avenir du pays. Mais, il ne se limite pas à des paroles. Quand l'occasion s'en présente, il la saisit pour encourager concrètement, en bon pédagogue, l'apprentissage de la relève. Et quand il s'agit d'une personne du cercle familial, il y va volontiers d'un exercice très spécial. Ainsi, un soir de mai 1982, il est aux courses et on y célèbre la graduation d'un membre de la famille qui vient de terminer un cours spécialisé en placements. Le financier retraité en est fier et il choisit une façon des plus pragmatiques de le dire et de participer à l'entrée en affaires de la jeune recrue. Ne disposant pas d'autre papier quand surgit l'inspiration, il écrit sur le carton de la table n° 7 du Turf Club «JC»:

À toi, X,

Maintenant que tu as gradué dans la grande ligue, je vais te faire une offre que tu ne pourras pas refuser. Je te prête 100 000 $ à 2 % (où peux-tu trouver 100 000 $ à 2 % ?). À compter de vendredi prochain, investis-le à ta guise. Au même moment, j'investirai

moi-même 100 000 $ que nous appellerons porte-
feuille n° 1. Le 1ᵉʳ septembre 1983, le gagnant aura
le tout. Fais cela par toi-même. Ne consulte pas les
économistes... Sers-toi de ton propre jugement.

Bonne chance !

J.- Louis.

Le 1ᵉʳ septembre 1983, l'état du compte spécial,
portefeuille n° 1, ouvert au nom de J.-Louis
Lévesque, donne un solde de 177 550 $. Celui de
l'élève atteint 117 000 $ dont il faut retirer 2000 $
pour les intérêts de l'emprunt. L'élève écrit à son
maître :

Sincères remerciements pour m'avoir procuré
l'occasion de mesurer ma compétence à investir. Je
n'ai pas gagné mais j'ai fait pour le mieux et la
compétition fut extraordinaire. Je me sens comme
un « claiming horse » qui court contre un gagnant
du Queen's Plate, mais, au moins, « I didn't break
down ».

Félicitations ! J'espère que vous allez continuer à me
mettre au défi et à m'aider à grandir en ce domaine.
Salut et merci.

Autres hommages

Le citoyen Louis Lévesque a conduit une carrière
remarquable et, de part et d'autre, on sollicite sa
présence parmi les responsables de divers organismes de bienfaisance et on veut lui rendre hommage. L'Institut catholique de Montréal lance une
campagne de souscription en 1985 et il accepte
d'en être l'un des vice-présidents d'honneur. Le
5 octobre 1989, l'Institut Armand Frappier, une
constituante de l'Université du Québec, lui décerne
un doctorat honoris causa. En février 1991, il
devient Grand officier de l'Ordre national du
Québec.

Au cours d'une soirée en son honneur, J.-Louis Lévesque reçoit les félicitations du maire Jean Drapeau et du Père de la Sablonnière.

Portrait de l'homme

Tout au long des pages qui précèdent, on a pu voir s'esquisser puis se préciser, sous l'action révélatrice du temps et des événements, divers traits caractéristiques de Louis Lévesque : un homme simple et calme, sans prétention, déterminé, réfléchi, intelligent, ambitieux, travailleur, d'une rigoureuse honnêteté, fidèle en amitié et fier des siens : de sa famille, de sa Gaspésie et de ses compatriotes francophones. Parmi les témoignages relatifs à sa fidélité en amitié, celui de Charles Ploem, maître d'hôtel du Beaver Club de l'hôtel le Reine Élisabeth, a quelque chose de particulièment émouvant. Louis

Une visite en sa Gaspésie en 1987. Dans l'ordre habituel: André Delorme, pilote, Gustave Lachance, Jeanne Poirier-Lachance, Frank Desmarais, co-pilote, J.-Louis Lévesque et Bona Arsenault. (Photo: Coll. privée)

Fidèle en amitié. J.-Louis Lévesque et son épouse Jeanne, en compagnie de Monsieur et Madame Donald Mumford. « Il emmena des employés du Reine-Élisabeth à Miami, aux funérailles de son ami leur ex-patron... »

*En voyage en Louisianne, devant l'Université de Bâton-Rouge, en avril
1987. Dans l'ordre habituel : Gustave Lachance, Bona Arsenault,
K. Martin, William Arceneaux, J.-Louis Lévesque et Adrien J.Cormier.
(Photo : Coll. privée)*

Lévesque s'était lié d'une belle amitié avec Donald
Mumford, de la chaîne Hilton, directeur général du
Reine Élisabeth où les deux amis se rencontraient
souvent. Lorsqu'après avoir travaillé à Montréal
pendant vingt-cinq ans Mumfort décéda en
Floride, Louis Lévesque considéra qu'il y aurait
vraiment trop peu d'amis pour le conduire à son
dernier repos et il offrit à Ploem et à d'autres
employés du Reine Élisabeth de les transporter aux
funérailles de son bon ami, leur ancien patron.

Ses proches et ses collègues, évoquant le souvenir qu'il leur a laissé, se font à peu près unanimes
sur ces facettes de sa personnalité. Selon son ami
intime, le juge Cormier, Louis était un homme de
décision rapide, il aimait lire des bilans et il en avait
toujours avec lui en voyage, bilans de ses compagnies et aussi d'autres compagnies. Il avait un flair
spécial pour lire ces documents, particulièrement
entre leurs lignes, tout comme pour choisir ses
collaborateurs.

On a vu comment il avait eu l'œil juste en
jaugeant le jeune Paul Desmarais qui n'avait pourtant pas encore fait toutes ses preuves. Ce même
Paul Desmarais, maintenant, ne tarit pas d'éloges
envers son aîné, voire son précepteur. «Louis
Lévesque a toujours eu confiance en ses capacités.

Il connaissait ses capacités. Quand il décidait quelque chose, il savait ce qu'il allait faire. Et pour cela il avait le respect de tous. Il fut le premier Canadien français à comprendre le rouage financier qui existe au Canada[14]. »

Ce même talent le servit à merveille comme turfiste. Nous avons déjà retenu là-dessus le témoignage de Georges Frostad, propriétaire et éleveur, ex-président de la Société canadienne des éleveurs de pur-sang et membre du Club de jockey d'Ontario : « Lévesque est un astucieux homme de cheval... Il a trop souvent pris la bonne décision pour qu'on en attribue le mérite à la chance. »

Toujours selon Cormier, Lévesque était peu loquace, il écrivait peu, prenait de temps à autres de petites notes, se fiant, avec raison, à sa prodigieuse mémoire. Dans ses moments de confidence, deux propos persistaient à revenir en surface. Le premier : « Je ne veux jamais redevenir pauvre, je sais trop ce que c'est ! » L'autre : « Je suis fier d'avoir réussi en affaires, moi, un francophone de bien humble origine[15]. »

Sa fille Andrée aime rappeler les côtés quelque peu fantaisistes ou marginaux de la personnalité de son père. Selon elle, il raffolait des événements spectaculaires : « Il nous emmenait en auto voir les parades, par exemple le jour de l'armistice. S'il y avait un feu, il aimait suivre les pompiers. Il nous emmena ainsi voir l'incendie de la salle du Plateau. En 1968, lors des émeutes de la Saint-Jean, il ne résista pas à la tentation d'aller sur les lieux de l'action voir ce qui se passait. Il s'y rendit en voiture, sans chauffeur, « mais sans nous inviter, cette fois-là ». Andrée ne peut s'empêcher d'évoquer ici la période de la motocyclette à plus de 75 ans. « Maman, dit-elle, amusée, l'avait surnommé son "dare-devil". » Il avait un petit côté anticonformiste ou allergique aux intrusions indues dans ses affaires et comportements personnels. Lorsque apparurent les ceintures de sécurité dans les

Dès 1960, il avait opté pour la motocyclette.

voitures, avant que leur port ne fût obligatoire, il exprima son agacement, en un temps deux mouvements, dans sa nouvelle voiture, à l'aide d'une paire de ciseaux.

Confirmant à son tour l'étonnante mémoire de son père, Andrée rappelle sa stupéfaction de l'avoir entendu, sur son lit d'hôpital, en 1994, alors qu'il sortait d'une période de plusieurs jours d'inconscience aux soins intensifs, lui décliner sans hésitation ni erreur une série de détails relatifs à des portefeuilles familiaux. Tout y était : les dates d'échéance, les taux, les implications fiscales. Elle avait pourtant déjà entendu la secrétaire de son père affirmer qu'il se souvenait, à la fin de sa carrière, de nombreuses obligations d'épargne vendues pendant la guerre, à telle personne, à telle date, à tel taux.

Nous avons déjà souligné la fidélité de Louis Lévesque en amitié. Les témoignages se font insistants là-dessus aussi. «Quand nous nous rencontrions, à 80 ans et plus, c'était encore l'ami d'enfance. J'ai aimé ça de lui», confie Louis Frenette, le compagnon de jeu à Nouvelle et confrère au cours classique à Gaspé. Chaque été, il se rendait en sa Gaspésie natale, visitant ses amis de jeunesse et ses confrères de classe. Il s'informait souvent d'eux tous, et Marie Simard, fille de sa sœur Léona, se souvient bien de la question qu'il posait toujours en visitant cette sœur à Québec : «As-tu des nouvelles d'en bas?» Et de préciser la nièce : «Il ne fallait rien dire de mal de la Gaspésie ou des Gaspésiens. Maman et l'oncle Louis prenaient systématiquement leur défense. Il est très clair que tous deux revivaient leurs souvenirs gaspésiens avec beaucoup de bonheur. Ils ravivaient ensemble la mémoire des personnes "d'en bas" qu'ils avaient connues.»

La même nièce évoque un autre souvenir amusant qui souligne le côté fantaisiste de l'oncle Louis et peut-être même aussi la valeur sentimentale ou fétichiste qu'il attachait à certains articles lui rappelant les toutes premières négociations de sa carrière :

> Nous étions à Montréal, quelques nièces adolescentes, et il nous emmena passer la Pâques à New York. «Appelez vos parents, on va arranger ça», avait-il décidé. Entre autres visites là-bas, il nous conduisit à l'Empire State building et nous offrit, à chacune, un immense crayon de bois. Nous ne savions trop que faire de ces objets... Lui, il était visiblement très fier de son choix[16].

À plusieurs reprises, nous avons eu l'occasion de souligner la générosité de Louis Lévesque. Elle fut tellement remarquable que nous y consacrerons le dernier chapitre de ce livre. Il convient cependant, pensons-nous, de noter ici quelques anecdotes relatives à cette grande et belle qualité qui le caractérisait. Irving Liverman, un personnage avec qui il avait lié connaissance dans le monde des courses de chevaux et qui est devenu un ami intime, a beaucoup voyagé avec lui. Un jour, à Londres, il le voit en train de négocier à la baisse, avec un chauffeur, le prix d'une visite guidée. Liverman lui dit : « Laisse donc tomber ; le prix est peut-être raisonnable après tout et de toutes façons je partagerai la note. » Pendant la visite guidée, Louis cause longuement avec le chauffeur, un brave jeune Israélien émigré qui tente d'aider sa famille laissée là-bas. Au moment de le remercier, il lui donne un pourboire... de 1000 $[17]. Dans la même veine, Gilbert Gravel l'accompagne aux États-Unis en un voyage vers quelque derby important. À l'hôtel, une femme de chambre lui ayant raconté sa misère, l'interlocuteur attendri lui remet 1000 $ et avoue à Gravel : « Elle va bien penser que je suis fou. Tant pis[18] ! »

Ayant déjà été pauvre mais ne l'étant plus, il entend constamment cette voix intérieure qui l'invite à soulager la misère de ses frères et sœurs souffrants. Or il obéit à cette voix. Et le plus souvent dans la plus grande discrétion. Voilà la

Octobre 1977. En voyage à Londres avec les amis Liverman. (Photo : Coll. privée)

Avec Emmett et Doris Kierans, au cours d'une réception offerte au Reine-Élisabeth par la Trans World Airlines, le 20 mai 1971.

générosité. Elle le conduira à donner beaucoup d'argent, mais il donnera davantage. Des circonstances incontrôlables de l'existence l'amèneront à donner aussi beaucoup de lui-même.

Sa chère épouse Jeanne ayant été frappée d'une maladie incurable qui, pendant de longues années, réduisit gravement sa motricité de même que sa faculté d'élocution, il fut auprès d'elle d'une sollicitude aussi constante qu'admirable. Cette femme aimante qu'il avait connue en 1935, avec laquelle il s'était fiancé en 1936 et qu'il n'avait épousée qu'en 1938, pour la bonne raison que l'argent faisait défaut, cette fiancée patiente qui savait lui prêter à l'occasion de l'argent et sa voiture, cette épouse dévouée et attentive qui, dans l'ombre du foyer familial, l'avait si fidèlement secondé dans son exigeante carrière, faisant tout pour lui rendre agréable et reposant son retour quotidien à la maison, cette épouse dépareillée qui n'a vécu que pour lui, il en fut follement amoureux jusqu'à la fin. Il lui devait tant de ses succès! Et il sut le reconnaître de façon si concrète, aimante et patiente que tous ses proches et amis en furent profondément touchés, édifiés.

Quotidiennement, dans ses déplacements à l'extérieur, il communiquait avec elle ou avec le personnel affecté à ses soins. Malgré toutes les contraintes inhérentes à la condition de la malade, il voulut jusqu'à la fin lui renouveler aussi souvent que possible son petit bonheur d'une sortie avec lui au restaurant. En avril 1987, préparant vers la Louisiane un voyage au caractère plutôt protocolaire, il lui apparut que cela dépasserait les capacités de la malade déjà clouée à un fauteuil roulant. Elle exprima néanmoins son désir d'être du voyage et il l'amena volontiers en Louisiane. Les témoignages des amis de Louis Lévesque à ce sujet sont à la fois unanimes et édifiants. Retenons, entre autres, celui de Gustave Lachance :

> Jour après jour et pour de longues et pénibles années, Louis Lévesque a eu pour «sa douce moitié» une attention, un soin «amoureux» de tous les instants, une dévotion exemplaire. Contre vents et marées, il a tenu le coup, stoïquement, et prouvé à la face d'un monde sceptique, souvent incrédule ou ébahi, que seule la fin de l'existence de celle qu'il a choisie, qu'il a aimée et qui a partagé noblement sa vie, la séparerait de lui. Un exemple pour tous et chacun! Cette dévotion envers une personne qui lui était chère nous a démontré la grande part que, tout riche et puissant qu'il fût, il accordait aux «valeurs humaines». En ce qui me concerne, c'est le plus grand diplôme que je puisse lui décerner[19].

Dernières années

Les dernières années de Louis Lévesque lui laissèrent beaucoup de temps pour son sport favori des courses de chevaux et pour cultiver ses bonnes vieilles amitiés. Un des lieux privilégiés de rendez-vous pour revoir certains de ces amis fut bien le Club de pêche au saumon de la rivière Saint-Jean, en Gaspésie. Ce club très sélect, situé sur la rivière du même nom, à quelque vingt kilomètres de

Au St.John's Salmon Club de Gaspé, en juillet 1990, avec son petit-fils Yanick et son fils Pierre-Louis. (Photo : Coll. privée)

Gaspé, fut incorporé en 1899 et compta un maximum de huit membres dont quatre Américains jusqu'en 1977. Louis Lévesque y pêchera pour la première fois en juin 1978. Il s'y trouvait en tant qu'invité et il avait offert à son hôte, Melvyn G. Angus, le transport à Gaspé à bord de son jet privé. Quelques semaines plus tard, Angus lui transmet une invitation officielle à devenir membre du club, ce qu'il accepte immédiatement pour devenir ainsi le premier membre francophone. Il s'y retrouve avec le viconte Caryl Hardinge, Pres Gilbride, Jim McConnell, Harry Letson et Angus.

À chaque été, en juin ou en juillet, il est au rendez-vous et partage avec ses collègues du club et les amis invités le plaisir très spécial de cette lutte incertaine et passionnante avec quelques très vigoureux saumons dans les eaux limpides de la Saint-Jean. Année après année cependant, il déplore l'absence de l'un ou l'autre de ces amis, malade ou décédé. De fait, comme il a accédé plutôt jeune au monde des grands financiers, ses compagnons de pêche sont tous passablement plus âgés que lui. Ouvrons le journal de bord du club où, à travers les statistiques des prises et les détails relatifs aux conditions météorologiques, le pêcheur de saumon Louis Lévesque consigne, à l'occasion de ses plus récentes excursions, certaines réflexions sur la douceur d'être en ce lieu et sur la fuite inexorable du temps :

Le 11 juillet 1987 : Aux arrivants. Nous avons un très bon jeune chef gaspésien. Il a besoin d'un petit encouragement. Lui dire qu'il est bon... À l'an prochain, si Dieu le veut.

Le 21 juillet 1990 : Très bonne semaine : 19 prises en 6 jours. C'est une grande province où vivre... Et je viens de lire un magazine sérieux disant que je suis devenu un Américain, il y a plusieurs années. Je ne l'ai jamais été et j'espère ne jamais l'être, quoique j'aime le peuple américain et que j'aie de nombreux amis là-bas.

10 juillet 1991 : 24 saumons en 6 jours. Le meilleur endroit pour oublier ce que nous ne pouvons pas oublier[20].

10 juillet 1994 : Croyez-le ou non, mais il y a trois mois je sortais de l'Institut de cardiologie de Miami en chaise roulante après une mini-attaque, deux

crises cardiaques et deux semaines d'hospitalisation, ayant vu un million de docteurs et de spécialistes. D'une chaise roulante à une marchette, ensuite à une canne..., aujourd'hui me voici sur la Saint-Jean. Merci à l'Institut de Miami, à l'Institut de cardiologie de Montréal, à leurs docteurs et infirmières, à mes amis et à ma famille[21].

Le grand départ

Ce mot de remerciement consigné au livre de bord du club de pêche de la rivière Saint-Jean semble avoir quelque chose à la fois d'une prémonition et d'une précaution. Merci à tous ceux et celles qui l'ont aidé à reporter l'échéance fatale. L'homme guéri sait bien qu'il est cependant blessé, fragile. Ses remerciements n'anticipent-ils pas, de façon discrète, un proche avenir dont il perçoit instinctivement l'issue ? En septembre suivant, nouvelle hospitalisation à l'Institut de cardiologie de Montréal. Longues période d'inconscience aux soins intensifs. On craint le pire. Mais, heureusement, il récupère et obtient son congé médical. Encore une fois, il bénit le ciel de cette précieuse présence autour de lui, en ces moments critiques, du personnel de l'Institut de cardiologie, de sa famille et de ses amis les plus chers dont Madame Louise Delafontaine qui a été, à son chevet, d'une présence et d'un réconfort tout particuliers, le soutenant et l'encourageant sans cesse à tenir bon et à vivre encore.

De nouveau sur pied, il traverse une convalescence dont tout son entourage se félicite. Après avoir célébré la Noël avec les siens à Montréal, il prévoit partir en Floride le 28 décembre et demande qu'on le réveille à sept heures. On ne pourra le réveiller : il a quitté ce monde pendant son sommeil. En toute discrétion, comme il avait aimé procéder en tant d'autres moments importants de sa vie. Il avait 83 ans et huit mois. Des funérailles privées lui dirent un pieux adieu le 30 décembre 1994.

Quelques jours plus tard, l'un de ses médecins lui rendait un hommage dont nous voulons retenir ici les paroles suivantes :

Nous avons tous été bouleversés d'apprendre son décès subit. Ceux qui ont été témoins de sa récente maladie, qui l'ont vu combattre avec autant de détermination, ceux qui l'ont vu récupérer de façon satisfaisante, croyaient réellement que finalement il avait encore plusieurs bonnes années à partager avec ses proches et ses amis.

Comme médecin de M. Lévesque depuis vingt-cinq ans, je puis vous assurer qu'il ne redoutait pas la mort. Ce qu'il craignait, c'était de souffrir inutilement et surtout de perdre son autonomie. Son décès subit, sans souffrance, demeure, en tous cas pour nous, une certaine consolation[22].

Notes

1. Brodie Snyder du journal *The Gazette*. Son texte anglais s'intitulait « Tycoon twins ».

2. Richard Jones, « Le début d'un temps nouveau », in *Histoire du Québec*, publiée sous la direction de Jean Hamelin, Saint-Hyacinthe, Edisem, 1976, p. 495-500.

3. Un rapport de la première campagne de levée de fonds en faveur de l'Université de Moncton, daté du 6 décembre 1967, montre que le solliciteur Louis Lévesque s'était chargé d'approcher la Banque de Montréal tandis que Paul Desmarais devait tendre la main à la Banque Royale du Canada. Tous deux avaient fixé la contribution recherchée à 50 000 $. Ils obtinrent chacun 62 500 $. Le bonheur d'un compromis !

Il est intéressant de rappeler que Louis Lévesque avait accédé au poste de chancelier de l'Université de Moncton le 29 octobre de cette même année.

4. Entretien avec l'auteur, le 15 mai 1996.

5. *Ibid*.

6. Laurier Cloutier, « Le pire est passé pour Dupuis qui espère un bénéfice en 76 », *La Presse*, 21 septembre 1975.

7. Jean Chartier, « Avec $ 20 millions de dettes Dupuis Frères repart à neuf », *Le Jour*, 11 septembre 1975.

8. Michel Nadeau, « Chez Dupuis Frères - Comment se déroulera le scénario préparé par Jean-Louis Lévesque ? », *Le Devoir*, 11 septembre 1975.

9. Jean Chartier, *Le Jour, Ibid*.

10. *Ibid*.

11. *Ibid*.

12. «Fonction du poète», in «Les rayons et les ombres».

13. «Les jeunes entreprises du Canada» en étaient à leur troisième initiation annuelle au Temple de la renommée de l'entreprise canadienne.

14. Interview accordée à l'auteur le 15 septembre 1996.

15. Entretien avec l'auteur, le 19 janvier 1996.

16. Entretien avec l'auteur, le 19 février 1996.

17. Entretien avec l'auteur, le 16 mai 1996.

18. Entretien avec l'auteur, le 12 avril 1996.

19. Lettre à l'auteur, le 29 janvier 1996.

20. Cette remarque plutôt énigmatique du pêcheur de saumon se sentant rasséréné par la beauté des lieux révèle peut-être une douloureuse connotation quand on sait que la maladie de son épouse s'aggrave considérablement à cette époque, au point qu'elle va l'emporter quatre mois plus tard, le 26 novembre.

21. «St.John Salmon Club, Mossy Cliff Salmon Record».

22. Lucien Campeau, M.D., F.R.C.P. (C), F.A.C.C., Hommage à M. J.-Louis Lévesque lors de la messe *in memoriam*, le 10 janvier 1995.

✣

Chapitre huit

J.-Louis Lévesque,
LE PHILANTHROPE

Nous avons déjà vu combien il importait à Louis Lévesque de s'instruire. Son éducation familiale lui avait fait voir le rôle primordial de l'instruction dans la vie. Il avait été un élève attentif à l'école du village et il avait rêvé, non sans inquiétude, de devenir un homme instruit, de faire un cours classique, ce qui, à l'époque, n'était possible qu'à un bien petit nombre de privilégiés. Grâce à la débrouillardise et à la ténacité de ses parents, particulièrement de sa mère Minnie, il lui fut possible de compter parmi ces privilégiés. Il réalisa ce premier grand projet de sa vie : faire son cours classique. Et il en était bien fier.

Cette chance qu'il avait eue de s'instruire, il la souhaitait instinctivement au plus grand nombre des enfants de son pays, tellement il lui apparaissait évident que le plus précieux instrument du succès, tant pour l'individu que pour le pays tout entier, était bien l'instruction. Aussi, il n'allait pas se contenter de formuler, en ce sens, des vœux pieux. L'homme d'action allait poser des gestes très concrets dans la logique de ses convictions profondes.

Ses travaux dans la région de Joliette, au cours de ses premières années comme courtier, l'avaient amené à découvrir plus que des clients intéressants. Il avait découvert les charmes estivaux de Saint-Gabriel-de-Brandon et c'est là qu'il avait choisi d'acquérir une magnifique propriété où il se retirait pendant l'été, avec sa petite famille. Plus d'une fois, par de beaux dimanches ensoleillés des vacances, alors que ses enfants s'ébattaient joyeusement dans l'eau avec leurs petits amis, il fut touché, interrogé, ému par certaines visites qui le reportaient immanquablement vers son enfance et ses chers projets d'études. Voici que se présentaient, tour à tour, des garçons de douze ou treize ans, tout endimanchés et portant, malgré la chaleur de midi, cravate et veston, bien peignés et fort polis, qui sollicitaient de l'estivant un peu d'aide financière pour pouvoir s'inscrire au collège et y commencer leur cours classique. Il arrivait que le garçon appuyait sa requête de son projet de devenir prêtre. Après chacune de ces visites, Louis Lévesque se disait, inquiet : « Ça n'a pas de bons sens, il faudra faire quelque chose... »

La Fondation J.-Louis Lévesque

Et il fit quelque chose. Il fit beaucoup. Il accorda son aide financière à un grand nombre de ces jeunes qui voulaient s'instruire et qui sollicitaient son aide, à Saint-Gabriel ou ailleurs. Les besoins immenses et la demande incessante le conduisirent bientôt à organiser sur une base permanente cette participation qu'il tenait à apporter, le plus généreusement et efficacement possible, à l'instruction de ses concitoyens. Voilà comment lui vint l'idée de mettre sur pied une fondation à cet effet. La Fondation J.-Louis Lévesque sera créée en 1961. Le financier réalisera, encore ici, une belle première. Il sera le premier Canadien français à créer de son vivant une fondation dont il sera l'unique pourvoyeur de fonds. Il y consacrera, dès le départ, une somme de plusieurs millions dont les intérêts serviront à octroyer des bourses d'études à des étudiants méritants et aux prises avec des problèmes financiers, particulièrement au niveau secondaire.

Vers 1964, avec la création du ministère de l'Éducation du Québec et son service des prêts et bourses aux étudiants, voici que l'État apporte enfin une solution au problème des jeunes désireux de s'instruire et n'ayant pas les ressources financières pour le faire. Louis Lévesque en est fort heureux et il oriente alors l'aide de sa Fondation vers la recherche fondamentale visant l'amélioration tant de l'éducation que de la santé de ses compatriotes. C'est ainsi que des chercheurs, tant dans les centres hospitaliers que dans les universités, pourront poursuivre leurs travaux grâce à l'aide financière de la Fondation J.-Louis Lévesque. Le mécène insiste, il souhaite aider la recherche elle-même. Quant à la mise en place des locaux permettant cette recherche, il en reconnaît la nécesssité, mais c'est exceptionnellement seulement qu'il acceptera d'y apporter l'aide de sa Fondation.

Du côté de l'éducation, il a été longuement question déjà de l'immense collaboration que Louis Lévesque a apportée à la création de la première université des Acadiens. En termes de gros sous, cette université a reçu de la Fondation J.-Louis Lévesque une aide financière de plus de 1,4 million de dollars. De nombreuses autres institutions d'enseignement, tant en Ontario, au Nouveau-Brunswick et à l'Île-du-Prince-Édouard qu'au Québec, ont bénéficié de l'aide de la Fondation J.-Louis Lévesque.

Le Pavillon Louis J.-Robichaud, Centre d'éducation physique et des sports de l'Université de Moncton (CEPS) (Photo : archives du CUM)

Une affaire de cœur

Pour la santé de ses compatriotes, Louis Lévesque mettra sa Fondation à contribution de façon magistrale. Il avait fait la connaissance du Dr Paul David en 1963 par l'intermédiaire de Suzanne David, sœur jumelle de Paul et ami de P.-H. Desrosiers, lui-même ami du financier. Suzanne lui avait présenté son frère jumeau qui voulait solliciter un appui financier et qui obtint alors un engagement pour un montant de 25 000 $. Ce fut le point de départ d'une importante «histoire de cœur». L'Institut de cardiologie de Montréal, œuvre du Dr Paul David, allait devenir l'hôpital protégé de la Fondation J.-Louis Lévesque. Il est vrai que le financier se laissait parfois influencer dans ses choix par le souvenir d'expérience personnelle ou familiale et ce choix de l'Institut de cardiologie comme bénéficiaire privilégié de son mécénat a bien pu être motivé en bonne partie par cette inoubliable expérience du 23 mai 1946 : il avait trouvé sa chère mère Minnie inanimée. Elle venait de succomber à une crise cardiaque. Il reste que la rencontre avec le docteur David fut déterminante.

Avril 1973, Institut de cardiologie de Montréal. On vient de dévoiler une plaque de bronze rappelant la générosité de J.-Louis Lévesque à l'endroit de l'institution. Le mécène cause ici avec le docteur Paul David et Andrée Bourassa.

Le célèbre médecin-fondateur de l'Institut de cardiologie raconta un jour, en termes émouvants, les circonstances qui avaient présidé à ce choix du mécène. Il évoqua ce souvenir à l'occasion d'un banquet offert en hommage à Louis Lévesque et dont il sera question plus loin. Le médecin s'adressa à lui en ces termes :

« Il en est qui donnent avec joie et cette joie est leur récompense. » Je crois retrouver en vous la noble illustration de cette pensée. Ce partage de joie, je l'ai particulièrement ressenti en 1969 lorsque vous m'avez invité, avec mes six enfants, à un dîner. La perte d'une épouse et d'une mère, trois mois plus tôt, avait désorganisé brusquement une famille habituée à vivre quotidiennement son bonheur. Je vis dans votre invitation imprévue un geste délicat de réconfort et d'amitié. Une discussion animée permit à chacun de décrire ses activités et ses ambitions. Ce fut au dessert seulement que vous me posâtes subitement la question suivante : « Docteur, si je vous donnais un million pour la recherche, sauriez-vous le dépenser adéquatement à l'Institut ? » Ahurissement, surprise, joie, reconnaissance..., autant de sentiments qui provoquèrent un silence instantané et pourtant meublé de sentiments intenses. « Il en est qui donnent avec joie et cette joie est leur récompense[1]. »

Cette conviction intime de Louis Lévesque à l'effet que l'investissement dans la recherche est éminemment porteur de plus grand profit pour la société rejoint très logiquement l'idée qu'il se fait du rôle fondamental de l'instruction et dont nous avons déjà parlé. Cette conviction rejoint profondément aussi celle du docteur David. Leur communauté de pensée a sûrement contribué à établir entre les deux hommes une telle amitié et une si féconde collaboration. Le cardiologue a certainement attiré l'attention du mécène sur le fait criant que les maladies cardiovasculaires sont les plus importantes causes de mortalité au Canada. En 1977, la générosité et la fidélité du soutien de Louis Lévesque envers l'Institut de cardiologie avaient été telles que le conseil d'administration de l'hôpital décida de baptiser de son nom l'un des pavillons de l'édifice. On précisa qu'il s'agissait d'un geste de reconnaissance pour le rôle si important qu'il avait joué dans le déclenchement et la productivité de la recherche dans ce centre hospitalier. Au cours de la cérémonie entourant cette dédicace, le 28 novembre 1977, le docteur David parla ainsi :

À tous les niveaux, la recherche est finalement le principal moyen de nous adapter au présent et de prévoir l'avenir. Pour cette raison, nous attachons à la recherche clinique une importance capitale. Celle-ci s'est développée au rythme des ressources mises à notre disposition.

L'Institut de cardiologie de Montréal et son Pavillon J.-Louis Lévesque.
« Nous reconnaissons qu'il est responsable de la renommée mondiale de
l'Institut. » (Dʳ Paul David) (Photo : archives de l'ICM)

Durant les dix dernières années, nos médecins et chercheurs ont publié plus de 300 articles scientifiques et ont exposé leurs travaux dans les congrès les plus prestigieux du monde. Ce palmarès exceptionnel est le résultat concret de la générosité de M. Lévesque qui a gratifié la recherche médicale d'une subvention annuelle de plus de deux cent mille dollars. Petit à petit, l'excellence des travaux scientifiques a valu à l'Institut cette renommée internationale dont nous avons déjà parlé.

En choisissant les médecins et chercheurs de l'Institut comme bénéficiaires d'une importante subvention annuelle de sa Fondation, M. Lévesque a visé «gagnant». Nous reconnaissons en effet qu'il est responsable de la renommée mondiale de l'Institut.

Donateur et solliciteur

Louis Lévesque fit vraiment de l'Institut de cardiologie le protégé privilégié de sa Fondation, son œuvre de prédilection. Il était tout à fait au courant de cette sage précaution des décideurs qui avaient requis de la part des architectes de l'édifice de deux étages des fondations capables d'en supporter dix autres. L'Institut était promis à un avenir dont les réalisations nécessiteraient un jour beaucoup plus d'espace. Il y avait eu là une attitude de confiance en l'avenir qui n'était probablement pas étrangère au mécène et qui lui plaisait certainement. Il décida de faire pour l'institution plus que de lui accorder son aide substantielle et privilégiée. Il se fit solliciteur de fonds et, à cet effet, il organisa, en 1977, une corporation appelée Fonds de recherche de l'Institut de cardiologie de Montréal. Lui-même signataire de la charte de l'organisme, il amena des amis du monde de la finance à poser leurs signatures en dessous de la sienne. Son enthousiasme se communiqua naturellement dans les rangs de ses relations d'affaires d'où bientôt l'on vit arriver au Fonds de recherche de l'Institut de cardiologie d'excellents collaborateurs et des contributions sans cesse grandissantes.

Les stratégies efficaces que Louis Lévesque a paufinées pendant ses nombreuses années au contact des financiers, il les mettra habilement au service de son cher Fonds de recherche. Ainsi, à l'hiver de 1983, Madame Nicole Bureau-Tobin, présidente du comité exécutif du conseil d'administration du Fonds de recherche, l'informe de la démarche qu'elle s'apprête à faire auprès de Monsieur Raymond Garneau afin d'obtenir sa participation comme président d'une campagne de

Le sourire d'une agréable taquinerie. J.-Louis Lévesque vient de corriger les chiffres du président de banque Raymond Garneau. « Ce sera donc non pas le double mais le triple… »

levée de fonds populaire. Or le financier vient d'accéder à la présidence de la Banque Laurentienne et il y a lieu de douter que son nouvel horaire lui permettra d'accepter l'invitation. Louis Lévesque y mettra la pression qu'il faut : « Dites-lui que, s'il accepte, je doublerai le montant qu'il amassera ; et que, s'il refuse, je ne verserai que mon don habituel. »

Garneau accepta et, au moment de dévoiler le résultat de la campagne, il annonça tout heureux qu'un engagement préalable de Monsieur Lévesque allait porter ce montant à son double. Annonce que le mécène s'empressa de corriger, y allant à l'endroit du président d'une taquinerie fort appréciée de tous : « Je ne comprends pas, réfléchit-il tout haut, qu'un président de banque ne fasse pas la différence entre le double et le triple. Je lui ai promis une contribution personnelle du double de ce qu'il amasserait. La somme de la campagne sera donc non pas le double mais le triple de la cueillette dans le public... »

L'invitation à dîner de Louis Lévesque au docteur David avait vraiment été le point de départ d'une évolution extraordinaire de l'Institut de cardiologie de Montréal. En plus des innombrables services qu'il a rendus à l'institution par ses conseils judicieux, sa présence morale constante, les nombreuses démarches effectuées pour intéresser des donateurs au Fonds de recherche, Louis Lévesque a versé lui-même à l'Institut, par le biais de sa Fondation, la jolie somme de dix millions de dollars. Cet extraordinaire soutien financier a permis à l'Institut de cardiologie de Montréal de réaliser une première mondiale, soit l'évaluation de la chirurgie du pontage coronarien, recherche qui a impressionné le monde scientifique et qui a, par la suite, ouvert à l'institut montréalais la grande porte du National Institute of Health[2], lui assurant ainsi une participation à de nombreux essais cliniques multi-centriques[3].

Peu après avoir commencé à soutenir l'Institut de cardiologie de Montréal, le mécène, qui avait alors connu de très beaux succès comme turfiste, avait confié au Dr David et à Madame Bureau-Tobin : « Vos travaux m'intéressent. Vous savez, j'ai de bons chevaux et je tente de ne garder que ceux qui peuvent être des premiers. Je pense que vous pouvez être un premier et je veux vous aider à y parvenir[4]. » Louis Lévesque a ainsi permis à l'œuvre du docteur David de « devenir un centre de réputation internationale ; ce fait mémorable doit être connu et reconnu. Ses marques d'assistance, d'encouragement, de confiance, d'admiration ont motivé, stimulé les membres de l'équipe de l'Institut de cardiologie de Montréal et du Fonds de recherche pendant plus de deux décennies. Puissions-nous toujours en conserver le souvenir[5]. »

L'Institut de cardiologie de Miami

De sa résidence d'hiver en Floride, Louis Lévesque se tenait constamment en contact avec la direction de « son » Institut de cardiologie de Montréal et, chaque fois qu'il revenait en ville, il aimait visiter ce lieu où il se sentait tout comme chez lui. Les membres de la direction et du personnel de la maison étaient toujours heureux de revoir dans la maison ce bienfaiteur si intéressé à leur travail et qui avait toujours pour chacun et chacune une salutation amicale, un mot d'encouragement. Contribuer à la recherche en cardiologie, participer selon ses propres moyens au soulagement de ses frères humains

À l'Institut de cardiologie de Miami, le docteur Lewis Elias vient de dévoiler une plaque commémorative en l'honneur de J.-Louis et Jeanne Lévesque, bienfaiteurs insignes de l'institution.

dont le cœur est malade, c'était pour lui la meilleure façon, avec la promotion de l'éducation, d'améliorer la qualité de vie de son peuple.

Lorsque, en mai 1984, on lui apprend que son vieil ami, le voisin-forgeron de Nouvelle, venait de succomber, en Gaspésie, à une crise cardiaque, ses premiers mots furent : «Quels moyens y avait-il pour le soigner, à l'hôpital où on l'a transporté...?» Le 21 juin suivant, il écrivait au président de l'Institut de cardiologie de Miami pour lui dire qu'il acceptait sa suggestion à l'effet de transférer au septième étage de l'aile nouvelle de l'Institut la Suite canadienne pour l'aménagement de laquelle il avait déjà versé une somme considérable. «Si ces espaces peuvent être aménagés en des pièces très confortables et agréables, précisait-il, je suis disposé à y contribuer de façon importante[6].» Il voulait ainsi consolider les bonnes relations entre Miami et Montréal et il souhaitait que dans cette Suite canadienne les vacanciers canadiens hospitalisés puissent se sentir moins dépaysés. Plusieurs d'entre eux ont profité des soins que dispense cet institut, y subissant des interventions chirurgicales majeures, notamment à cœur ouvert.

À Montréal, après le décès de leur cher bienfaiteur, des représentants de son hôpital bien-aimé lui rendirent un hommage public dans lequel ils soulignèrent, entre autres qualités du personnage, ce trait de caractère qui, plus que le bien décrire, honore grandement sa mémoire. Ils affirmaient :

> J.-Louis Lévesque était un homme d'une grande humilité et discrétion. Il s'enorgueillissait cependant du succès des équipes qu'il favorisait. Il aimait rapporter les commmentaires élogieux entendus lors de ses voyages à l'étranger au sujet des chercheurs de l'Institut. Il ne revendiquait cependant aucun crédit de ces réalisations, comme si sa collaboration financière n'influençait pas ces résultats. Lorsqu'en 1976, les administrateurs de l'Institut lui proposèrent de nommer un pavillon en reconnaissance de son

aide si généreuse, il hésita à accepter cet hommage. Il y consentit en espérant que son exemple incite davantage le milieu des affaires à participer aux progrès de la médecine dans nos institutions et ouvre la porte à de nombreuses autres contributions au Fonds de Recherche de l'Institut de cardiologie de Montréal[7].

Le prix Eleanor Roosevelt Humanities

Même si le philanthrope préférait que la discrétion et le silence enveloppent ses libéralités, inévitablement, les honneurs et témoignages de reconnaissance vinrent à se multiplier pour souligner sa générosité. Parmi eux tous, le plus solennel et, probablement pour lui et son épouse Jeanne, le plus mémorable fut la réception du prix Eleanor Roosevelt Humanities qui leur fut décerné le 15 janvier 1976 au cours d'un dîner de gala offert par L'Organisation des obligations de l'État d'Israël, à l'auditorium Shaar Hashomayim de Westmount. Pendant le mois précédant cette cérémonie, le couple avait entrepris un voyage en Israël dans le but de mieux connaître le pays dont un organisme allait lui rendre hommage. L'Organisation des obligations de l'État d'Israël offrit ses services pour organiser et superviser l'itinéraire et le Père Clément Cormier, cet ami acadien et copionnier de l'Université de Moncton, accompagna les visiteurs.

Parmi les invités de marque qui rehaussaient la brillante cérémonie, on pouvait compter plusieurs des amis intimes du couple des récipiendaires et le premier d'entre eux à leur rendre hommage fut précisément le Père Clément Cormier. L'occasion se prêtait à merveille pour qu'il laisse parler son cœur. Et il en profita.

Depuis un quart de siècle, j'ai eu assez régulièrement recours aux lumières de Monsieur Lévesque. Je l'ai toujours connu comme un homme qui prend plaisir à « venir en aide ». Le 28 décembre dernier le

J.-Louis Lévesque   Jeanne Lévesque

Récipiendaires du prix Eleanor Roosevelt Humanities

président d'Israël, Monsieur Ephraim Katzir, recevait Monsieur et Madame Lévesque en audience. Le distingué personnage, qui avait lu le curriculum vitæ de Monsieur Lévesque, accueillit ses invités avec une question remplie d'étonnement : « Comment pouvez-vous faire autant de choses ? » Ce soir, je veux tenter de répondre à la question du président Katzir et aussi à cette autre question : « Comment pouvez-vous réussir aussi bien ? » (...)

Ce que j'ai apprécié par-dessus tout chez Louis Lévesque, c'est son attitude d'esprit toujours positive, optimiste, communicative. Quelle que fût l'audace des projets que nous venions lui soumettre, après étude sérieuse — invariablement —, sa réaction était la même : « Marchez !... Ça réussira. »

Grâce à la confiance qu'il était en mesure d'inspirer, grâce à la crédibilité qu'il était en mesure de garantir auprès du gouvernement ou de nos créanciers, grâce à l'intérêt qu'il était en mesure de susciter dans tous les milieux, notre Université s'est développée à une rapide allure. Si, en une douzaine d'années, notre institution a pu s'épanouir en un campus de 35 millions $, c'est surtout grâce à Monsieur Lévesque.

Le financier Allen Bronfman eut l'honneur de présenter ledit trophée aux héros du jour. Après avoir évoqué les mérites extraordinaires de Louis Lévesque, il rappela à son tour, tout comme les orateurs qui l'avaient précédé, ce facteur essentiel que fut dans le succès de la carrière du financier « le soutien constant et amoureux de la charmante et gracieuse compagne de sa vie, son épouse Madame Jeanne Lévesque ». Et il poursuivit :

C'est donc avec le plus grand plaisir que je présente le trophée Eleanor Roosevelt Humanities à Monsieur et Madame J.-Louis Lévesque. Le prix Eleanor Roosevelt Humanities a été créé pour perpétuer l'esprit et les idéaux d'une noble femme qui a honoré la scène mondiale grâce à ses principes humanitaires, sa lutte pour la liberté et son dévouement inlassable à l'égard des pays en voie de développement. Consacré à la mémoire de feu Madame Roosevelt, ce trophée symbolise ses contributions à la paix mondiale grâce à la compréhension entre les peuples et les pays. Il sert également à rappeler les efforts qu'elle a déployés pour le développement économique de l'État d'Israël à titre d'allié démocratique des États-Unis, du Canada et d'autres pays libres[8].

Vint ensuite le docteur Paul David, celui dont l'œuvre avait ravi de façon si particulière l'attention et la libéralité du mécène. Le fondateur de l'Institut de cardiologie de Montréal, visiblement ému, salua très amicalement en Louis Lévesque les éminentes qualités de l'« homme chaleureux, attentif et profondément humain ». Et il formula ainsi son hommage aux deux récipiendaires :

La fondation de l'Institut et la poursuite de ses objectifs représentent plus de vingt ans de travail, de souci, d'espoir et de joie. Nous avons une place spéciale dans notre cœur pour ceux et celles qui ont compris nos objectifs et partagé nos idéaux. Plus encore que la magnificence de ses générosités, j'ai apprécié l'extraordinaire confiance que Monsieur Lévesque a mise en moi. En des relations indéfinissables mais néanmoins réelles de compréhension, de solidarité et d'amitié, il s'est personnellement associé à notre mission. Cette confiance nous a permis de faire face aux problèmes quotidiens et de poursuivre nos projets avec détermination et enthousiasme.

Nous voulons que nos efforts et nos succès soient un hommage et une récompense à sa générosité afin que se vérifie la sentence : « Il en est qui donnent avec joie et cette joie est leur récompense. » Nous vous prions, Madame Lévesque, de partager cette joie et d'accepter l'expression de nos sentiments de respect, d'affection et de reconnaissance.

L'Organisation des obligations de l'État d'Israël rendait cet hommage à Louis et Jeanne Lévesque pour souligner leur générosité et leur intérêt à la

Les visiteurs en Israël en audience avec le ministre
de la Défense, Shimon Peres.

cause de la paix dans le monde mais aussi parce que
le mécène avait très généreusement participé à la
sensibilisation de son milieu de Montréal et du
Québec à ladite organisation. Prenant la parole à
son tour, en réponse à ces discours élogieux, Louis
Lévesque rendit hommage à l'organisation des
obligations de l'État d'Israël. Parlant de son intérêt
envers cette organisation, il voulut partager avec ses
convives deux des plus profondes impressions que
lui et son épouse avaient éprouvées en Israël au
cours de leur récent voyage.

Ce fut d'abord une profonde admiration envers
les géants qui furent à l'origine de l'État d'Israël :

Accompagnés du Père Clément Cormier, ils sont accueillis par l'archevêque William Aquin Carew, un Canadien de Terre-Neuve qui occcupe depuis 1970 le poste de délégué apostolique à Jérusalem et en Palestine.

Herzl, l'homme aux visées prophétiques, Weizmann, le savant parfaitement désintéressé qui devint l'occasion providentielle, et surtout le réalisateur Ben Gourion, le héros partout vénéré en Israël et qui appartient à l'humanité tout entière, tellement la densité de ses qualités et les conséquences de ses actes ont une portée universelle. Ces hommes ont ouvert une nouvelle ère au peuple juif. Et de tout cœur, j'espère qu'ils n'auront pas semé en vain.

Ensuite, ce fut, poursuivit l'orateur, la visite de ce qui, «je pense, doit être le monument le plus

Les héros de la fête en compagnie, de gauche à droite,
de Sam Steinberg, le vicomte Carol Hardinge et Madame Hardinge.

impressionnant au monde. Le lieu s'appelle le
"Mont du souvenir" et il est dédié à la mémoire
des six millions de Juifs victimes des crimes nazis. »

Que de telles atrocités aient été possibles au ving-
tième siècle est incroyable. Et je ne peux pas comprendre qu'un être humain puisse résister à cette
impulsion naturelle l'incitant à exprimer sa sympathie au peuple juif et à contribuer de quelque
façon à la réparation des torts qu'on lui a fait subir.

Conduisant au monument des atrocités, nous avons
contemplé une allée d'arbres appelée « Avenue des
non-Juifs à l'esprit droit » en hommage aux non-
Juifs qui, au cours des années les plus sombres, ont
osé porter secours aux victimes des Nazis. C'est à ce
moment, devant l'« Avenue des non-Juifs à l'esprit
droit », que j'ai découvert la signification exacte des
Obligations de l'État d'Israël. Voilà pourquoi il m'a
fait plaisir de participer à l'œuvre admirable que
poursuit « l'Organisation ». Je souhaiterais avoir

l'honneur d'être considéré comme un non-Juif à l'esprit droit.

Le Prix au mérite
de la Fondation J.-Louis Lévesque

En 1980, Louis Lévesque souhaite élargir encore le champ de l'action bienfaisante de sa Fondation. Il le fera, en instaurant pour une période de dix années consécutives, le Prix au mérite de la Fondation J.-Louis Lévesque. Pour la cause de la bienfaisance, ce sera, à chaque année, d'une pierre deux coups. D'une part, le prix fera connaître, comme un exemple à imiter, l'œuvre philanthropique du lauréat ou de la lauréate et, d'autre part, il ajoutera 100 000 $ au compte de l'œuvre citée à l'honneur. Les récipiendaires seront choisis pour leurs réalisations exceptionnelles dans une des sphères d'activités suivantes : les arts, les sciences naturelles et les œuvres sociales, la recherche médicale ou scientifique, les affaires, l'industrie, les sports et les communications.

Le Père Clément Cormier, c.s.c.

Il convenait éminemment, et cela dut être bien agréable à Louis Lévesque et à ses convictions relatives à l'éducation, que le premier récipiendaire du Prix au mérite de sa Fondation soit, en 1980, l'éminent éducateur acadien, le Père Clément Cormier, c.s.c., dont nous avons fait connaissance précédemment, au chapitre cinq.

La deuxième édition du Prix au mérite rendit hommage, en 1981, au maire de Montréal, Jean Drapeau, spécialement à cause du rôle qu'il avait joué dans la réalisation de la Place des Arts et celle du métro, dans l'obtention et l'organisation de l'Exposition universelle de 1967, des Jeux olympiques d'été de 1976 et, en 1980, des premières Floralies internationales en Amérique du Nord.

L'honneur de 1982 échut à Madame Pauline M. McGibbon, éminente universitaire de la pro-

Monsieur Jean Drapeau

vince d'Ontario dont elle était devenue lieutenant-gouverneur en 1974. L'honorable Pauline McGibbon a voué sa vie au service de sa communauté et de son pays. Selon l'un de ses amis de longue date, elle l'a fait «non pas en forçant son chemin, mais en ouvrant la porte doucement, avec discrétion, compréhension et chaleur».

L'année 1983 fut celle du Dr Armand Frappier, le fondateur en 1938 de l'Institut de microbiologie et d'hygiène de Montréal qui, depuis 1975, porte son nom. Parmi les nombreuses réalisations de cet illustre chercheur québécois, on voulut faire mention de la promotion, au Canada et dans le monde, de la vaccination contre la tuberculose par le BCG de même que, pendant la Deuxième Guerre mondiale, de la fondation au Québec de cliniques de donneurs de sang de la Croix-Rouge.

Madame Pauline M. McGibbon

En 1984, le Prix au mérite de la Fondation rendit hommage à Mme Jeanne Sauvé, devenue gouverneur général du Canada le 23 décembre de l'année précédente. Madame Sauvé avait fait carrière dans le monde des communicateurs et des artistes. Elle fut un des membres fondateurs de l'Institut de recherches politiques avant d'entamer, en 1972, une brillante carrière en politique.

L'année suivante, on honora le Père Marcel de la Sablonnière, s.j., pour son œuvre remarquable d'éducation par la promotion des sports et du plein air. Il s'est fait l'animateur par excellence du Centre des loisirs de l'Immaculée-Conception. On lui doit la mise en place dans les Laurentides de la plus grande base de plein air au Québec, avec quinze cents acres de belles forêts et une capacité d'accueil de quatre cent douze lits. Un confrère témoigna alors de lui dans les termes suivants: «Profondément convaincu que la pratique du sport et des activités de plein air est l'une des meilleures préparations pour une qualité de vie supérieure, autant sur le plan physique que social, mental et spirituel,

Le docteur Armand Frappier

Madame Jeanne Sauvé

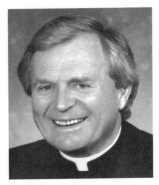

*Le Père Marcel
de la Sablonnière, s.j.*

Madame Naomi Bronstein

Sœur Mary Greene, f.m.a.

le Père trouve toujours une intense satisfaction à voir évoluer, progresser, s'épanouir tous ces jeunes de tous âges qui, grâce au Centre, à la Base de plein air, font non seulement l'expérience de la simple mais si importante joie de vivre, mais s'assurent ainsi un meilleur départ dans la vie[9]. »

Vint ensuite, en 1986, le tour de Madame Naomi Bronstein. Cette femme admirable, que la presse a surnommée « la dame aux mille enfants », a voulu tenir le pari insensé de redonner l'espoir à d'innombrables jeunes que la malnutrition ou la maladie condamnait, en Afrique, en Asie, en Amérique centrale. « Donner naissance à cinq enfants, en adopter huit autres de races diverses, les élever sans domestique et, en même temps, se porter au secours de milliers d'autres qui souffrent de par le monde. C'est de la folie, bien sûr. De la folie furieuse. Naomi Bronstein est la première à le reconnaître[10]. »

En 1987 et 1988, on ne décerna pas le prix, le mécène étant particulièrement retenu auprès de son épouse malade. En 1989, la lauréate fut Sœur Mary Greene, f.m.a., une religieuse native de Nouvelle et fille aînée de Alfred Greene, ce cousin de Minnie dont nous avons fait connaissance au début de ce livre. Toute jeune enfant, elle avait appris de sa grand-mère à s'intéresser aux pauvres. Chaque jour, elle se rendait avec elle porter un dîner chaud à une vieille dame. Devenue religieuse parmi les fondatrices des Filles de Marie-de-l'Assomption à Campbellton, elle se consacre à l'éducation et au soulagement des plus déshérités de son entourage. Elle se fait « pourvoyeuse des pauvres » en sensibilisant des bienfaiteurs aux œuvres qu'elle a mises en place. « Ce qui fait la grandeur de Sœur Greene, c'est sans doute d'avoir pu rendre la dignité aux personnes qui l'avaient perdue, d'avoir mis sur pied un système d'éducation populaire pour les gens privés de scolarité et d'avoir permis à des personnes à l'aise de se rendre utiles en aidant les autres. On ne peut rester insensible devant une vie si bien remplie[11]. »

La même année, de façon exceptionnelle, le Prix au mérite de la Fondation J.-Louis Lévesque couronna aussi les travaux d'une autre grande dame. Il s'agisssait de Madame Peggy Ann Walpole, une infirmière torontoise qui a consacré sa carrière au secours des femmes démunies, itinérantes ou toxicomanes. «Au cours des 23 dernières années, en dépit de sa santé précaire et de nombreuses hospitalisations, Peggy Ann Walpole a consacré sa vie et ses énergies presque exclusivement à son travail avec et pour les femmes sans ressources. Sa compassion, son amour et sa compréhension lui ont mérité toute la gratitude et le respect de ces femmes, de ses pairs, des autorités gouvernementales et autres[12]. »

Madame Peggy Ann Walpole

Donner encore et donner toujours

L'éducation et la santé. La recherche scientifique en ces deux domaines cruciaux dont dépendent si largement la qualité de vie et les perspectives d'avenir pour un peuple, voilà, encore une fois, les champs d'activité que Louis Lévesque a voulu privilégier à travers sa Fondation. Mais cette Fondation a supporté aussi, de façon moins importante cependant, de nombreux autres organismes culturels, philanthropiques ou sportifs. Ce ne serait pas respecter le désir du modeste mécène défunt que de vouloir en dresser ici la nomenclature. Sa libéralité ne limitait pas d'ailleurs son action au cadre de sa très généreuse Fondation et quelques-unes de ses dernières volontés que nous pouvons publier sans indiscrétion en témoignent éloquemment.

Fier de sa cathédrale

Alors que de nombreux et prestigieux édifices publics du centre-ville de Montréal étaient l'objet de cure d'embellissement, il confia un jour aux administrateurs de la cathédrale Marie-Reine-du-Monde qu'il souhaiterait bien voir cet édifice bénéficier lui aussi d'un tel traitement, sans quoi il ferait figure de parent trop pauvre dans le décor ambiant. Bien sûr, il contribuerait au financement des travaux. Le fidèle demeura fidèle à ses propos et c'est avec joie et reconnaissance que l'un des responsables de cette église, ayant appris qu'un livre allait faire état de la générosité de Louis Lévesque, déclara :

Cathédrale de Montréal
(Photo : Gilles Savoie, Mission Montréal, *Fides, 1992.)*

La cathédrale Marie-Reine-du-Monde de Montréal a largement bénéficié de la générosité de Monsieur J.-Louis Lévesque dans l'accomplissement de ses dernières volontés. En effet, il a accordé un legs fort substanciel de un million de dollars en faveur de cette cathédrale. Les responsables lui conservent une vive reconnaissance particulièrement dans cette période prévue pour d'importants travaux de restauration[13].

Une prière aussi discrète que l'homme

Une autre belle action généreuse de Louis Lévesque, dont à peu près personne n'aurait jamais rien su sans l'initiative de son principal témoin, fut l'aide apportée à la Old Brewery Mission de Montréal, cette institution qui, depuis plus d'un siècle, a accueilli, dans la plus pure des traditions de charité chétienne, des centaines de milliers de sans-abri et itinérants. Le révérend Bill McCarthy, qui consacra la majeure partie de son ministère pastoral à cette œuvre, révèle dans ses mémoires la générosité de Louis Lévesque envers ses chers déshérités :

> J.-Louis Lévesque était le meilleur ami et supporteur qu'on pût souhaiter. Il fut, pendant des années, le plus important donateur annuel à notre Mission... Il était d'une extrême gentillesse envers le pasteur de la Mission. Il avait l'habitude de dire : «J'aime ce que vous faites dans cette Mission. Gardez un lit pour moi, Père[14]! »

Parole énigmatique, enveloppée d'un sourire entendu et d'une discrète connivence. En demandant au pasteur de lui garder un lit, il se recommandait aux prières de l'homme de Dieu et il rejoignait fidèlement, par delà les années de sa carrière, cette démarche pieuse qu'il avait faite peu après son arrivée à Montréal, alors qu'il cherchait, incertain, la voie de son avenir. Il avait frappé à la porte des pasteurs de l'Oratoire Saint-Joseph, racontait-il plus tard, comme un souvenir amusant.

Un religieux lui avait ouvert et demandé ce qu'il cherchait.

— Je voudrais voir le Frère André, répondit-il.

— Eh bien, c'est moi. Que puis-je faire pour vous ?

— Me bénir, répondit le jeune visiteur, s'agenouillant, tout intimidé.

— Relevez-vous, mon fils, je ne suis pas un prêtre, avait rectifié l'humble portier devenu célèbre par la suite.

Fier de ses origines gaspésiennes

Nous avons déjà noté, à plusieurs reprises même, l'attachement de Louis Lévesque à sa Gaspésie natale qu'il tenait à revoir à chaque année. Il aimait revisiter les lieux de son enfance et de sa jeunesse, les paysages encore animés par les mânes de ses ancêtres. Il y a en Gaspésie un patrimoine qui est aussi le sien et qu'il souhaitait voir conserver le mieux possible. Or il a découvert en la Société historique de la Gaspésie, créée en 1962, l'organisme fiduciaire par excellence pour jouer ce rôle de conservation et de mise en valeur du patrimoine de sa région d'origine. Et il s'en est fait le grand et fidèle mécène. Régulièrement, il a apporté à cette corporation et à son œuvre majeure, le Musée de la Gaspésie qu'il visitait chaque été en y conduisant fièrement des amis, une aide financière importante. De plus, il a voulu prolonger au-delà de sa vie ce soutien à la préservation de son patrimoine historique.

Au cours du mois de juin 1995, un membre de sa famille s'est présenté à l'assemblée générale de la Société historique de la Gaspésie, à Gaspé, pour communiquer dans les termes suivants les volontés du disparu relativement à cet organisme de sa Gaspésie :

Entrée de la salle J.-Louis Lévesque (salle de l'exposition permanente) dans le Musée de la Gaspésie. (Photo : Archives du Musée de la Gaspésie)

Mon père, J.-Louis Lévesque, a toujours gardé un profond attachement à sa Gaspésie natale et il s'est intéressé aux travaux de la Société historique de la Gaspésie dès ses débuts, vers 1964. Il voyait dans votre organisme la possibilité de faire vivre et de faire mieux connaître la mémoire de personnes et de choses qui étaient bien chères à son cœur de Gaspésien.

Aussi, après avoir apporté à la Société historique de la Gaspésie, au cours des quelque trente dernières années, une aide financière de plus de un demi million de dollars, il a voulu qu'après son décès se poursuive cette aide.

Et c'est ainsi que j'ai le plaisir de vous annoncer qu'il a légué à la Société historique de la Gaspésie la somme de un million de dollars en obligations du Canada.

J'ai l'assurance que ce geste de papa vous plaît et je souhaite qu'il contribue à garder vivante parmi vous la mémoire de ce vrai Gaspésien que fut mon père et qui aimait tellement sa Gaspésie.

La Fondation J.-Louis Lévesque, comme un monument...

La générosité de cet homme d'affaires rationnel, lucide, perspicace et apparemment imperturbable avait, comme en un mystérieux paradoxe, quelque chose d'impulsif qui l'incitait à ne refuser aucune des demandes qu'on lui adressait. Cela ne comporta pas grand inconvénient tant et aussi longtemps que sa fortune n'eut rien d'extraordinaire. Mais au fur et à mesure qu'on se mit à le reconnaître comme un généreux supporteur de nombreuses bonnes causes, les sollicitations se multiplièrent et il en vint à devoir se défendre contre lui-même en s'entourant d'une sorte de mur de protection contre sa nature à la fois compatissante et timide. Il développa ainsi une attitude tellement prudente à l'endroit des demandeurs qu'on put croire qu'il les soupçonnait de vouloir abuser de ses bontés. Bien sûr, il acquiesçait très souvent aux demandes mais il aimait surtout donner spontanément.

Ne l'a-t-on pas vu négocier sérieusement avec ce chauffeur de taxi de Londres qui lui paraissait trop demander pour sa course et lui verser ensuite un très généreux pourboire ? Ne l'a-t-on pas vu donner tous les moyens de son grand rêve à cette vieille dame malade qui ne lui avait rien demandé ? Ne l'a-t-on pas vu offrir spontanément au docteur David cette somme fabuleuse qui fut à l'origine d'une de nos gloires nationales en recherche scientifique ? Et cette femme de chambre d'un hôtel américain qui l'a peut-être trouvé un peu fou de lui donner tant d'argent après qu'elle lui eut exposé la misère de sa famille...

Bob Anderson était un jeune éleveur de pur-sang qui siégeait au conseil d'administration de l'hippodrome Woodbine de Toronto avec Louis Lévesque. Celui-ci le jugeait des plus prometteurs et il l'appréciait particulièrement. Il achetait des chevaux de sa ferme, toujours satisfait du prix et de la bête. Un jour, en causant élevage avec Pierre-Louis, le fils du turfiste, Bob confia son inquiétude au sujet de la concurrence avec les Arabes qui lui causait des difficultés énormes. « Il faudrait y mettre de très gros sous que je n'ai pas », laissa-t-il tomber, sans aucune arrière-pensée. Peu après, le fils ayant eu l'occasion de causer avec son père des problèmes du jeune éleveur, le père s'amène aux écuries de Bob et lui présente un bout de papier en lui disant : « Prends ça, tu me le rendras quand tu pourras. » C'était un chèque de un million… « C'est, de toute ma vie, le geste le plus généreux et gentil qu'on ait posé à mon égard », murmure l'éleveur, encore tout ému. Bob ayant préféré reporter à plus tard l'acceptation du service offert, Louis Lévesque lui signifia : « Tu es aussi proche de moi que ton téléphone. » L'éleveur Bob Anderson, dont la réussite confirma tout à fait par la suite les prévisions de Louis Lévesque, témoigne sans réserve : « Il fut l'homme le plus populaire et le plus généreux dans le monde des chevaux. Ici, à Woodbine, la foule l'applaudissait. Quand j'ai appris son décès, j'ai pleuré comme un enfant[15]. »

Contrairement à ce que l'on avait vu auparavant, de la part des autres mécènes du pays, Louis Lévesque a décidé lui-même de la nature de la Fondation qui porterait son nom. Il a décidé qu'elle œuvrerait de son vivant et non seulement après son départ. Il a décidé qu'elle le ferait, avant et après sa mort, selon les grandes options qu'il privilégiait. La Fondation J.-Louis Lévesque continue donc l'œuvre qu'il a voulue et conçue, elle continue d'apporter à de nombreuses causes analogues à celles qu'il a jugées prioritaires le soutien précieux qui est le fruit de ses talents de financier, de son travail acharné, du haut idéal qu'il nourrissait pour son peuple et de la désormais légendaire clairvoyance dont il était doué.

La Fondation J.-Louis Lévesque perpétue de façon magnifique, au sein de son peuple qu'il aimait, non seulement la mémoire mais aussi l'action féconde de ce citoyen émérite. Elle devient un digne monument à l'honneur d'un homme qui n'en aurait jamais voulu. Un monument à cet homme au grand cœur que ni les honneurs ni les apparats n'ont jamais su séduire, cet homme simple qui, lucide face à la destinée humaine, aimait dire au Révérend McCarthy : « Gardez un lit pour moi, Père ! »

Notes

1. Discours au dîner de gala offert à M. et Mme J.-Louis Lévesque par l'Organisation des obligations de l'État d'Israël, le 15 janvier 1976.

2. Ayant débuté en 1887 comme modeste laboratoire d'hygiène occupant un seule pièce, le «National Institute of Health» est devenu l'un des centres de recherche biomédicale les plus en vue dans le monde entier et le principal centre fédéral de recheche biomédicale aux États-Unis.

3. Lucien Campeau, M.D., F.R.C.P.(C), F.A.C.C., «Hommage à M. J.-Louis Lévesque lors de la messe *In memoriam*», le 19 janvier 1995.

4. Entrevue avec Madame Nicole Bureau-Tobin, le 8 juin 1996.

5. Hommage à Monsieur J.-Louis Lévesque, présentation - FRICM - C.A., le 16 mars 1995, par Nicole Bureau-Tobin, présidente du Fonds de recherche de l'Institut de cardiologie de Montréal.

6. Correspondance avec Mr. Osmer S. Deming, président de l'Institut de cardiologie de Miami, 9-21 juin 1984.

7. Martial G. Bourassa, M.D., Institut de cardiologie de Montréal et Nicole Bureau-Tobin, Fonds de recherche de l'Institut de cardiologie de Montrél, «J.-Louis Lévesque : un grand humaniste», *Le Devoir*, 11 janvier 1995.

8. Le trophée, présenté par l'entremise de l'Organisation des obligations d'Israël, est un médaillon comprenant sur une face un portrait en bas-relief de Madame Roosevelt et sur

l'autre une incription qui a été conçue en collaboration avec la famille Roosevelt pour honorer ceux qui, par leur participation active aux affaires de leurs collectivités et du monde, symbolisent l'essence de son esprit. Cette inscription se lit comme suit : Trophée Eleanor Roosevelt Humanities pour actions humanitaires – Obligations de l'État d'Israël – présenté à Monsieur et Madame J.-Louis Lévesque pour leur dévouement inlassable envers l'humanité ainsi que leur amitié pour l'État d'Israël – En mémoire d'Eleanor Roosevelt – Montréal le 15 janvier 1976.

9. Jean-Louis Brouillé, s.j., in «Prix au mérite de la Fondation J.-Louis Lévesque – 1988 ».

10. Paul Morisset, cité dans «Prix au mérite...», *loc. cit.*

11. *Ibid.*

12. *Ibid.*

13. Pierre Saint-Cyr, curé de la cathédrale de Montréal, lettre à l'auteur le 29 août 1996.

14. The Reverend Canon Bill McCarthy, «The Rev – Memoirs of Montreal's Old Brewery Mission», Robert Davies Publishing, Montréal 1996, p. 141.

15. Entretien de l'auteur avec Bob Anderson, à Woodbine, le 3 septembre 1996.

TABLE DES MATIÈRES